Libro del profesor

Nivel 3

Alicia Jiménez, Juan Manuel Fernández y Rosa Basiricó

Componentes:

— Libro del alumno con claves (páginas 4 a 121).

— Carpeta de actividades complementarias con claves (páginas 122 a 144).

— Cuaderno de ejercicios con claves.

— Guía didáctica con sugerencias de explotación.

— CD audio.

 Este símbolo indica que en el libro digital existe un documento extra.

edelsa

GRUPO DIDASCALIA, S.A.

Primera edición: 2013
Impreso en España/*Printed in Spain*

© Edelsa Grupo Didascalia S.A., Madrid 2013
Autores: Alicia Jiménez, Juan Manuel Fernández y Rosa Basiricó.

Dirección y coordinación editorial: Departamento de Edición de Edelsa.
Diseño de cubierta: Departamento de Imagen de Edelsa.
Diseño de interior y maquetación: Departamento de Imagen de Edelsa.
Ilustraciones: Ángeles Peinador Arbiza.
Fotografías: Photos.com
© Antonio López, VEGAP, Madrid 2013.
© Salvador Dalí. Fundació Gala – Salvador Dalí, VEGAP, Madrid 2013.
© Equipo Crónica (Manolo Valdés), VEGAP, Madrid 2013.

CD Audio: Locuciones y montaje sonoro ALTA FRECUENCIA Madrid, 915195277, altafrecuencia.com.
Voces de la locución: Míriam Martín García, María Blanco Jiménez, José Antonio Páramo
Brasa y Elena González Hortelano.

Imprenta: Egedsa
ISBN versión internacional: 978-84-7711-310-2
ISBN versión brasileña: 978-84-7711-585-4
ISBN versión italiana: 978-84-7711-736-0
ISBN de Italia: 978-88-5760-596-8

Depósito legal: M-17873-2013

¡Bienvenido a este curso de español!

VERSIÓN MIXTA

Bienvenido a este curso de español para jóvenes estudiantes que se presenta totalmente integrado en las TIC.

PARA EL PROFESOR

Libro del profesor

Extensión digital:

✓ Manual de uso del libro digitalizado:

- Libro del alumno digitalizado e interactivo **para pizarra digital o para ordenador con proyector, con enlaces a vídeos y documentos extra.**
- Sugerencias de explotación **de los enlaces y documentos extra.**

✓ Y en la web de Edelsa > Sala de profesores:

- Modelo de exámenes.

PARA EL ALUMNO

2 opciones del libro del alumno:

1. Trabajar con el libro en formato papel e ir a la extensión digital en la web de Edelsa > Zona Estudiante para complementar con:

   ✓ *Blog* en red.

   ✓ Actividades y ejercicios interactivos.

   ✓ Descarga de audio.

2. Trabajar con la versión mixta:

   ✓ En el libro del alumno en formato papel se incluye un CD con el libro digitalizado interactivo que incluye el audio.

   ✓ Extensión digital.

¿Cómo funciona este curso?

Este libro tiene 6 unidades

Observa la primera página de cada unidad y sus objetivos.

En la segunda, hay una actividad de repaso y sistematización del léxico.

Cada unidad tiene 2 lecciones

Empezamos cada unidad con un diálogo o un texto.

Responde las preguntas sobre el diálogo o el texto.

Practica y comunica en español.

Participa
en la comunidad de
Código ELE

Extensión digital

Visite la web de Edelsa

Zona estudiante

Escribe en español y publícalo en el *blog* Código ELE
en la web de Edelsa > Zona Estudiante > Código

On-line

Tu biblioteca de español

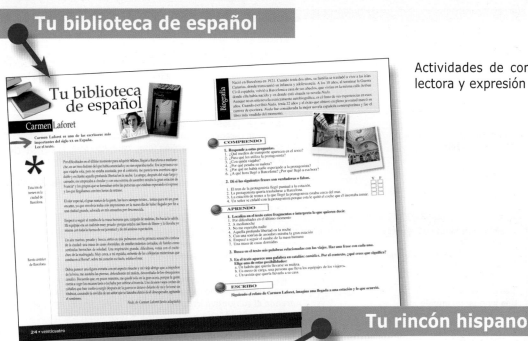

Actividades de comprensión lectora y expresión escrita.

Tu rincón hispano

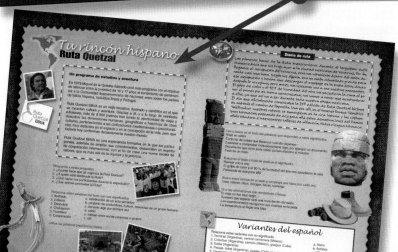

Acercamiento a la cultura de América Latina y variantes del español.

Arte y aparte

Cierra cada unidad con actividades a partir de cuadros relacionados temáticamente con la unidad.

Modelos de examen

Repasa y fija tus conocimientos:
- de comunicación.
- de gramática.
- de texto.

UNIDAD 0

Recuerda tu español

Lección 0 Ponte en marcha

1 RECUERDA LAS FORMAS VERBALES

A. Localiza en la nube de palabras 32 formas verbales, clasifícalas en el cuadro y di a qué persona corresponden.

Presente	Pretérito perfecto simple	Pretérito imperfecto	Imperativo
1. .....puedes (tú).....	1. .....comió (él).....	1. .....vivíais (vosotros).....	1. .....vaya (usted).....
2. .....tienen (ellos).....	2. pusimos (nosotros)	2. .....hablaba (yo/él).....	2. .....venga (usted).....
3. .....sigo (yo).....	3. .....fuisteis (vosotros).....	3. .....ibais (vosotros).....	3. .....salid (vosotros).....
4. .....estoy (yo).....	4. estuvimos (nosotros)	4. .....éramos (nosotros).....	4. .....haz (tú).....
5. .....sirve (él).....	5. .....hablé (yo).....	5. .....veían (ellos).....	5. .....ponga (usted).....
6. .....quiero (yo).....	6. .....hizo (él).....		6. .....sed (vosotros).....
7. .....eres (tú).....	7. .....dio (él).....		7. .....di (tú).....
8. .....duelen (ellos).....	8. .....pudo (él).....		
9. .....salgo (yo).....	9. .....nació (él).....		
	10. .....tuve (yo).....		
	11. .....vivieron (ellos).....		

B. Escribe el plural.

1. Puse — pusimos
2. Hiciste — hicisteis
3. Comió — comieron
4. Quiere — quieren
5. Iba — íbamos/iban
6. Haga — hagamos/hagan
7. Puede — pueden
8. Tengo — tenemos

9. Sigo — seguimos
10. Habló — hablaron
11. Nací — nacimos
12. Viví — vivimos
13. Sé — sed
14. Pon — poned
15. Pude — pudimos
16. Eras — erais

C. Escribe el singular.

1. Veían — veía
2. Salid — sal
3. Decid — di
4. Estamos — estoy
5. Erais — eras
6. Vayan — vaya
7. Salimos — salgo
8. Fuisteis — fuiste

9. Dieron — dio
10. Estuvimos — estuve
11. Tuvisteis — tuviste
12. Hablaban — hablaba
13. Vivíais — vivías
14. Vengan — venga
15. Estuvimos — estuve
16. Venid — ven

2 RECUERDA LOS NOMBRES DE LOS ALIMENTOS

A. Escribe los nombres de estos alimentos. Para ayudarte, te damos la primera letra.

1. El z.umo......
2. El c.ruasán...
3. El q.ueso......
4. La m.agdalena.
5. El a.gua........
6. El p.an.........
7. El c.afé........
8. La f.ruta.......
9. El a.zúcar......
10. Las g.alletas....
11. La m.iel.........
12. La m.ermelada.
13. La l.eche......
14. El t.é..........
15. La m.antequilla

B. Di cuatro cosas que tomas normalmente de desayuno.

C. ¿Qué desayunabas durante tus vacaciones? Escribe tres frases.

1. _____
2. _____
3. _____

 RECUERDA LOS NOMBRES DE LA ROPA Y LOS COLORES

A. Busca en esta sopa de letras los nombres de las 15 prendas y 11 nombres de colores.

B. Describe las 15 prendas según los colores.

1. La bufanda gris
2. La falda rosa
3. Las zapatillas grises y blancas
4. El bolso azul
5. Los pantalones rosas
6. El jersey azul
7. La gorra naranja
8. Los calcetines grises
9. La camisa marrón
10. La cazadora blanca y negra
11. Los zapatos verdes
12. Las botas rojas
13. Los guantes violetas
14. El vestido violeta
15. La camiseta amarilla

4 RECUERDA LAS EXPRESIONES PARA HABLAR DEL TIEMPO

Subraya el intruso.

1. Hace bueno, hace calor, <u>está nublado</u>, está soleado.
2. Llueve, hace frío, hay tormenta, <u>hace bueno</u>.
3. <u>Sol</u>, nieva, llueve, graniza.

5 RECUERDA LOS NOMBRES DE LOS INSTRUMENTOS MUSICALES

Clasifica estos instrumentos.

arpa – bombo – clarinete – flauta – guitarra – piano – tambor – trombón – trompeta – violín – violonchelo

Instrumentos de cuerda	Instrumentos de percusión	Instrumentos de viento
arpa	bombo	clarinete
guitarra	piano	flauta
violín	tambor	trombón
violonchelo		

6 REPASA LA GRAMÁTICA

A. Elige la opción adecuada.

1. • ¿No te vas a comprar esa camisa?
   • No. Es que no _____, _____ fea.

   a. me parece, me parece
   b.) me gusta, me parece
   c. me parece, me gusta

2. • ¿Dónde puedo comprar champú y jabón?
   • Pues en aquella _____ de ahí.

   a. ferretería
   b. panadería
   c.) droguería

3. • ¿Te gusta _____ revista de aquí?
   • No, prefiero _____ de allí.

   a.) esta, aquella
   b. una, aquella
   c. aquella, una

4. • Uy, este abrigo es _____, cuesta mucho.
   • Sí, pero es _____ barato _____ este otro.

   a. barato, más… que
   b. carísimo, tan… como
   c.) carísimo, más… que

5. • Mi hermano y yo _____ en Barcelona.
   • Ah, ¿y desde cuándo vivís aquí?

   a. nacemos
   b.) nacimos
   c. nací

6. • Este verano _____ en la playa con mis primos.
   • Ah, ¿sí? ¡Qué bien!

   a. estuve
   b. estaba
   c.) he estado

7. • Ayer _____ el curso.
   • Ya estás en tercero, ¿no?

   a.) empezó
   b. empezaba
   c. ha empezado

8. • Cuando _____ pequeño, _____ en Sevilla, ¿no?
   • Sí, y _____ el pelo más rubio.

   a.) eras, vivías, tenía
   b. estabas, vivías, habías
   c. fuiste, viviste, hubiste

9. • El martes hizo muy _____, estuvo todo el día soleado.
   • Sí, es verdad, en cambio hoy _____ todo el día.

   a. bien, ha llovido
   b. bien, llovió
   c.) bueno, ha llovido

10. • Y tú, ¿qué quieres ser de mayor?
    • Yo quiero ser _____ médico, como mi padre.

    a.) Ø
    b. un
    c. el

B. Relaciona las dos partes de las preguntas y responde.

Preguntas		Respuestas

1. ¿A qué edad   a. has estado estas vacaciones?
2. ¿Cuándo   b. estudias español?
3. ¿Desde cuándo   c. ha empezado la clase de español?
4. ¿A qué hora   d. has hecho este verano?
5. ¿Dónde   e. compraste tu último ordenador?
6. ¿Qué   f. viniste a este instituto?

    1-f; 2-e; 3-b; 4-c; 5-a; 6-d.

 7 ACTÚA

A. Prepara un texto para presentarte a tus compañeros (nombre y datos personales, descripción física y de carácter, lugar de nacimiento, gustos y aficiones, etc.).

B. Escribe un correo electrónico a un/–a amigo/a, para contarle tus vacaciones.

Sigue estas sugerencias

¿Cuándo has salido?
¿Cuándo has llegado?
¿Dónde has ido?
¿Cuántos días has estado?
¿Con quién has ido de vacaciones?
¿Cómo has ido?
¿Qué has visto/visitado?
¿Dónde has dormido?
- ¿En *camping*?
- ¿En hotel?
¿Has comido alguna especialidad?
¿Has comprado algo?

UNIDAD 1

Cuenta tus acontecimientos vividos

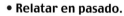

En esta unidad aprendes a...

- Relatar en pasado.
- Expresar la frecuencia de actividades actuales y pasadas.
- Indicar acciones anteriores a otras pasadas.
- Hablar de tus vacaciones pasadas y de los lugares que has visitado.
- Situar cuándo ocurre una acción.
- Contar el tiempo transcurrido desde que ocurrió una acción.
- Enumerar acciones anteriores o posteriores a otras.
- Contar un relato bien construido.

Observa los objetos e identifica su nombre.

las botas – la cámara de fotos – las chanclas – las gafas de sol – la maleta –
el mapa – la mochila – los prismáticos – la ropa – el saco de dormir –
la tienda de campaña – la toalla

4 las gafas de sol

3 las botas

5 la tienda de campaña

6 el saco de dormir

2 la mochila

1 el mapa

7 la ropa

10 la cámara de fotos

8 los prismáticos

11 la toalla

9 la maleta

12 las chanclas

Habla del mundo que conoces

¿Qué tal tus vacaciones?

Javier: Hola, Lourdes, otra vez al instituto, ¿eh? ¿Qué tal todo?

Lourdes: Hola, Javi. Fenomenal. Y tú, ¿cómo estás?, ¿qué tal por Asturias?

Javier: Pues un poco cansado. Es que <u>volvimos</u> ayer, pero nos lo <u>hemos pasado</u> muy bien. Asturias es preciosa.

Lourdes: Pero tú ya habías estado por allí, ¿no?

Javier: Bueno, sí, había ido dos o tres veces cuando <u>era</u> pequeño, pero no la <u>recordaba</u> así. Además, este año <u>estaban</u> mis primos y nos <u>hemos divertido</u> mucho. <u>Íbamos</u> a la playa todos los días nosotros solos y, a veces, por las tardes, <u>dábamos</u> una vuelta por el pueblo. Y tú, ¿al final fuiste a Grecia?

Lourdes: ¡No, qué va! <u>Hemos ido</u> a Alicante. <u>Pensábamos</u> ir a Grecia, pero <u>tuvimos</u> que cambiar de planes porque no <u>encontramos</u> billetes baratos. Pero bien, allí conozco a mucha gente y me lo <u>he pasado</u> muy bien. Yo también <u>iba</u> sola a la playa, pero por la noche no me dejaban salir. <u>Salí</u> con mis amigas el primer día, pero <u>llegué</u> a casa casi a las once y mis padres me habían dicho a las diez. Cuando <u>llegué</u>, <u>estaban</u> muy preocupados y bastante enfadados.

Javier: ¡A las diez en verano, es prontísimo!

Lourdes: Ya conoces a mis padres... pero bueno, <u>ha estado</u> muy bien. Me <u>he bañado</u> mucho, <u>he comido</u> arroces buenísimos y lo mejor es que <u>he conocido</u> a una chica de Manchester muy simpática. <u>Solíamos</u> vernos por las tardes y <u>hablábamos</u> siempre en inglés. Sus padres me <u>han invitado</u> a su casa y los míos están de acuerdo. Así que mi próximo viaje: Inglaterra. ¡Y yo sola!

Javier: ¡Qué suerte!

1 ESCUCHA, LEE EL TEXTO Y HAZ LAS ACTIVIDADES DE COMPRENSIÓN

A. Responde a las preguntas como en el ejemplo.

1. ¿Javier ha vuelto de sus vacaciones hace algún tiempo?
   No, Javier volvió ayer de sus vacaciones.
2. ¿Javier nunca había estado antes en Asturias?
   Sí, Javier había estado dos o tres veces antes en Asturias, cuando era pequeño.
3. ¿Javier daba una vuelta todos los días por el pueblo?
   Todos los días no, solo a veces daba una vuelta por el pueblo.
4. ¿Lourdes no fue a Grecia porque sus padres preferían Alicante?
   No, Lourdes no fue a Grecia porque sus padres no encontraron billetes baratos.
5. ¿Lourdes salió un día con sus amigas y, cuando llegó a casa, cenó con sus padres?
   No, sus padres la castigaron por llegar tarde el primer día.

B. Marca el significado de estas afirmaciones. Luego...

LO HEMOS PASADO MUY B...

ASTURIAS ES PRECI...

NOS DEJABAN SALIR POR EL PUE...

NO ENCONTRAMOS BILLETES BARA...

B. Explica qué hacían los v...

Ana estudia...
(prepara...
exáme...

1. ¿Qué crees que significa «¡Qué va!»? Significa *no*.
2. ¿Puedes encontrar en el texto un sinónimo de «divertirse»? Pasarlo bien.
3. ¿Qué significa la expresión «dar una vuelta»? Pasear, salir a dar un paseo
sin un rumbo fijo.

C. Marca en el texto todas las formas de estos pasados y escríbelos aquí.

Pretérito perfecto simple	Pretérito perfecto compuesto	Pretérito imperfecto
volvimos, fuiste, tuvimos, encontramos, salí, llegué, llegué.	hemos pasado, hemos divertido, Hemos ido, he pasado, ha estado, he bañado, he comido, he conocido, han invitado.	era, recordaba, estaban, Íbamos, dábamos, pensábamos, iba, dejaban, estaban, solíamos, hablábamos.

Practico y amplío

2 REPASA LOS USOS DEL IMPERFECTO

Cuando yo era pequeña...

Gramática

a. **Describir cosas o personas en el pasado:** La casa era pequeña.
b. **Expresar acciones realizadas de forma habitual:** Llovía todas las mañanas.
c. **Presentar una acción pasada que es interrumpida por otra acción:**
   Preparaba sus ejercicios cuando lo llamaron para cenar.
d. **Narrar una acción pasada en desarrollo simultánea a otra acción:**
   Estaba de vacaciones cuando mi padre compró el coche nuevo.
e. **Pedir algo de forma cortés:** Quería un refresco de naranja, por favor.

A. Completa con los verbos en imperfecto y escribe a qué uso del imperfecto corresponden.

1. Lourdes (pensar) **pensaba** ir a Grecia, pero no fue porque no tenía pasaporte. c
2. (Querer, yo) **Quería** pedirte un favor: ayúdame con las Matemáticas este trimestre. e
3. Las dos hermanas (tener) **tenían** los ojos azules de la madre y el pelo negro del padre. a
4. Nos (bañar, nosotros) **bañábamos** en la playa cuando Mari Luz llegó a nuestra casa. d
5. De pequeños (ir, ellos) **iban** todos los veranos al mismo pueblo. b

...ecinos de la casa en el momento del impacto.

Noticias
¡Un meteorito ha caído en plena ciudad!

Cuando cayó el meteorito, Alicia cenaba.

Paco veía la tele(visión).
Paco

Alicia cenaba.

...aba
...aba sus
...enes).

Marta dormía (descansaba).

Marta

Juan
Juan se duchaba.

Luis
Luis se vestía (se preparaba para salir).

Alicia

3 EXPRESA LA FRECUENCIA

Gramática

Además del imperfecto, podemos indicar que una acción es habitual o frecuente mediante locuciones como a menudo o muchas veces (mayor frecuencia) o a veces (menor frecuencia). También podemos usar la construcción soler + infinitivo:

Presente
A menudo como en la escuela.
A veces leo cómics de Asterix.
Suelo ver la tele todos los días.

Pasado
Cuando era pequeño, a menudo viajábamos al norte.
A veces salía con mis amigos a la plaza del pueblo.
Solía ver la tele todos los días.

¿Con qué frecuencia sueles realizar estas actividades? Escribe una frase para cada una con el verbo soler. Después, pregunta a tu compañero por la frecuencia con la que las realiza él. ¿Coincidís?

- ver la televisión
- salir con amigos
- estudiar español

- ir al cine
- hacer deporte
- jugar con la videoconsola

Suelo ver la televisión todas las tardes.

4 FORMULA LA ANTERIORIDAD

A. Observa y completa el esquema.

Gramática

Pretérito pluscuamperfecto
Haber en imperfecto + el participio

(yo)	había	
(tú, vos)	habías	
(él, ella, usted)	había	estado
(nosotros, nosotras)	habíamos	comido
(vosotros, vosotras)	habíais	vivido
(ellos, ellas, ustedes)	habían	

Sirve para expresar que una acción es anterior a otra acción pasada.
Javier ya había estado en Asturias. Estuvo allí antes de sus últimas vacaciones.

A menudo se usa el adverbio ya para reforzar la anterioridad.

Con nunca, expresamos que es la primera vez que hacemos algo.
¡Nunca antes había comido paella!

B. Relaciona.

1-c; 2-e; 3-a; 4-d; 5-f; 6-b.

1. La semana pasada vi a Javier,
2. Marisa ya había estado en Andalucía,
3. No hicimos el examen de Ciencias
4. Me han regalado una bici nueva,
5. No queréis venir,
6. Nunca había escuchado

a. porque ya lo habíamos aprobado.
b. una tontería igual.
c. nunca lo había visto tan cansado.
d. me habían robado la vieja hace unos meses.
e. pero este verano viajó por primera vez sola.
f. pero nos lo habíais prometido.

C. Completa las frases con los verbos en pluscuamperfecto.

1. La fiesta ya se (terminar) _había terminado_ cuando ellos llegaron.
2. Mauricio me (decir) _había dicho_ antes que no venía.
3. Tus amigos ya se (ir) _habían ido_ cuando empezó el partido.
4. Vosotros (vivir) _habíais vivido_ ya en esta ciudad, ¿verdad? Por eso la conocéis tan bien.
5. Yo nunca (esquiar) _había esquiado_ antes de estas vacaciones.
6. Tú ya lo (hacer) _habías hecho_, pero yo lo he limpiado otra vez.

Actúo

5 **HABLA SOBRE TUS VACACIONES**

A. Reflexiona sobre tus vacaciones y responde a las siguientes preguntas.

1. ¿Dónde has estado de vacaciones?
2. ¿Cómo era el lugar que has visitado?
3. ¿Cómo has viajado?
4. ¿Te lo has pasado bien? ¿Por qué?

5. ¿Habías estado allí antes?
6. ¿Cuánto tiempo has estado allí?
7. ¿Qué hacías normalmente?

B. Ahora habla con tu compañero informándote sobre sus vacaciones y respondiendo a sus preguntas.

¿Han sido las vacaciones de tu compañero muy distintas de las tuyas? Haz una lista comparando las diferencias.

CÓDIGO <M>

Vuestro mundo visitado
- Trabaja con toda la clase.
- Señala en un mapa todos los lugares donde has estado.
- Trae algunas fotos o búscalas en Internet y pégalas junto a vuestros destinos.
- Escribe una frase describiendo esos lugares. Coloca junto al mapa un póster con las cosas que solías hacer durante tus vacaciones.

Participa
en la comunidad de
Código ELE

Publicad ahora vuestros viajes en el blog y leed los de otros estudiantes. A lo mejor hay estudiantes que quieren conocer los lugares donde habéis ido, responded a sus preguntas.

Visite la web de Edelsa
Zona estudiante

Relata tus experiencias

Un reencuentro fantástico

Ya estoy de vuelta de las vacaciones y te tengo que contar una historia que quiero recordar durante mucho tiempo. Hace un par de años estuve con mis padres en un *camping* en los Alpes franceses y allí conocí a Pierre, un chico de París muy simpático. Hablaba algo de español, así que nos hicimos amigos y pasamos dos semanas muy buenas. Después de aquel verano, nos escribimos alguna vez alguna postal, pero perdimos el contacto. Este verano lo he vuelto a encontrar en un *camping* de Tossa de Mar. Llegamos a finales de junio y no había mucha gente, a los pocos días ya nos conocíamos todos. Un día por la mañana en la playa, vi a un chico en la orilla que parecía pensar lo mismo que yo, que el agua estaba demasiado fría. Metía un pie, lo sacaba, lo volvía a meter. Decidí acercarme a la orilla para ver si pasaba algo. No lo había visto desde hacía dos años, pero lo reconocí enseguida, era Pierre.

- Eres Pierre, ¿no?
- ¿Pilar? ¡Cuánto tiempo! ¡Qué alegría! ¿Nos bañamos o no nos bañamos?

Después de ese extraño encuentro, no dejamos de vernos ni un solo día. Pierre seguía siendo el chico divertido que había conocido dos años antes y yo estaba muy contenta de haberlo encontrado de nuevo. Ahora que han terminado las vacaciones, nos hemos prometido no perdernos de vista y hoy, al volver a casa, me he encontrado el correo electrónico lleno de mensajes suyos con estas fotos que nos hizo su madre.

 # Comprendo

1 **LEE EL CORREO Y HAZ LAS ACTIVIDADES**

A. ¿Verdadero o falso?

	V	F
1. Este verano Pilar ha ido de vacaciones a los Alpes.		X
2. Pierre suele ir de *camping* en sus vacaciones.		X
3. A finales de junio no había mucha gente.	X	
4. Pilar solía bañarse todos los días.		X
5. Pilar fue la primera en reconocer a su amigo.	X	
6. Siguieron viéndose durante el resto de las vacaciones.	X	

B. Responde a las preguntas completando los espacios.

1. ¿Cuándo estuvo Pilar en los Alpes franceses? Estuvo ░░░ hace un par de ░░░ años.
2. ¿Qué pasó después de aquel primer verano con Pierre? Los dos amigos ░░░ perdieron ░░░ el contacto.
3. ¿Cuándo se volvió a encontrar con Pierre? Lo vio ░░░ este verano ░░░ .
4. ¿Qué han hecho desde entonces? ░░░ No han dejado de estar en contacto. ░░░ .

C. Busca en tu diccionario la palabra *rato*. ¿Qué significa? ¿Y la expresión *un buen rato*?
Rato significa *tiempo breve*, *espacio de tiempo corto* y *un buen rato* puede significar *un momento placentero*, pero también (y aquí tiene ese significado) *un espacio de tiempo largo*.

Practico y amplío

2 INDICA CUÁNDO OCURRE UNA ACCIÓN

> Hace unos días me encontré con un viejo amigo.

A. Ordena las frases de la más antigua a la más reciente.

5 Ayer estuve viendo el álbum de las fotos de las vacaciones de Ángel.
6 En estos momentos, estoy intentando recordar mis vacaciones.
2 Hace dos años, visité Guatemala con mi familia.
3 En junio, hicimos una excursión en autobús con el instituto.
4 Hace unos días, Ana me contó una historia rarísima.
1 Cuando tenía tres meses, estuve con mi madre y mi abuela en el mar Caribe.

Pista 2

B. Escucha la grabación y completa la información.

	¿Quién?	¿Qué?	¿Cuándo?
1.	María	Un curso de inglés	En verano
2.	Pepa	Estuvo de *camping*	Hace tiempo
3.	Antonio	Viajó en tren	Cuando tenía tres años
4.	Marcos	No fue de vacaciones	El año pasado
5.	Elisa	Ha vuelto de vacaciones	Esta semana
6.	Julián y Raquel	Estuvieron esquiando	En enero

Con los datos anotados, reconstruye las frases.

3 SITÚA TEMPORALMENTE

Gramática

Señalar el momento en que ocurre un acontecimiento pasado	El + día de la semana o del mes En + fecha Hace + cantidad de tiempo	El 15 de julio salimos de viaje. El miércoles volvimos a casa. Estuve en Buenos Aires en mayo de 2010. Hace dos años, estuve en Buenos Aires.
Contar el tiempo que ha pasado desde que ocurrió un acontecimiento pasado	Hace + cantidad de tiempo + que + verbo en perfecto simple	Hace dos años que estuve en Buenos Aires.
Contar el tiempo desde que ocurre una situación presente	Desde + una fecha Desde hace + cantidad de tiempo Hace + cantidad de tiempo + que + verbo en presente	Vivo en Madrid desde 2007. Vivo en Madrid desde hace cinco años. Hace cinco años que vivo en Madrid.

A. Responde a las preguntas utilizando las expresiones hace y desde hace.

Hoy es lunes, 30.

AGENDA DE MIGUEL

LUNES	23	Primer día de gimnasio. He conocido a Maribel.
MARTES	24	
MIÉRCOLES	25	Mi cumpleaños. Regalo de mis padres: ¡Un viaje a París!
JUEVES	26	Examen de Inglés.
VIERNES	27	Ir al cine.
SÁBADO	28	
DOMINGO	29	

1. ¿Cuándo fue al cine?
2. ¿Desde cuándo conoce a Maribel?
3. ¿Cuándo tuvo el examen de Inglés?
4. ¿Cuándo le regalaron el viaje a París?
5. ¿Desde cuándo va al gimnasio?

Fue al cine hace tres días.
Conoce a Maribel desde hace una semana/siete días.
Tuvo el examen de inglés hace cuatro días.
Le regalaron el viaje a París hace cinco días.
Va al gimnasio desde hace una semana/siete días.

Si la referencia es el presente

Hace...
Desde hace...

Luisa viajó a Sevilla hace dos años.
Hace dos años que no nos vemos. ¿Cómo estás?

Si la referencia es el pasado

Hacía...
Desde hacía...

Luisa había viajado a Sevilla hacía dos años. **(Cuando Luisa fue era la segunda vez, dos años antes ya había ido).**
Hacía dos años que no nos veíamos. **(Cuando se vieron, habían pasado dos años desde su último encuentro).**

Gramática

B. Subraya la opción correcta.

1. Cuando nos vimos en la playa, *hace/hacía* dos días que no me bañaba.
2. *Hace/Hacía* algún tiempo, conocí a los primos de Marisa.
3. Ya tenemos las entradas del concierto. Si queréis venir, todavía tiene que haber porque no *hace/hacía* mucho que mis padres las compraron.
4. *Hace/Hacía* dos semanas que no veo a mis padres.
5. *Hace/Hacía* mucho que no nos veíamos, así que nos saludamos efusivamente.
6. Empezó a llover a finales de septiembre y *hace/hacía* tiempo que no llovía tanto.

4 EXPRESA ANTERIORIDAD Y POSTERIORIDAD

Y tú, ¿qué sueles hacer los fines de semana?

Gramática

A. Responde a estas preguntas.

1. ¿Qué sueles hacer antes de ir al instituto?
2. ¿Qué haces normalmente después de cenar?
3. ¿Qué haces en el instituto antes de las clases?
4. ¿Qué sueles hacer después de las clases?
5. ¿Qué haces normalmente antes de dormir?

Para contar algo que ocurre antes:
antes, antes de + **infinitivo**, hasta entonces/ese momento/ahora...

Para contar algo que ocurre más tarde:
después, después de + **infinitivo**, al rato, al poco tiempo, poco después, a los pocos días...

B. Marca la opción adecuada.

Este verano he conocido a dos hermanos muy simpáticos. Estuvimos hablando en la playa y teníamos tantas cosas en común que *al rato*/*antes* ya éramos amigos. *A los pocos días*/*Hasta entonces* me invitaron a una fiesta que daban en su casa. *Después*/*Hasta ese momento* solo nos habíamos visto en la playa y yo pensaba que eran gente normal, como yo. *Antes*/*Después* de conocer su casa, empecé a pensar que no eran tan normales. Para empezar, la casa era una mansión increíble, con una piscina fabulosa y con muebles de película. *Al rato*/*Hasta que* llegaron sus padres en un cochazo. Me los presentaron, pero se olvidaron de presentarme a la persona que venía con ellos y yo les pregunté si era su tío. Casi se mueren de la risa. El tío también. *Al poco tiempo*/*Hasta entonces* comprendí mi equivocación, cuando se puso su gorra. ¡Era el chofer!

Actúo

5 **CUENTA UNA HISTORIA**

Observa las imágenes y responde a las preguntas.

- Lola se ha divertido mucho este año. Elige un lugar: ¿qué ha hecho? ¿Cuándo lo ha hecho?

- Esto es lo que hacía normalmente en su viaje. Elige uno: ¿qué hacía?

- Pero algunas veces salía de la rutina y pasaban cosas distintas. Elige un acontecimiento: ¿qué le pasó un día a Lola?

- Al final las vacaciones se terminaron y Lola volvió a su casa: ¿cómo terminó su viaje?

CREA TU FINAL FELIZ.

CÓDIGO <R>

Tu relato
- Léele tu historia a tu compañero. ¿Cuál es más divertida, la tuya o la suya?

Tu biblioteca de español

Carmen Laforet

→ **Carmen Laforet es una de las escritoras más importantes del siglo XX en España. Lee el texto.**

Estación de trenes en la ciudad de Barcelona.

Barrio céntrico de Barcelona.

Por dificultades en el último momento para adquirir billetes, llegué a Barcelona a mediano-che, en un tren distinto del que había anunciado y no me esperaba nadie. Era la primera vez que viajaba sola, pero no estaba asustada; por el contrario, me parecía una aventura agradable y excitante aquella profunda libertad en la noche. La sangre, después del viaje largo y cansado, me empezaba a circular y con una sonrisa de asombro miraba la gran estación de Francia* y los grupos que se formaban entre las personas que estaban esperando el expreso y los que llegábamos con tres horas de retraso.

El olor especial, el gran rumor de la gente, las luces siempre tristes... tenían para mí un gran encanto, ya que envolvía todas mis impresiones en la maravilla de haber llegado por fin a una ciudad grande, adorada en mis ensueños por desconocida.

Empecé a seguir el rumbo de la masa humana que, cargada de maletas, iba hacia la salida. Mi equipaje era un maletón muy pesado -porque estaba casi lleno de libros- y lo llevaba yo misma con toda la fuerza de mi juventud y de mi ansiosa expectación.

Un aire marino, pesado y fresco, entró en mis pulmones con la primera sensación confusa de la ciudad: una masa de casas dormidas; de establecimientos cerrados; de faroles como centinelas borrachos de soledad. Una respiración grande, dificultosa, venía con el cuchicheo de la madrugada. Muy cerca, a mi espalda, enfrente de las callejuelas misteriosas que conducen al Borne*, sobre mi corazón excitado, estaba el mar.

Debía parecer una figura extraña con mi aspecto risueño y mi viejo abrigo que, a impulsos de la brisa, me azotaba las piernas, defendiendo mi maleta, desconfiada de los obsequiosos *camàlics*. Recuerdo que, en pocos minutos, me quedé sola en la gran acera, porque la gente corría a coger los escasos taxis o luchaba por subirse al tranvía. Uno de esos viejos coches de caballos que han vuelto a surgir después de la guerra se detuvo delante de mí y lo tomé sin titubear, causando la envidia de un señor que se lanzaba detrás de él desesperado, agitando el sombrero.

Nada, de Carmen Laforet (texto adaptado)

Biografía

Nació en Barcelona en 1921. Cuando tenía dos años, su familia se trasladó a vivir a las islas Canarias, donde transcurrió su infancia y adolescencia. A los 18 años, al terminar la Guerra Civil española, volvió a Barcelona a casa de sus abuelos, que vivían en la misma calle Aribau donde ella había nacido y en donde está situada su novela *Nada*.

Aunque no es una novela estrictamente autobiográfica, es el fruto de sus experiencias en esos años. Cuando escribió *Nada*, tenía 22 años y el éxito que obtuvo en plena juventud marcó su carrera de escritora. *Nada* fue considerada la mejor novela española contemporánea y fue el libro más vendido del momento.

COMPRENDO

1. Responde a estas preguntas.

1. ¿Qué medios de transporte aparecen en el texto?   Tren, expreso, taxis, tranvía, coche de caballos.
2. ¿Para qué los utiliza la protagonista?   Para llegar a Barcelona utiliza el tren. El coche de caballos lo utiliza para ir desde la estación de trenes hasta la casa donde se alojará. Las personas que salen de los trenes toman taxis y tranvías para volver a sus casas.
3. ¿Con quién viajaba?   Viajaba sola.
4. ¿Por qué pesaba su maleta?   Porque llevaba muchos libros.
5. ¿Por qué no había nadie esperando a la protagonista?   Porque nadie sabía cuándo llegaba.
6. ¿A qué hora llegó a Barcelona? ¿Por qué llegó a esa hora?   Llegó a Barcelona a las 12 de la noche (medianoche) porque había tenido problemas para encontrar billetes.

2. Di si las siguientes frases son verdaderas o falsas.

	V	F
1. El tren de la protagonista llegó puntual a la estación.		X
2. La protagonista quería trasladarse a Barcelona.	X	
3. La estación de trenes a la que llegó la protagonista estaba cerca del mar.	X	
4. Un señor se enfadó con la protagonista porque esta le quitó el coche que él intentaba tomar.		X

APRENDO

1. Localiza en el texto estos fragmentos e interpreta lo que quieren decir.

1. Por dificultades en el último momento   Cuando parecía que iba a sacar un billete, se produjo algún problema poco antes de la salida del tren.
2. A medianoche   A las doce de la noche
3. No me esperaba nadie   No había nadie en la estación para recoger a la protagonista.
4. Aquella profunda libertad en la noche   Ver soluciones en la Guía didáctica.
5. Con una sonrisa de asombro miraba la gran estación   Ver soluciones en la Guía didáctica.
6. Empecé a seguir el rumbo de la masa humana   La protagonista siguió a las numerosas personas que se dirigían hacia la salida.
7. Una masa de casas dormidas   Ver soluciones en la Guía didáctica.

2. Busca en el texto seis palabras relacionadas con los viajes. Haz una frase con cada una.
Billetes, tren, viajar, aventura, viaje, estación, expreso, maletas, equipaje, maletón, taxis, tranvía, coches de caballos.

3. En el texto aparece una palabra en catalán: *camàlics*. Por el contexto, ¿qué crees que significa? Elige una de estas posibilidades:
   a. Un ladrón que quería llevarse su maleta.
   b. Un mozo de carga, una persona que lleva los equipajes de los viajeros.
   c. Un taxista que quería llevarla a su casa.

ESCRIBO

Siguiendo el relato de Carmen Laforet, imagina una llegada a una estación y lo que ocurrió.

Tu rincón hispano
Ruta Quetzal

Un programa de estudios y aventura

En 1979 Miguel de la Quadra-Salcedo creó este programa con el objetivo de reforzar entre la juventud de 16 y 17 años el sentimiento de pertenencia a la Comunidad Iberoamericana de naciones entre todos los países de habla hispana, incluidos Brasil y Portugal.

Ruta Quetzal BBVA es un viaje iniciático, ilustrado y científico en el que se mezclan cultura y aventura. Gracias a él, y a lo largo de veintiséis ediciones, más de 8 000 jóvenes han tenido la oportunidad de viajar y descubrir las dimensiones humanas, geográficas e históricas de otras culturas, pertenecientes a las civilizaciones mediterráneas o precolombinas, muy distantes en el espacio y en la concepción de la vida, pero que todavía hoy conforman decisivamente nuestro mundo.

Ruta Quetzal BBVA es una experiencia formativa en la que los participantes, además de ampliar sus conocimientos, desarrollan un espíritu de cooperación internacional, con el fin de crear una nueva escala de valores, que va más allá de la riqueza y la pobreza.

Responde a estas preguntas.
1. ¿Cuánto hace que se organiza la Ruta Quetzal?   La Ruta se organiza desde hace más de 31 años.
2. ¿A quién está destinada la Ruta?   La Ruta se destina a jóvenes de 16 y 17 años.
3. ¿Qué hacen los participantes durante la expedición?   Los participantes viajan y conocen la cultura iberoamericana.
4. ¿Qué valores promueve la Ruta?   La Ruta promueve valores como el conocimiento, la cooperación, la importancia de las diferencias culturales y la solidaridad.

Relaciona estas palabras del texto con sus significados.
1. Ilustrado   a. celebración de un acto periódico
2. Edición   b. conjunto de costumbres, cultura, creencias de un grupo humano
3. Descubrir   c. conocer algo por primera vez
4. Civilización   d. sabio
5. Fructífero   e. trabajo entre varias personas o grupos
6. Cooperación   f. útil

    1-d; 2-a; 3-c; 4-b; 5-f; 6-e.

Utiliza las palabras para formar frases.

Las primeras horas de la Ruta transcurrieron durante el larguísimo vuelo transoceánico que nos trajo ayer a la ciudad mexicana de Veracruz. Por fin, llegamos al aeropuerto de Veracruz, pero nos retuvieron dentro del avión durante casi una hora. Según nos dijeron, era un avión demasiado grande para ese aeropuerto y tenían que descargar el equipaje en la propia pista, donde después lo recogimos, pero antes, nos revisaron uno a uno nuestros pasaportes. El golpe de calor y el 90 % de humedad del aire nos sacudieron la cara al poner el primer pie en tierra veracruzana; nos vamos a tener que acostumbrar a ellos, ya que así va a ser durante toda nuestra etapa mexicana.

El día que oficialmente comenzaba la 25ª edición de Ruta Quetzal hicimos en autobús el camino de Papantla. Una vez allí, en el inmenso Parque Temático Takilhsukut nuestros ruteros se sumergieron en la rica historia y las costumbres totonacas, paseando de acá para allá entre demostraciones del famoso «Palo Volador» e interesantes talleres de alfarería, tintes o lengua totonaca.

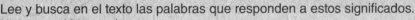

Lee y busca en el texto las palabras que responden a estos significados.
Viaje en avión: vuelo
Conjunto de cosas que llevamos cuando viajamos: equipaje
Examinar o comprobar minuciosamente algo, por ejemplo un documento: revisión
Documento que sirve para visitar países distintos al nuestro: pasaporte
Fase de un viaje: etapa

Busca en el texto y trata de explicar el significado.
Revisar uno a uno   Controlar detenidamente algo.
El golpe de calor y el 90 % de humedad del aire nos sacudieron la cara
El contraste entre la temperatura del avión y la de la calle era grande y, por eso, al salir recibieron un golpe de calor.
Paseando de acá para allá   Dar una vuelta, vagar sin rumbo fijo, pasear mirando cosas sin seguir un plan establecido.

Busca estos verbos en el texto y construye una frase con cada uno.
traer, retener, decir, recoger, hacer, sumergir

Di si las afirmaciones son verdaderas o falsas.
El viaje no fue muy largo.   F
Tuvieron que esperar casi una hora dentro del avión.   V
Los expedicionarios recogieron sus maletas en la pista.   V
La temperatura al llegar era baja.   F

Variantes del español

Relaciona estas variantes con su significado.
1. Terminal (Argentina), central camionera (México)   a. Metro
2. Colectivo (Argentina), camión (México), guagua (Cuba)   b. Autobús
3. Subte (Argentina)   c. Billete
4. Pasaje, ticket (Argentina), pasaje (Chile, Uruguay), boleto (México)   d. Coche
5. Despachar (Argentina), chequear (Chile), checar/registrar (México)   e. Maleta
6. Valija (Argentina), petaca (México), bolso (Venezuela)   f. Conducir
7. Auto (Argentina, Chile), carro (México, Venezuela)   g. Estación de autobuses
8. Nafta (Argentina), bencina (Chile)   h. Facturar
9. Manejar (Argentina, Chile, México, Venezuela)   i. Gasolina

1-g; 2-b; 3-a; 4-c; 5-h; 6-e; 7-d; 8-i; 9-f.

AHORA YA SÉ

Expresar frecuencia

1. Completa las frases con la construcción soler + infinitivo.

1. En verano, (tomar, nosotros) _solemos tomar_ el sol todos los días.
2. Cuando estaba en la playa, (bañarme) _me solía bañar/solía bañarme_ todos los días.
3. El año pasado, (ver, vosotros) _solíais ver_ la puesta de sol desde la playa todos los días.
4. En mis últimas vacaciones, (comer) _solía comer_ en restaurantes.

2. Utiliza el imperfecto para expresar una acción habitual.

1. ¿En tu viaje (visitar) _visitabas_ monumentos todos los días?
2. Era un rollo, nuestros padres no nos (permitir) _permitían_ salir todas las noches.
3. Mi padre se cansó mucho, porque (conducir) _conducía_ todos los días.
4. ¿Dónde (ir, él) _iba_ de vacaciones cuando era pequeño?

Situar en el tiempo

3. Explica cuándo realizaste tú estas acciones.

1. ¿Cuándo comiste pasta por última vez?
2. ¿Cuándo fue la última vez que viste a un tío tuyo?
3. ¿Cuándo hiciste tu último viaje?
4. ¿Cuándo te encontraste por última vez algo en la calle?

Situar temporalmente en el pasado

4. Completa las frases con hace, hacía, desde, desde hace, desde que.

1. ¿_Desde_ cuándo tocas la guitarra?
2. _Hacía_ mucho tiempo que no veía a Elena, pero ayer me encontré con ella.
3. No me asustaba tanto _desde_ hacía mucho.
4. Estuve en México _hace_ mucho.
5. Ya ha pasado mucho tiempo _desde que_ compré ese disco.
6. _Hace_ tiempo que quiero ver esa película.
7. No veo a mi primo _desde hace_ un par de meses.
8. _Hace_ cinco años estuve en Alemania con mis tíos.
9. _Hace_ poco estuve en Barcelona. Es una ciudad preciosa.
10. ¿Cuánto _hace_ que conoces a Maribel?

5. Subraya la opción adecuada.

1. Hace/_Hacía_ mucho que no venías a visitarnos.
2. No me había divertido tanto desde hace/_hacía_ tiempo.
3. No _hace_/hacía mucho que estudio español, todavía no lo entiendo bien.
4. Hace/_Hacía_ dos años que había estado allí, todo había cambiado mucho.
5. Hace/_Hacía_ siglos que no leo tebeos.

Gramática

Usos de los tiempos de pasado

6. Completa el texto conjugando los verbos en un tiempo adecuado.

Muchos años después, en Berlín, volví a ver aquellas escombreras de mi infancia.
Yo (llegar) había llegado a la ciudad del muro, enviado por un periódico español para hacer un reportaje de la vieja capital de Alemania. Durante una semana, recuerdo que (ser) era junio y que la primavera (llenar) llenaba de deseos y de flores los paseos y los parques alemanes (recorrer) recorrían las avenidas, (ver) vi las cruces del muro, las alambradas, los pasos en que (morir) habían muerto muchos hombres y mujeres al intentar cruzarlo. (Fotografiar, yo) Fotografié las iglesias y los palacios bombardeados. Recorrí la celebre avenida de los Tilos, aquella por la que, en sus días de gloria, (desfilar) habían desfilado desafiando al mundo los ejércitos de Hitler. Me (asomar) asomé al puente de Glieniker el mismo por el que rusos y americanos (canjear) habían canjeado sus espías cuando la guerra Fría (ser) era solo una frase que yo (oír) oía allá, en Olleros por la radio y, por la Friedrichstrasse, (cruzar, yo) crucé un día al otro lado para ver la cara oculta de la luna y comprobar que en Berlín se siente el peso del mundo como en ninguna otra parte. Pero, de todo ello, de todo lo que (ver, yo) vi o creí ver a mi paso, más aún que el perfil del muro o que las estaciones del viejo metro cerradas desde la guerra y vigiladas día y noche desde entonces por la policía, lo que más me (impresionar) impresionó fue la visión de la mítica Colina del Diablo.

Julio Llamazares, adaptado de *Escenas de cine mudo*

El pluscuamperfecto

7. Forma frases como en el ejemplo.

1. Llegar a la puerta del cine/acabar las entradas. *Cuando llegué a la puerta del cine, ya se habían acabado las entradas.*
2. Ir a despedirme/salir de casa. Cuando fue a despedirme, ya había salido de casa.
3. Entrar en el restaurante/empezar a comer ellos. Cuando entré en el restaurante, ya habían empezado a comer.
4. Comprarme un paraguas/terminar de llover. Cuando me compré un paraguas, ya había terminado de llover.
5. Llamarle/decirle la noticia. Cuando le llamé, ya le habían dicho la noticia.

Léxico

8. Escribe el nombre de los objetos.

1. El billete de tren

2. El pasaporte y la tarjeta de embarque

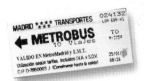

3. El billete de metro y autobús

4. La entrada del museo

5. El mapa

6. La agenda

7. El álbum (de fotos)

Preparo
mi examen

LEO Completa este texto con las palabras de la lista.

> agotados – barrio – buenísima – cerca – dejaron – descansar – edificios – entrada – estuve – hotel – metro – monedas – rato – salida – siesta – terraza – turistas – visité

En verano **estuve** unos días en Madrid con mis padres. El primer día **visité** el centro de la ciudad, el **barrio** histórico de la ciudad. Había muchos **edificios** muy bonitos. Como hacía sol y calor, comimos en una **terraza** de la Plaza Mayor. La plaza estaba llena de **turistas** que se hacían fotos junto a personas vestidas de superhéroes o de personajes de Disney a cambio de unas **monedas**. Había también muchos artistas: pintores, músicos, payasos o esculturas humanas. Comimos una paella que estaba **buenísima**. Como estábamos cansados, nos volvimos al hotel para **descansar**. Fuimos en **metro** y en pocos minutos llegamos a nuestro **hotel**. Dormí mi primera **siesta** española. Por la tarde, fui yo solo al Santiago Bernabéu, el estadio de fútbol del Real Madrid. Llegué un poco tarde, pero me **dejaron** entrar y no pagué **entrada** ni nada, porque ese día era gratis. Era mi gran ilusión y no me defraudó. A la **salida** vinieron mis padres a recogerme. Cenamos por allí **cerca**, en un bar. Después de cenar, salimos un **rato**, a ver las luces de la ciudad, pero estábamos **agotados** y nos volvimos pronto al hotel.

ESCUCHO Escucha la conversación entre Ángeles y Raúl. Enumera los medios de transporte que utilizó Ángeles en su viaje, dónde se alojó y las actividades que hizo.

Pista 3

Utilizó el tren, autobús y coche.
Se alojó en un *camping*.
Hizo *rafting*, montó a caballo, organizó una obra de teatro, escaló, hizo orientación en el bosque y paseó.

ESCRIBO Responde por escrito.

1. ¿Viajas a menudo? Explica los destinos que conoces. ¿Cuándo estuviste? ¿Qué hiciste?
2. ¿Cuál es tu tipo de viaje preferido?
3. Cuando viajas, ¿visitas museos y monumentos? ¿Cuáles conoces? ¿Qué otras cosas haces en los viajes?
4. ¿Qué medios de transporte has usado? ¿Cuál es tu favorito? Explica por qué.
5. ¿Has estado de *camping* alguna vez? ¿Prefieres el *camping* o el hotel? ¿Por qué?

HABLO Por turnos. Describe el viaje de una de estas personas a tu compañero. Cómo viajó, dónde se alojó, qué hizo... Tiene que adivinar quién es.

1

2

3

4

arte
y aparte

Muchacha en la ventana

Salvador Dalí

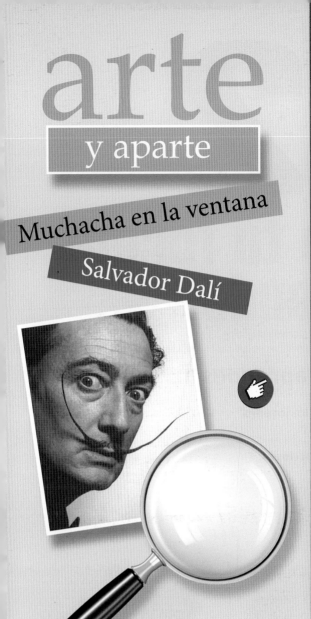

Observa

Describe el cuadro. Para ello, responde a estas preguntas:

¿Qué hay en el centro del cuadro?

¿Por dónde entra la luz en el cuadro?

¿Cómo es la muchacha?

¿Qué es lo que miramos nosotros como espectadores?

¿Qué es lo que más se destaca?

¿Es importante la pared?

¿Qué es lo que mira?

¿Qué hay al otro lado de la ventana?

Comenta

Analiza estos aspectos.

Fíjate en los colores del cuadro, ¿cómo los definirías?

Si tienes que decir un sentimiento que te inspira el cuadro, ¿cuál marcarías? ¿Por qué?: tranquilidad, movimiento, agresividad, soledad, nostalgia…

Nosotros miramos lo que mira la muchacha. ¿Qué crees que está viendo?

Da tu interpretación

¿Qué crees que quiere decirnos el artista?

¿Te gusta? ¿Por qué?

UNIDAD 2

Conoce tu forma de aprender

En esta unidad aprendes a...

- Expresar buenos deseos.
- Reconocer el lenguaje de los jóvenes.
- Describir a tu profesor ideal.
- Organizar tu aprendizaje.
- Indicar la finalidad de las acciones.
- Hablar de las dificultades.

Clasifica estas palabras en el mapa mental y define las cuatro categorías.

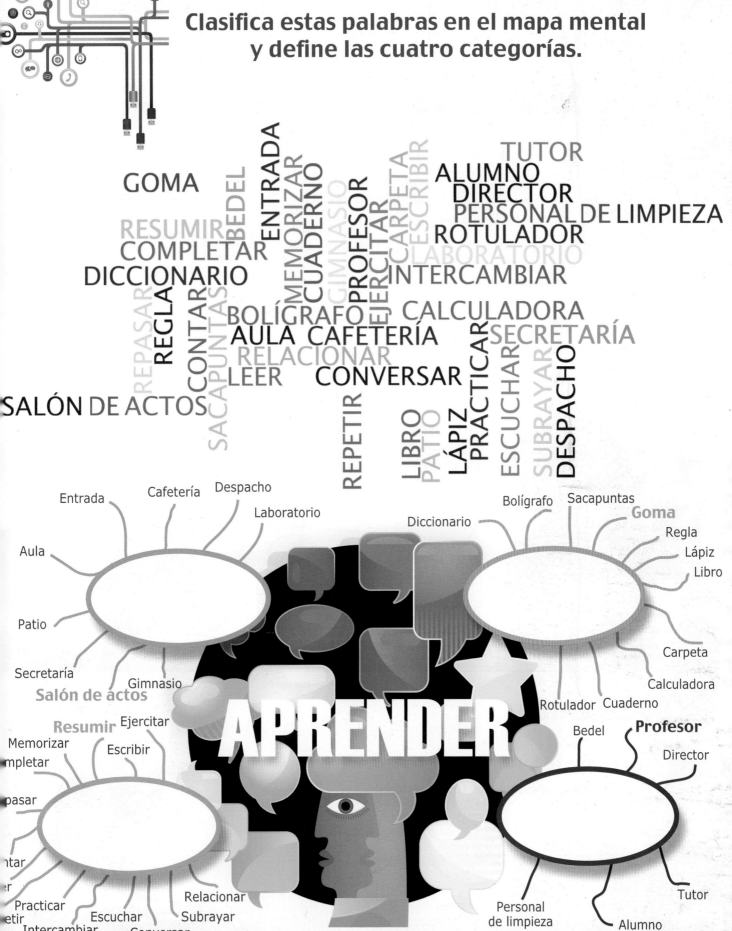

GOMA ENTRADA BEDEL MEMORIZAR CUADERNO GIMNASIO PROFESOR CARPETA ESCRIBIR TUTOR ALUMNO DIRECTOR PERSONAL DE LIMPIEZA ROTULADOR RESUMIR COMPLETAR DICCIONARIO EJERCITAR LABORATORIO INTERCAMBIAR REPASAR REGLA CONTAR SACAPUNTAS BOLÍGRAFO AULA CAFETERÍA CALCULADORA SECRETARÍA RELACIONAR LEER CONVERSAR PRACTICAR ESCUCHAR SUBRAYAR DESPACHO SALÓN DE ACTOS REPETIR LIBRO PATIO LÁPIZ

APRENDER

Entrada Cafetería Despacho Laboratorio Aula Patio Secretaría Gimnasio Salón de actos

Diccionario Bolígrafo Sacapuntas Goma Regla Lápiz Libro Carpeta Calculadora Cuaderno Rotulador

Resumir Ejercitar Escribir Memorizar Completar pasar tar Practicar etir Intercambiar Escuchar Conversar Relacionar Subrayar

Bedel Profesor Director Personal de limpieza Tutor Alumno

3 Expresa tus deseos para el nuevo curso

Mensaje de bienvenida

Bienvenidos y bienvenidas un año más. Este año también damos la bienvenida a tres nuevos profesores: el profesor Pepe Sánchez, que estudió en nuestro instituto y que se encarga de las clases de Inglés; la profesora Nuria Banderas, que junto con el profesor García, a quien todos conocéis, da clases de Geografía; y la profesora Marisol Gorris, que da clases de Español. A los tres les deseamos que pasen un año rico de experiencias positivas, que sepan aprovechar las oportunidades que nuestro instituto da a sus colaboradores. ¡Ojalá sigan con nosotros el año que viene!

Y a vosotros, queridos estudiantes, dejadme que os cuente una historia. Cuando tenía 13 años, no tenía ni idea de lo que iba a ser de mayor, pero seguí estudiando. Hoy soy profesora y directora, y, además, en el mismo instituto que me ayudó en mi formación. A todos os digo: estudiad con pasión y así espero que todos vuestros planes se hagan realidad.

Como repito todos los años, deseo insistir en lo obligatorio del respeto de las normas del centro. Os recuerdo que está prohibido utilizar el móvil en cualquier lugar del instituto y que la puntualidad es fundamental. Os ruego que cuidéis vuestras aulas y el patio. Además, es para mí una satisfacción poder comunicaros que ya tenemos una nueva sala de informática situada en la tercera planta, entre la biblioteca y el laboratorio de Biología. Además, han instalado en cada aula una pizarra digital. Nuestro objetivo es formaros como personas libres, con creatividad y responsabilidad y, para ello, necesitamos vuestra colaboración.

 # Comprendo

1 **LEE EL TEXTO Y HAZ LAS ACTIVIDADES DE COMPRENSIÓN**

A. **Señala de cuáles de estos temas se habla.**

	Sí	No
1. Puntualidad	X	
2. Instalación de pizarra digital	X	
3. Limpieza del instituto	X	
4. Nuevo profesor de Español	X	
5. Presentación de nuevos profesores	X	
6. Nueva biblioteca		X

B. Busca en el texto palabras relacionadas con el mundo escolar y cópialas en su ficha. ¿Se te ocurre alguno más que no aparece en el texto? Escríbelo.

ASIGNATURAS
• ...Inglés...
• ...Geografía...
• ...Español...
• ...Biología...

LUGARES
• ...Aulas...
• ...Patio...
• ...Sala de informática...
• ...Biblioteca...
• ...Laboratorio...
• ...Centro...

C. Relaciona los deseos que expresa su directora.

1. A los tres les deseamos que pasen...
2. Y que sepan...
3. Ojalá sigan...
4. Espero que todos vuestros...
5. Deseo insistir en...
6. Os ruego que cuidéis...

a. aprovechar las oportunidades de nuestro instituto.
b. con nosotros el año que viene.
c. lo obligatorio del respeto de las normas del centro.
d. planes se hagan realidad.
e. un año rico de experiencias positivas.
f. vuestras aulas y el patio.

1-e; 2-a; 3-b; 4-d; 5-c; 6-f.

Practico y amplío

2 APRENDE EL PRESENTE DE SUBJUNTIVO

A. En las frases de la actividad anterior aparece un tiempo verbal nuevo, el presente de subjuntivo. Léelas e intenta completar este cuadro.

Gramática

Verbos regulares		
REGALAR	**COMER**	**ESCRIBIR**
(yo) regale	coma	escriba
(tú, vos) regales	comas	escribas
(él, ella, usted) regale	coma	escriba
(nosotros, nosotras) regalemos	comamos	escribamos
(vosotros, vosotras) regaléis	comáis	escribáis
(ellos, ellas, ustedes) regalen	coman	escriban

Ojalá saque buenas notas.

B. Para conocer la forma de muchos verbos irregulares, debes fijarte en la forma yo del presente de indicativo. Forma la de estos verbos, completa el crucigrama con la forma del subjuntivo en la persona indicada y descubrirás, en la columna central, los apellidos de un escritor muy famoso.

1. Venir — vengo
2. Decir — digo
3. Recordar — recuerdo
4. Empezar — empiezo
5. Seguir — sigo
6. Elegir — elijo
7. Hacer — hago
8. Tener — tengo
9. Dormir — duermo
10. Querer — quiero
11. Poder — puedo
12. Volver — vuelvo
13. Conocer — conozco

1. v e n g a n (ustedes)
2. d i g a (ella)
3. r e c u e r d e (yo)
4. e m p i e c e n (ellos)
5. s i g a (usted)
6. e l i j a n (ustedes)
7. h a g a m o s (nosotros)
8. t e n g a s (tú)
9. d u e r m a (ella)
10. q u i e r a (usted)
11. p u e d a (él)
12. v u e l v a (yo)
13. c o n o z c a s (tú)

C. Elige tres verbos y repasa su conjugación en presente de subjuntivo en tu cuaderno. Luego, pregúntales a tus compañeros la conjugación de cada uno de ellos.

3 EXPRESAR DESEOS

Expresar deseos	Que + subjuntivo	Que aproveche. Que se mejore.
	Ojalá + subjuntivo	Ojalá no haya clase. Ojalá apruebe el examen.
Expresar confianza en que algo suceda	Espero + infinitivo (si los sujetos coinciden)	Espero llegar a tiempo. Espero aprobar el examen.
	Espero que + subjuntivo (si los sujetos son diferentes)	Espero que mi novio llegue a tiempo. Espero que te aprueben.

Gramática

Pista 4

A. Escucha estas conversaciones e identifica las fotografías que se corresponden. Luego, completa el deseo.

a.

c.

b.

a. ¡Ojalá ___estén___ bien! Espero que ___apruebes___ y ___saques___ buenas notas.

b. ¡Ojalá ___consiga___ mucho dinero el día de mi cumpeaños! Espero que lo ___utilices___ para algo bueno. Espero que ___consigamos___ ahorrar lo suficiente.

c. Espero que hoy no ___toque___ examen sorpresa de Historia. Ojalá el *profe* ___busque___ hoy otra actividad.

B. Un grupo de chicos de viaje tiene una lista de deseos para un futuro mejor. Léelos y completa la lista en tu cuaderno.

1. ¡Ojalá no sigamos destruyendo la naturaleza!
2. ¡Ojalá no existan tantas diferencias entre países!
3. ¡Ojalá que la gente no tenga que emigrar para huir de guerras y hambre!
4. Espero que llegue un día sin guerras.
5. Yo quiero que se utilicen más energías alternativas.

Actúo

4 **DESCRIBE A TUS PROFESORES IDEALES**

A. ¿Conoces los adjetivos de la siguiente lista? Relaciónalos con las ilustraciones.

1. Creativo/a
2. Preparado/a
3. Trabajador/-a
4. Claro/a
5. Amable
6. Organizado/a
7. Exigente
8. Divertido/a
9. Sabe escuchar
10. Puntual

a. 2   b. 10   c. 4   d. 8   e. 6   f. 1

g. 7   h. 9   i. 3   j. 5

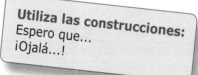

B. El año que viene, en tu nuevo instituto, vas a tener nuevos profesores: ¿Qué esperas?

> Utiliza las construcciones:
> Espero que...
> ¡Ojalá...!

5 **EL PROFESOR DESCRIBE LO QUE QUIERE DE SUS ALUMNOS**

 Pista 5

A. Escucha a este profesor y sus comentarios sobre las calificaciones. Toma nota de las calificaciones.

Evaluación del trimestre

Pepe Lobos Sanz	Aprobado
Ana López García	Suspenso
Angélica Charro Gil	Aprobado
José Gorris Martínez	Suspenso
Nacho Gómez Asenjo	Sobresaliente
María Sánchez Vila	Notable

B. Ahora vas a entrevistar a tu profe de español: ¿Qué espera de sus alumnos? ¿Cómo son para él/ella sus clases? Toma nota de sus respuestas.

CÓDIGO <C>

Tu clase funciona
- Redacta una lista de cómo queréis que sea la clase (los alumnos, el profesor y todo), para que todo funcione.

Una lengua, un mundo

¡Qué díficil!

Pista 6

Carla: No me va muy bien en clase de Español, saco malas notas, es que me cuesta mucho estudiar la gramática y escribir textos. No sé qué hacer.

Mario: Aprender un idioma extranjero puede ser más sencillo de lo que parece. Lo mejor es que practiques y leas mucho.

Nuria: Sí, tienes razón, Mario, pero lo primero de todo es que confíes en ti misma, que no seas vergonzosa y que pierdas el miedo a cometer errores al hablarlo. Disfruta al conocer nuevas palabras, nuevas culturas y nuevas formas de expresarte.

Mario: Sí, sí, pero ponte a estudiar en serio todos los días. No tienes por qué hacer siempre las mismas actividades. Va muy bien que cambies de actividades. Puedes hacer los deberes, leer un poco, escribir textos, repasar vocabulario o gramática, escuchar audios o ver un vídeo divertido.

Nuria: Mira, lo mejor es que busques personas nativas con intereses similares a los tuyos y que te comuniques con ellos por chat, foros... Eso te ayuda a mejorar tu fluidez.

Mario: Sí, sí, y es muy importante que repases lo que te corrige tu profesor y que hagas muchos ejercicios.

Nuria: Recuerda que lo más importante es que te diviertas y que quieras seguir aprendiendo. Si no estás motivado, no vas a querer seguir.

Comprendo

 1 ESCUCHA, LEE EL DIÁLOGO Y HAZ LAS ACTIVIDADES DE COMPRENSIÓN

A. Relaciona las expresiones con su significado.

1. No me va bien en...
2. Me cuesta mucho...
3. Confiar en ti mismo/a
4. Perder el miedo
5. Cometer errores
6. Ponerse a estudiar
7. Va muy bien...

a. Empezar a estudiar
b. Es positivo...
c. Hacer faltas o algo mal
d. No tener miedo
e. Para mí es difícil...
f. Tener confianza en uno/a mismo/a
g. Tengo problemas con...

1-g; 2-e; 3-f; 4-d; 5-c; 6-a; 7-b.

B. ¿Quién le da estos consejos?

	Mario	Nuria		Mario	Nuria
1. Hacer ejercicios y leer	X		6. Cambiar de actividades	X	
2. Tener confianza		X	7. Hacer actividades diferentes	X	
3. No importa si haces errores		X	8. Hablar con nativos		X
4. Disfrutar		X	9. Repasar las correcciones	X	
5. Estudiar	X		10. Divertirse aprendiendo		X

C. Y a ti, ¿qué consejos te parecen más útiles?

D. Encuentra en el diálogo doce formas en subjuntivo y escribe el infinitivo en tu cuaderno.
practiques, practicar; leas, leer; confíes, confiar; seas, ser; pierdas, perder; cambies, cambiar; busques, buscar; comuniques, comunicar; repases, repasar; hagas, hacer; diviertas, divertirse; quieras, querer.

Practico y amplío

2 APRENDE EL SUBJUNTIVO IRREGULAR

Gramática

A. Completa el esquema.

	VENIR	IR	PODER	TENER	HACER	SER	SALIR
(yo)	venga	vaya	pueda	tenga	haga	sea	salga
(tú, vos)	vengas	vayas	puedas	tengas	hagas	seas	salgas
(él, ella, usted)	venga	vaya	pueda	tenga	haga	sea	salga
(nosotros, nosotras)	vengamos	vayamos	podamos	tengamos	hagamos	seamos	salgamos
(vosotros, vosotras)	vengáis	vayáis	podáis	tengáis	hagáis	seáis	salgáis
(ellos, ellas, ustedes)	vengan	vayan	puedan	tengan	hagan	sean	salgan

Verbos irregulares

B. ¿Qué podemos recomendar para no tener problemas con el español? Relaciona y escribe cuatro frases con los verbos en subjuntivo, como en el ejemplo. Añade dos consejos más.

1. Para escribir sin errores
2. Para corregir la pronunciación
3. Para mejorar tu gramática
4. Para ser más fluido
5. Para aprender más léxico

Va muy bien

a. Hacer muchos ejercicios
b. No ser tímido y no tener vergüenza
c. Escuchar mucho y poder repetir muchas veces
d. Ir a la biblioteca y leer mucho
e. Venir a clase, no traducir

1-e; 2-c; 3-a; 4-b; 5-d.

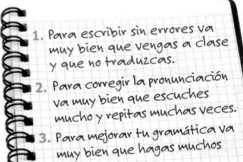

1. Para escribir sin errores va muy bien que vengas a clase y que no traduzcas.
2. Para corregir la pronunciación va muy bien que escuches mucho y repitas muchas veces.
3. Para mejorar tu gramática va muy bien que hagas muchos ejercicios.
4. Para ser más fluido va muy bien que no seas tímido y que no tengas vergüenza.
5. Para aprender más léxico va muy bien que vayas a la biblioteca y leas mucho.

3 EXPRESA FINALIDAD

A. Unos chicos han explicado los motivos por los que estudian español.
Completa las frases con porque, para o para que.
Estudio español...

Gramática

1. **Para** conseguir un trabajo en el extranjero.
2. **Porque** tengo un examen.
3. **Porque** pienso viajar a Chile.
4. **Para que** mis padres me regalen un viaje a Argentina.
5. **Para que** mi primo pueda regalarme películas en V.O.
6. **Para** chatear en español.

Para + infinitivo si el sujeto de la principal y el de la subordinada coinciden.

Para que + subjuntivo si los sujetos son diferentes.

¡Ojo! Por/Porque se utilizan para expresar la causa.

B. Une las dos partes y completa con el verbo en la forma correcta.

1. Ha avisado a sus amigos
2. Ha ahorrado dinero
3. Ha enviado una postal a su abuela
4. Se ha comprado un ordenador nuevo
5. Va a hacer una fiesta
6. Se ha llevado un gato con ella
7. Lola va a aprender bien portugués
8. Ha contactado con una amiga peruana

a. Para que le (dar) **dé** clases de español.
b. Para (navegar) **navegar** más rápido.
c. Para que (vivir) **viva** con ella.
d. Para (celebrar) **celebrar** su cumpleaños.
e. Para (comunicar) **comunicar** con sus primas.
f. Para que no se (sentir) **sienta** sola.
g. Para (comprar) **comprar** una motocicleta.
h. Para que (venir) **vengan** todos a su fiesta.

1-h; 2-g; 3-f; 4-b; 5-d; 6-c; 7-e; 8-a.

4 HABLA DE DIFICULTADES

Gramática

(yo)	me	cuesta	la gramática
(tú, vos)	te		entender la gramática
(él, ella, usted)	le		
(nosotros, nosotras)	nos	cuestan	los ejercicios orales
(vosotros, vosotras)	os		
(ellos, ellas, ustedes)	les		

A. Escucha los problemas de estos chicos con el estudio de un idioma. Anota sus dificultades.

Pista 7

¡Cómo me cuesta!

alumno clase pupitre aprender léxico

Jamón, Jorge, jota

Vaya Vayas Vaya...

la velocidad a la que hablamos los españoles

3. Le cuesta pronunciar la jota.

5. Le cuesta escuchar a los españoles.

2. Le cuesta entender los textos.

1. Le cuesta recordar las palabras.

4. Le cuestan los verbos.

B. ¿Qué problemas tenéis en vuestro curso? Poned en común vuestras dificultades utilizando las expresiones anteriores. Escribidlas en vuestro cuaderno.

C. Responde a las preguntas.

1. ¿Por qué estudias español?
2. ¿Qué es lo que te gusta hacer en clase?
3. ¿Qué te cuesta más del español?
4. ¿Tienes posibilidades de practicar el español fuera de clase?
5. ¿Has estado en algún país latinoamericano?

Actúo

5 ORGANIZA TU APRENDIZAJE

Descubre qué tipo de estudiante de idiomas eres.
Realiza esta encuesta.

TEST de APRENDIZAJE

A. ¿Necesitas estar viendo al profesor durante la clase?
1. ☐ Sí, es fundamental.
2. ☐ No necesariamente, siempre que hable en voz alta.
3. ☐ No, porque no me importa lo que explique.

B. ¿Qué método de aprendizaje prefieres?
1. ☐ Dibujos y diagramas.
2. ☐ Únicamente el profesor hablando y con canciones.
3. ☐ Ejemplos prácticos y ejercicios.

C. ¿Tomas apuntes durante la clase?
1. ☐ Sí, luego los necesito para estudiar.
2. ☐ No, solamente intento prestar mucha atención.
3. ☐ No, prefiero una clase más activa que estar tomando notas.

D. ¿Te gusta que tu profesor ponga ejemplos del uso del idioma?
1. ☐ Sí, siempre que sean claros.
2. ☐ No, prefiero que hable más en clase.
3. ☐ Sí, porque me permite entender mejor el idioma.

E. ¿Prefieres que el profesor se centre más en la pronunciación que en el deletreo?
1. ☐ No, porque solo aprendo las palabras si sé cómo se escriben antes.
2. ☐ Sí, identifico mejor cómo se deletrean si las pronuncia antes.
3. ☐ Creo que ambas cosas son importantes.

Respuestas:
Estudiante «Visual»: si la mayor parte de tus respuestas se corresponden con la opción 1.
Estudiante «Auditivo»: si la mayor parte de tus respuestas se corresponden con la opción 2.
Estudiante «Kinestésico»: si la mayor parte de tus respuestas se corresponden con la opción 3.

CÓDIGO <Ñ>

Tu estilo español
• **Elige las actividades que te van bien para aprender español y escribe un texto.**

☐ trabajo con fotos   ☐ concursos   ☐ juegos   ☐ leer textos
☐ películas o vídeos   ☐ fiestas   ☐ dictados   ☐ canciones populares
☐ ejercicios de gramática   ☐ charlas   ☐ juegos de roles

Participa
en la comunidad de
Código ELE

Forma un grupo con los compañeros que se parecen a ti
en tu forma de aprender y cread un club para practicar
español. Publícalo.

Extensión digital
Visite la web de Edelsa
Zona estudiante

Tu biblioteca de español

GABRIEL CELAYA
ANTOLOGÍA

Mayo 1990
Alhambra Longman

Gabriel Celaya

Gabriel Celaya es uno de los poetas españoles de después de la Guerra Civil española (1936 – 1939) más importantes. Lee este poema.

Educar

Educar es lo mismo
que poner un motor a una barca,
hay que medir, pensar, equilibrar,
y poner todo en marcha.

Pero para eso,
uno tiene que llevar en el alma
un poco de marino,
un poco de pirata,
un poco de poeta,
y un kilo y medio de paciencia concentrada.

Pero es consolador soñar,
mientras uno trabaja,
que esa barca, ese niño
irá muy lejos por el agua.

Soñar que ese navío
llevará nuestra carga de palabras
hacia puertos distantes, hacia islas lejanas.

Soñar que cuando un día
esté durmiendo nuestro propio barco,
en barcos nuevos seguirá nuestra bandera enarbolada.

Biografía

Nació en Hernani (Guipúzcoa, España) en 1911. Fue uno de los poetas más conocidos de la llamada «poesía comprometida» o poesía social de la postguerra española. En Madrid, empezó a estudiar Ingeniería, pero conoció a otros poetas, como Federico García Lorca, que le motivaron por la literatura. Entre 1977 y 1980, se publicaron sus *Obras completas* en cinco volúmenes y, en 1986, recibió el Premio Nacional de las Letras Españolas por el Ministerio de Cultura. Murió en Madrid en 1991.

COMPRENDO

1. Responde a las preguntas. Luego, resume con tus palabras el contenido del poema.

1. ¿Qué es para el poeta educar? ¿A quién se dirige con su poema, al profesor o al alumno?
   Educar es como conducir un barco. El poeta se dirige al profesor.
2. El poeta compara educar con hacer que un barco navegue. ¿Qué similitudes hay entre las acciones?

2. Relaciona.

1. Educar es como…   a. cuando ya no estés, quedarán tus enseñanzas en otros alumnos.
2. Para educar es necesario…   b. poner un barco en funcionamiento.
3. Es gratificante…   c. tu alumno hará cosas importante fuera de la escuela.
4. Si piensas que un día,…   d. saber que tu alumno aprenderá.
5. Es agradable pensar que…   e. tener varias habilidades.

1-b; 2-e; 3-d; 4-a; 5-c.

APRENDO

1. Subraya en el texto todas las palabras relacionadas con barcos y navegar y relaciónalas con estas.

a. Avanzar, aprender	b. Por la vida	c. Alumno	d. Conocimiento
ir lejos	por el agua	barca	carga de palabras
e. Lugares lejanos	f. Otras ciudades	g. Señal	
puertos distantes	islas lejanas	bandera enarbolada	

2. ¿Qué crees que quiere decir el poeta cuando dice que uno tiene que ser lo siguiente?

a. un poco de marino   b. un poco de pirata   c. un poco de poeta

ESCRIBO

Ahora escribe tú un poema sobre una actividad (aprender lenguas, hablar idiomas, cocinar…) completando los versos con las instrucciones que te damos:

……………….. (un verbo que represente la actividad) es lo mismo
que …………………………………….. (una comparación),
hay que …………….. , …………….., ……………., (tres verbos que los representen)
y poner todo en marcha.

Pero para eso,
uno tiene que llevar en el alma
un poco de ……………..,
un poco de ……………..,
un poco de …………….., (tres personajes)
y un kilo y medio de ……………………… . (un sustantivo + un adjetivo)

Pero es consolador soñar,
mientras uno trabaja,
que esa …………….., ese …………….. (los dos sustantivos que representan la comparación)
irá muy lejos por …………….. . (un lugar)

Soñar que ese …………….. (sinónimo de la comparación)
llevará …………….. (expresión)
hacia …………….., hacia …………….. . (dos lugares)

Soñar que cuando un día
esté durmiendo nuestro propio …………….., (otro sinónimo de la comparación)
en …………….. nuevos seguirá nuestra bandera enarbolada.

Tu rincón hispano
Ojalá que llueva café

1. Pon estos verbos en tercera persona del subjuntivo. Luego, lee y completa esta conocida canción con las formas del subjuntivo tantas veces como indican los números.

bajar	baje	(2)
caer	caiga	(1)
cantar	cante	(1)
continuar	continúe	(2)
llover	llueva	(24)
oír	oiga	(3)
peinar	peine	(2)
sembrar	siembre	(2)
sufrir	sufra	(2)
vestir	vista	(2)

2. Si puedes, escucha la canción.

OJALÁ QUE LLUEVA CAFÉ Juan Luis Guerra (República Dominicana)

Ojalá que **llueva** café en el campo,
que **caiga** un aguacero* de yuca y té;
del cielo, una jarina* de queso blanco
y al sur, una montaña de berro y miel.
Oh, oh, oh, oh, oh. Ojalá que **llueva** café.

Ojalá que **llueva** café en el campo,
que **peine** un alto cerro de trigo y mapuey*,
que **baje** por la colina de arroz graneado
y **continúe** el arado con tu querer.
Oh, oh, oh, oh, oh.

Ojalá el otoño, en vez de hojas secas,
vista mi cosecha de pitisalé*
y **siembre** una llanura de batata y fresas.
Ojalá que **llueva** café.

'Pa'* que en el Conuco* no se **sufra** tanto, ay ombe,
ojalá que **llueva** café en el campo.
'Pa' que en Villa Vásquez* **oigan** este canto,
ojalá que **llueva** café en el campo.
Ojalá que **llueva**, ojalá que **llueva**, ay ombe.
Ojalá que **llueva** café en el campo, ojalá que
llueva café...

Ojalá que **llueva** café en el campo,
peine un alto cerro de trigo y mapuey
baje por la colina de arroz graneado,
y **continúe** el arado con tu querer.
Oh, oh, oh, oh, oh.

Ojalá el otoño, en vez de hojas secas,
vista mi cosecha de pitisalé
y **siembre** una llanura de batata y fresas.
Ojalá que **llueva** café.

'Pa' que en el Conuco no se **sufra** tanto, oye,
ojalá que **llueva** café en el campo.
'Pa' que en Los Montones* **oigan** este canto,
ojalá que **llueva** café en el campo.
Ojalá que **llueva**, ojalá que **llueva**, ay ombe.
Ojalá que **llueva** café en el campo, ojalá que
llueva café...

'Pa' que todos los niños **canten** en el campo,
ojalá que **llueva** café en el campo.
'Pa' que en La Romana* **oigan** este canto,
ojalá que **llueva** café en el campo.
Ojalá que **llueva**, ojalá que **llueva**, ay ombe.
Ojalá que **llueva** café en el campo, ojalá que
llueva café...

aguacero*: Lluvia fuerte.

jarina*: Lluvia fina.

mapuey*: Parecido a la patata.

pitisalé*: Tocino salado.

'Pa'*: Para.

Conuco*: Pequeña finca.

Villa Vásquez*: Pueblo.

Los Montones*: Pueblo.

La Romana*: Ciudad.

3. Relaciona cada imagen con el término correspondiente.

1. café
2. yuca
3. té
4. queso
5. berro
6. miel
7. trigo
8. mapuey
9. arroz
10. arado
11. hojas secas
12. pitisalé
13. batata
14. fresas

1-j; 2-a; 3-e; 4-g; 5-l; 6-b; 7-c; 8-f; 9-n; 10-k; 11-h; 12-a; 13-m; 14-i.

4. Responde a estas preguntas en tu cuaderno.

a. La República Dominicana es un país agrícola y muy pobre. ¿Qué simboliza el título de la canción? ¿Cuál es el significado de las otras cosechas y las otras imágenes?
  El título de la canción y las demás cosechas simbolizan la esperanza en la abundancia.

b. ¿Qué espera Juan Luis Guerra para su pueblo cuando canta?
  Juan Luis Guerra espera que todo salga mejor, que algo cambie en positivo.

c. ¿Cuál es el tono de la canción? ¿Es optimista o pesimista?
  El tono de la canción es optimista.

5. Copiando la estructura, el ritmo, la música, cambia palabras y lugares y crea tu propia canción.

Variantes del español

Relaciona estas variantes con su significado.

1. Archivador   a. Birome
2. Aula   b. Computadora
3. Bolígrafo   c. Fichero o archivero
4. Deberes   d. Pizarrón
5. Licenciarse   e. Recibirse
6. Ordenador   f. Salón de clase
7. Pizarra   g. Tarea

1-c; 2-f; 3-a; 4-g; 5-e; 6-b; 7-d.

AHORA YA SÉ

Recomendar

1. ¿Qué es lo mejor que puedes hacer en estas situaciones?

1. Tu *profe* te ha suspendido.
2. La directora de tu instituto busca al culpable de una mala acción.
3. Tu habitación está desordenada.
4. Para estudiar bien.
5. Para comprender una película en V.O.

Hablar de dificultades

2. Completa las frases según tu experiencia.

1. A mí me cuesta/n
2. A mí no me cuesta/n
3. Para mí lo más fácil es/son
4. Para mí lo más difícil es/son

Gramática

El presente de subjuntivo

3. Verbos regulares. Escribe la persona indicada del presente de subjuntivo de estos verbos regulares.

1. Limpiar (yo)	limpie		6. Comer (ustedes)	coman
2. Cantar (nosotros)	cantemos		7. Romper (ella)	rompa
3. Desayunar (él)	desayune		8. Vivir (ellos)	vivan
4. Beber (tú)	bebas		9. Prohibir (usted)	prohíba
5. Correr (vosotras)	corráis		10. Escribir (yo)	escriba

4. Observa los verbos irregulares en subjuntivo, escribe el infinitivo y forma la persona singular o plural.

1. Tengáis	tener		tengas
2. Hagan	hacer		haga
3. Pongamos	poner		ponga
4. Salgas	salir		salgáis
5. Vayan	ir		vaya
6. Venga	venir		vengamos
7. Puedan	poder		pueda
8. Vuelva	volver		vuelvan
9. Dé	dar		demos

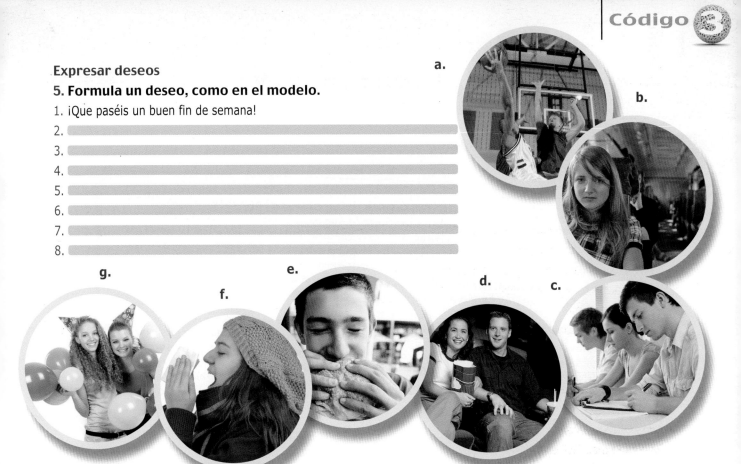

Expresar deseos

5. Formula un deseo, como en el modelo.

1. ¡Que paséis un buen fin de semana!
2. _____
3. _____
4. _____
5. _____
6. _____
7. _____
8. _____

Léxico

6. Relaciona los contrarios.

1. Accesible	a. aburrido/a
2. Alegre	b. antipático/a, frío/a
3. Amable, atento/a	c. apático/a, inactivo/a
4. Claro/a	d. benévolo/a
5. Competente	e. desorganizado/a
6. Creativo/a	f. difícil de entender
7. Curioso/a	g. improvisado/a
8. Dinámico/a	h. impuntual
9. Divertido/a	i. inaccesible, distante
10. Exigente	j. incompetente
11. Flexible	k. intolerante, rígido/a
12. Organizado/a	l. monótono/a
13. Preparado/a	m. pasivo/a
14. Puntual	n. triste
15. Trabajador/-a	ñ. vago/a

1-i; 2-n; 3-b; 4-f; 5-j; 6-l; 7-c; 8-m; 9-a; 10-d; 11-k; 12-e; 13-g; 14-h; 15-ñ.

7. Ahora elige cinco adjetivos y crea una frase con cada uno que aclare su significado.

1. _____
2. _____
3. _____
4. _____
5. _____

Preparo
mi examen

LEO Lee este texto y subraya la opción correcta.

La Educación Secundaria Obligatoria (ESO) es una etapa educativa obligatoria y gratuita que completa la clase/<u>educación</u> básica. Consta de cuatro cursos <u>académicos</u>/divertidos que se realizan entre los 12 y los 16 años de edad. Presta especial atención a la orientación personal/<u>profesional</u>, ya que, al finalizar, los alumnos optarán por empezar a trabajar o por formarse para ir a la universidad. Por último, forma a todos para el ejercicio de sus derechos y obligaciones en la vida como <u>ciudadanos</u>/personas.

Durante los tres primeros <u>años</u>/días, los alumnos podrán elegir una asignatura obligatoria/<u>optativa</u> entre Segunda Lengua Extranjera, Cultura Clásica, Inglés para la Hostelería o Teatro. En el último curso, los <u>alumnos</u>/profesores eligen tres asignaturas entre una oferta de ocho, dirigiendo así su <u>formación</u>/vida a lo que quieren hacer en el <u>futuro</u>/pasado: Biología y Geología, Educación Plástica y Visual, Física y Química, Informática, Latín, Música, Segunda Lengua Extranjera, Tecnología.

ESCUCHO Escucha a Gabriel y Rocío hablando de estudiar lenguas y responde a las preguntas.

Pista 8

1. ¿Por qué habla alemán Rocío?
   Porque vivió en Alemania.
2. ¿Cómo lo habla?
   Muy bien.
3. ¿Qué puede hacer Gabriel para aprender la lengua?
   Escuchar programas, ver películas y practicar la lengua.

ESCRIBO Responde a las preguntas.

1. ¿Te interesan las lenguas extranjeras? ¿Por qué?

2. ¿Qué lenguas hablas? ¿Cómo las has aprendido?

3. ¿Qué es lo que más te interesa cuando aprendes una lengua?

4. ¿Cómo crees que se puede mejorar el aprendizaje de las lenguas?

5. ¿Qué habilidades te gustaría practicar más cuando estudias lenguas extranjeras?

HABLO Habla con tu compañero sobre la escuela. Explícale cuáles son tus asignaturas favoritas y cuáles no te gustan nada y por qué. Dile también qué cosas de la escuela en general te gustan y cuáles no y motívalo.

arte
y aparte

La lectora

Isabel Guerra Peñamaría

Observa

Describe el cuadro. Para ello, responde a estas preguntas:

¿Qué partes de la habitación están iluminadas y qué partes están a oscuras?

¿Qué es lo que más se destaca del cuadro?

Se mezclan objetos antiguos con otros más actuales. Señala dos de cada.

¿Cuál es la actitud de la chica? ¿Cómo está?

Comenta

Analiza estos aspectos.

A la pintora se la llama «la pintora de la luz». ¿Por qué crees que se le da este título?

¿Tienes la impresión de que…

    a. has entrado en la habitación de la chica?

    b. la chica está absorta y nota tu presencia?

    c. la chica se aburre?

¿Cómo definirías el estilo del cuadro: fotográfico, expresionista, naif, moderno, antiguo, atemporal?

Da tu interpretación

¿Qué sentimiento te provoca el cuadro?

¿Te gusta? ¿Por qué?

UNIDAD 3

Define qué es la amistad

En esta unidad aprendes a...

- Describir personas por su carácter y personalidad.
- Expresar tu relación con otras personas y justificarla.
- Mostrar simpatía o antipatía por alguien y justificarla.
- Opinar afirmativa o negativamente.
- Indicar los sentimientos que te provoca algo o alguien.
- Formular deseos en situaciones concretas.
- Definir el concepto de la amistad.

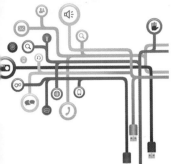

Escucha, identifica de quién hablan y anota una expresión de carácter, estado o sentimiento en tu cuaderno.

Pista 9

a-12, Está enfadado.

c-4, Es muy estudiosa, es responsable.

b-9, Está aburrida.

d-5, Es muy chistosa, está de buen humor.

g-11, Es optimista, está alegre.

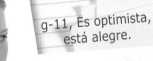

e-2, Es antipática, está enfadada.

h-10, Tiene miedo, está asustada.

f-3, Es autoritaria, da órdenes.

i-7, Tiene sueño, está cansado.

j-8, Tiene hambre, es muy comilón.

k-6, Es soñador, está distraído.

l-1, Tiene frío, es friolera.

Describe cómo eres

¡Me cae fenomenal!

Diego: ¿A ti quién te cae bien de clase?

Belén: Me cae muy bien Arturo, es muy optimista.

Diego: A mí no me cae bien, se enfada mucho.

Belén: Bueno, se enfada cuando hay motivos. Pero creo que es muy simpático con todo el mundo y parece sincero. ¿Y a ti, quién te cae mejor?

Diego: Me cae fenomenal Marta. Es muy divertida.

Belén: No creo que sea divertida, creo que es muy egoísta y bastante aburrida. En cambio, Julia es muy simpática. Parece seria, pero si la conoces mejor es muy divertida.

Diego: Pues a mí me cae fatal. Yo creo que es falsa. Simpático es Manolo.

Belén: ¡Qué va! Manolo es muy pesimista. Para él, siempre vamos a suspender o el profesor nos va a castigar. Además, nunca he podido hablar con él a solas.

Diego: Porque es tímido. Pero es muy bromista.

Belén: De todas formas, lo que no entiendo es cómo somos tú y yo tan amigos. No tenemos los mismos gustos en cuestión de personas...

Diego: Pero tenemos el mismo carácter, somos abiertos, responsables y divertidos.

Belén: Claro, claro. Y modestos. No te olvides.

 ## Comprendo

1 **ESCUCHA, LEE EL TEXTO Y HAZ LAS ACTIVIDADES DE COMPRENSIÓN**

A. Observa las imágenes. ¿A qué amigo crees que corresponde cada una?

a.

Arturo

b.

Marta

c.

Julia

d.

Manolo

B. Completa el cuadro con los adjetivos de carácter del diálogo. Después, compara tu elección con la de tu compañero.

Positivos	Negativos

Practico y amplío

2 DESCRIBE EL CARÁCTER

A. Relaciona los adjetivos de carácter con sus contrarios.

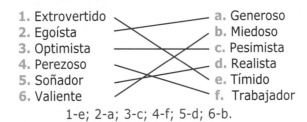

1. Extrovertido
2. Egoísta
3. Optimista
4. Perezoso
5. Soñador
6. Valiente

a. Generoso
b. Miedoso
c. Pesimista
d. Realista
e. Tímido
f. Trabajador

1-e; 2-a; 3-c; 4-f; 5-d; 6-b.

B. Responde a las preguntas.

1. ¿Cómo son las personas que tienen miedo de los fantasmas? Miedosas
2. ¿Y las personas a quienes les gusta mucho gastar bromas? Bromistas, extrovertidas, graciosas
3. No te gusta trabajar, te cuesta mucho levantarte. ¿Cómo eres? Perezoso
4. Te gusta ayudar a los demás; compartes tus cosas. ¿Cómo eres? Generoso
5. No te gusta mentir e intentas decir siempre la verdad. ¿Cómo eres? Sincero
6. ¿Cómo son las personas con las que nunca te ríes? Aburridas, tristes

C. Lee la información sobre estos chicos y explica, con uno de los adjetivos, cómo son.

No sé relacionarme con otra gente. Cuando me hablan, siempre bajo los ojos; no consigo mirar directamente a las personas que me hablan.

Tímida 1.

Me encanta la vida, todo es mágico. La gente es simpática, las cosas funcionan. Cualquier problema se puede resolver.

Optimista 2.

Soy un desastre. Todo lo hago mal, no sé cantar ni bailar ni tocar bien ningún instrumento. Tengo buenas notas en clase, pero creo que no las merezco.

3. Pesimista

Cuando tengo algo, siempre lo comparto con mis amigos. Me gusta repartir lo que me sobra y que todos tengan algo.

4. Generoso

3 MUESTRA SIMPATÍA O ANTIPATÍA

Gramática

Para expresar que alguien nos gusta o no nos gusta, que nos resulta simpático o antipático usamos la expresión: Caer bien/mal. El verbo caer concuerda con la persona de quien se habla y el pronombre (me, te, le, nos, os, les) se refiere a la persona que da su opinión.

Tras el verbo caer podemos usar bien o mal, pero también: estupendamente, fenomenal, fatal, de pena, etc.

A. **Responde a las preguntas, como en el ejemplo.**

1. ¿Qué actor te cae bien? ¿Por qué?
2. ¿Cuál te cae mal? ¿Por qué?
3. ¿Qué cantante te cae bien?
4. Piensa en un personaje famoso y di cómo te cae y por qué.

Y a ti, ¿qué tal te cae Pepe?

Me cae muy bien, me parece muy simpático.

Pues a mí no me caen bien ni él ni su hermano, me parecen muy egoístas.

B. **Subraya la opción correcta.**

1. *Luis*/Tú/Ana y Pepa me cae fenomenal.
2. A Pepe yo *te*/*le*/*me* caigo muy mal.
3. Tú me *caigo*/*caes*/*cae* estupendamente.
4. ¿Te *caen*/*caes*/*cae* bien Luis y Sara?
5. Dime, ¿*le*/*me*/*te* caigo bien? Porque tú a mí me gustas mucho.
6. Oye, yo, ¿cómo te *caigo*/*caes*/*cae*? Nunca me lo has dicho.

Pista 11

¿Te cae bien?

C. **Escucha y marca si les caen bien los compañeros y anota por qué.**

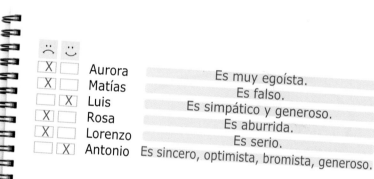

☹	☺		
X		Aurora	Es muy egoísta.
X		Matías	Es falso.
	X	Luis	Es simpático y generoso.
X		Rosa	Es aburrida.
X		Lorenzo	Es serio.
	X	Antonio	Es sincero, optimista, bromista, generoso.

4 **EXPRESA TU OPINIÓN**

Gramática

OPINAR
Se utiliza un verbo de opinión (como pensar, creer, parecer**) +** que **+ indicativo si es una pregunta o es una afirmación.** ¿No crees que **es** muy valiente? Creo que **es** muy valiente. **Se utiliza con subjuntivo si está negado.** No creo que **sea** valiente.

A. **Completa con el verbo** ser **en indicativo o subjuntivo.**

1. No creo que tú seas sincero.
2. No me parece que tus amigos sean valientes.
3. ¿Crees que mis hermanas son generosas?
4. Pienso que Leonardo es divertido.
5. Pienso que tú no eres realista.
6. No me parece que seas amable.

B. **Completa las frases dando la opinión contraria.**

1. –Yo creo que Ana es autoritaria .
   –Pues nosotros no creemos que sea autoritaria.
2. –Creo que (tú) eres desordenado .
   –Pues yo creo que no soy desordenado.
3. –¿Qué piensas de Jacinto? ¿Te parece muy serio?
   –No me parece que sea serio .
4. –A mí Jesús me parece muy simpático.
   –Pues yo no creo que sea simpático .

 **Actúo**

5 CONÓCETE

A. Elige cuatro adjetivos positivos que describan tu personalidad.

B. Ahora sigue las siguientes instrucciones:

1
2
3
4

TEST personalidad

Explicación

La primera pregunta define las prioridades, ¿qué es más importante para ti en la vida?: la vaca significa la carrera profesional; la oveja, el amor; el caballo, la familia y el cerdo, el dinero.

En la segunda pregunta, el perro es uno mismo; el gato, tu pareja; la rata, tus enemigos y el pez, tu vida. ¿Qué adjetivo das a cada uno?

En la tercera pregunta, el amarillo es alguien a quien nunca olvidaremos; el naranja, un buen amigo; el rojo, la persona a quien más queremos y el blanco, el alma gemela.

1. Ordena del 1 al 4 los animales según tus preferencias.

☐ Vaca ☐ Oveja ☐ Cerdo ☐ Caballo

2. Escribe una palabra que defina a cada uno de los siguientes.

Perro Gato Rata Pez

3. Piensa en alguien cercano a ti para cada color.

a. Amarillo
b. Naranja
c. Rojo
d. Blanco

C. Lee la explicación de lo que acabas de hacer. ¿Los resultados son coherentes con tu personalidad? Expresa tu opinión.

 **CÓDIGO <P>**

Tu personalidad
• Describe cómo eres.

Participa en la comunidad de Código ELE

Date a conocer en el blog.

Extensión digital
Visite la web de Edelsa
Zona estudiante

Lección 6
Indica tus relaciones con los demás

Comunicación por facebook

Hoy estoy fatal. Me siento traicionada. Primero, mi madre se ha enfadado conmigo porque no hago las cosas como ella quiere. No soy como ella y lo sabe, pero no lo quiere aceptar.

Luego, he buscado en el chat a Rosa, mi mejor amiga, pensaba yo; me sentía cansada después de la discusión con mi madre y necesitaba hablar con alguien cercano a mí. Rosa estaba nerviosa, fría, distante. Le he preguntado qué le pasaba y no quería responder. He insistido, le he dicho que me sentía mal y que necesitaba su amistad. Entonces me ha soltado la bomba: está saliendo con Miguel. ¡¡¡Con Miguel!!! Sabe perfectamente que me gusta, pero no le ha importado nuestra amistad. Es tremendamente egoísta y no sé cómo no me he dado cuenta hasta ahora. Me temo que nuestra amistad ha terminado y no es justo porque me cae muy bien, somos buenas amigas, me entiende. Me da pena que termine así, pero ya no puedo confiar en ella. Estoy muy enfadada y cansada.

He discutido en el chat con Luisa, pero creo que todo ha salido bien. Estaba enfadada porque se había peleado con su madre y yo no quería decirle lo de Miguel, pero yo estaba nerviosa y ella ha notado algo, así que se lo he dicho. No le ha gustado nada, pero creo que no me culpa y, en el fondo, me alegra que lo sepa porque ahora no tenemos que ocultar nada, así que estoy muy contenta. Me da pena que esté sola, pero seguro que me entiende y está feliz por mí. Somos amigas y, aunque me pone nerviosa muchas veces con sus líos con su madre, la quiero mucho. Luisa, te quiero. Nos vemos el lunes en clase.

Comprendo

1 LEE EL TEXTO Y HAZ LAS ACTIVIDADES

A. Contesta a las preguntas.

1. ¿Cómo está Luisa?
2. ¿Cómo está Rosa?
3. ¿Qué relación tienen Luisa y Rosa?
4. ¿Qué relación tienen Luisa y Miguel?
5. ¿Qué relación tienen Rosa y Miguel?
6. Por lo que has leído, ¿qué piensas de Luisa?
7. ¿Y de Rosa?

Luisa está fatal, se siente traicionada y está enfadada.
Está nerviosa, pero contenta.
Luisa y Rosa son muy buenas amigas.
Son amigos. A Luisa le gusta Miguel.
Rosa y Miguel ahora son novios.

B. Relaciona.

1. Luisa está cansada
2. A Luisa le da pena cerrar su amistad con Rosa
3. Rosa está nerviosa
4. A Rosa le pone nerviosa Luisa

a. porque discute mucho con su madre.
b. porque ha discutido con su madre.
c. porque le gusta estar con ella.
d. porque no quiere contar lo de Miguel.

1-b; 2-c; 3-d; 4-a.

Practico y amplío

2 EXPRESA ESTADOS DE ÁNIMO

¿Qué te pasa?

Estoy muy nervioso por el examen.

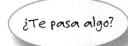

¿Te pasa algo?

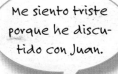

Me siento triste porque he discutido con Juan.

Gramática

Me siento + bien/mal/fenomenal/fatal/tranquilo/cansado/traicionado/engañado/herido...
Estoy + bien/mal/fenomenal/fatal/tranquilo/cansado/contento/triste/nervioso/asustado/sorprendido/agitado...

Asocia las situaciones con tus reacciones. Luego, escribe en tu cuaderno las frases usando por o porque como en el ejemplo.

1. Tu mejor amigo se cambia de escuela
2. Hoy tienes un examen
3. Tu amiga te ha roto el móvil
4. Llevas unos días sin dormir bien
5. Te han regalado un viaje a París

a. Estoy contento
b. Estoy enfadado
c. Estoy nervioso
d. Me siento cansado
e. Me siento triste

Me siento triste porque mi amigo se cambia de escuela o me siento triste por mi amigo.

3 ENUMERA SENTIMIENTOS Y REACCIONES

Se utiliza una expresión de sentimiento (como me da pena, me molesta, me alegra, me da miedo...) + infinitivo si el sujeto es el mismo (si se reacciona ante lo que hacemos).
Me alegra **celebrar** mi cumpleaños.
A mi amigo le da pena **cambiarse** de colegio.
Se utiliza con que + subjuntivo si los sujetos son distintos (si se reacciona ante lo que hacen otras personas).
Me alegra que tú **celebres** tu cumpleaños.
A mi amigo le da pena que yo me **cambie** de colegio.

Gramática

Pista 12

¿Qué te pasa?

A. Escucha y escribe en tu cuaderno las situaciones y las reacciones de los protagonistas. Luego, escribe las frases como en el ejemplo.

Lourdes

A Lourdes le da miedo que le roben...

Santiago

A Santiago le da vergüenza que se le vea el calzoncillo.

A Leonardo le alegra que Sara le invite a su fiesta.

Leonardo

Ana

A Ana le da pena que su perro esté enfermo.

Ramón

A Ramón le preocupa no saber dónde está su móvil.

A Elena le molesta que le pongan un examen y no poder ir a esquiar.

Elena

B. Observa los subjuntivos irregulares y transforma las frases como en el ejemplo.

1. Me molesta hacer errores. ⟶ Me molesta que (tú) *hagas errores.*
2. Me preocupa tener hambre. ⟶ Me preocupa que (tú) tengas hambre.
3. Me da miedo caerme por las escaleras. ⟶ Me da miedo que os caigáis por las escaleras.
4. Me hace feliz ir a la playa. ⟶ Me hace feliz que tus amigos vayan a la playa.
5. Me parece bien salir con mis amigos. ⟶ Me parece bien que (tú) salgas con tus amigos.
6. Me da igual venir a esta escuela. ⟶ Me da igual que (vosotros) vengáis a esta escuela.

C. Observa la lista. Explica qué cosas te molestan o te dan pena y cuáles te alegran o te hacen feliz. Haz las transformaciones necesarias.

Me molesta que la gente hable en el cine.

1. La gente habla en el cine.
2. Vas a la piscina con tus amigos.
3. Tus amigos vienen a tu casa.
4. Tus amigos suspenden un examen.
5. Nosotros no te decimos la verdad.
6. Tus amigos no tienen tiempo para nada.

 **Actúo**

 DEFINE LA AMISTAD

Lee las definiciones de la palabra amistad que dan algunos chicos. ¿Cuál se acerca más a tu idea de amistad?

EL FORO DE LA AMISTAD

 kriskros

La amistad, la verdadera amistad, es ser como de la familia. A mis verdaderos amigos los llamo *hermanos/as* y los quiero y me preocupo por ellos como de las personas de mi familia. Son personas con las que estoy especialmente cómodo haciendo cosas, mirando al infinito, escuchándolos, contándoles mis problemas. Cada uno es diferente, todos son igual de especiales. Yo los llamo, al igual que a mi familia, «el sitio al que regresar».

 juantrigoJuan

Tal vez amig@ es aquella persona con la cual puedes pasarte horas en el mismo banco, en silencio.

 Jorge

La amistad es el recuerdo vivido y compartido de lo bueno y lo bello.

 Lina

Mejor son dos que uno… siempre es bueno tener cerca a alguien que te acepta como eres, que te acompaña en el camino, que ayuda cuando más lo necesitas, que llora y ríe contigo y también es muy gratificante ayudar a alguien, acompañarlo, llorar y reír con él…

 hectorlopezozuna

ES CONJUGAR EL VERBO EN NOSOTROS.

 Eva

Los amigos son la familia que escogemos tener, no la que nos toca tener.

 Isabel

Para mí es saber que hay alguien que me ayuda a afrontar los duros momentos, que me tiende su mano, que me hace reír, que está siempre sin pedírselo y sabe cuándo y dónde debe estar, alguien que tiene la palabra justa en el momento exacto, que no pide nada a cambio del gran tesoro que nos regala a diario: su amistad. Los amigos verdaderos existen y se cuentan con los dedos de una mano.

 Del campo

La amistad verdadera es no mentir, no traicionar.

 ## CÓDIGO <A>

Amistad
- Elabora una definición de la amistad. Preséntala a la clase y vota cuál es la mejor.

Tu biblioteca de español

Jorge Bucay

Cuentos para pensar es una obra de 26 cuentos del escritor argentino. Lee este cuento.

— Vengo a verle, maestro, porque me dicen que no sirvo, que no hago nada bien, que soy torpe y bastante tonto. ¿Qué puedo hacer para que me valoren más?

El maestro, sin mirarlo, le dijo:

— Cuánto lo siento, muchacho, no puedo ayudarte, debo resolver primero mi propio problema. Quizá después… —y, haciendo una pausa, agregó— Si primero me ayudas tú a mí, después, tal vez, te pueda ayudar.

— E… encantado, maestro —titubeó el joven.

El maestro se quitó un anillo del dedo y dijo:

— Bien, ve al mercado. Debo vender este anillo. Es necesario que obtengas la mayor suma posible, pero no aceptes menos de una moneda de oro.

El joven tomó el anillo y ofreció el anillo a los mercaderes, pero, cuando mencionaba la moneda de oro, algunos reían, otros le volvían la cara y solo un anciano fue tan amable como para explicarle que una moneda de oro era demasiado para entregarla a cambio de un anillo como ese.

— No creo que yo pueda engañar a nadie respecto al valor del anillo, maestro —dijo—, lo siento, no se puede conseguir lo que me pediste.

— Qué importante lo que dijiste, joven —contestó sonriente el maestro.— Debemos saber primero el verdadero valor del anillo. Ve al joyero. ¿Quién mejor que él para saberlo? Dile que quieres vender el anillo y pregúntale cuánto te da por él. Pero no se lo vendas. Vuelve aquí con mi anillo.

El joyero examinó el anillo con su lupa, lo pesó y luego le dijo:

— Yo sé que con tiempo podríamos obtener por él cerca de 70 monedas, pero no sé. Si la venta es urgente, te daré 58.

El joven corrió emocionado a la casa del maestro a contarle lo sucedido.

— Siéntate —dijo el maestro después de escucharlo. — Tú eres como este anillo: Una joya, valiosa y única. Y como tal, solo puede evaluarte un verdadero experto. ¿Qué haces pretendiendo que cualquiera descubra tu verdadero valor? —y, diciendo esto, volvió a ponerse el anillo en el dedo pequeño.

«Todos somos como esta joya, valiosos y únicos, y andamos por los mercados de la vida pretendiendo que gente inexperta nos valore».

Adaptado de «El cuento del anillo», de *Cuentos para pensar*.

Biografía

Jorge Bucay es un escritor argentino. Nació en Buenos Aires en 1949. Es un psicodramatista, terapeuta y escritor. Se graduó como profesor y se especializó en enfermedades mentales. Ha sido vendedor ambulante de calcetines, de libros y de ropa deportiva, agente de seguros, taxista, payaso, almacenero, educador, actor, médico de guardia, animador de fiestas infantiles, psiquiatra, coordinador de grupos, columnista de radio, conductor de televisión y psicoterapeuta.

COMPRENDO

1. Relaciona los protagonistas con su adjetivo.

1. El muchacho   a. experto
2. El maestro   b. inseguro
3. Los mercaderes   c. inexpertos
4. El joyero   d. sabio
5. Todos   e. valiosos

1-b; 2-d; 3-c; 4-a; 5-e.

2. Contesta.

a. ¿Por qué el joven va a hablar con el maestro? — Porque se siente poco valorado.
b. ¿Por qué el maestro no le puede ayudar? — Porque tiene que vender antes un anillo.
c. ¿Qué le pide el maestro? — Le pide que venda un anillo en el mercado.
d. ¿Consigue el joven vender el anillo? — No consigue venderlo.
e. ¿Quién da más valor al anillo? — El experto en joyas, el joyero, es el único que sabe valorar el anillo.
f. ¿Cómo reacciona el joven? — El joven se emociona al saber el valor real del anillo.
g. ¿Qué representa el anillo? — El anillo representa al joven.

APRENDO

1. Relaciona cada término con su significado correspondiente.

1. Torpe   a. Adorno de oro, plata, con piedras preciosas o sin ellas
2. Agregar   b. Añadir algo a lo ya dicho o escrito
3. Titubear   c. Cantidad
4. Suma   d. Dar
5. Entregar   e. Decir una mentira
6. Engañar   f. Lente de aumento
7. Conseguir   g. Obtener
8. Lupa   h. Que se mueve con dificultad o que hace las cosas mal
9. Joya   i. Que vale mucho, importante
10. Valiosa   j. Querer o intentar
11. Pretender   k. Vacilar en la elección o pronunciación de las palabras

1-h; 2-b; 3-k; 4-c; 5-d; 6-e; 7-g; 8-f; 9-a; 10-i; 11-j.

2. En tu cuaderno, resume el texto.

ESCRIBO

En grupo.
Continuad el cuento imaginando por qué el joven tenía tan baja autoestima (ejemplos: algún amigo le había ofendido, su entrenador nunca le dejaba jugar en partidos oficiales...) e imaginad cómo va a cambiar su actitud frente al problema inicial.

Tu rincón hispano
Alerta amazónica

NATIONAL GEOGRAPHIC EN ESPAÑOL

Alerta amazónica

SUSCRÍBETE

La deforestación en toda la cuenca del río Amazonas, considerada el gran pulmón del mundo, es peor de lo que se creía hasta ahora. Fundamentalmente, porque las actividades humanas están degradando la selva amazónica al doble del ritmo estimado previamente. La región amazónica es un gigantesco ecosistema de selvas tropicales sobre una extensión de 7 millones de kilómetros cuadrados. También se la considera como la reserva biológica más rica del mundo, con millones de especies de insectos, plantas, pájaros y otras formas de vida, muchas de las cuales todavía no han sido registradas por la ciencia.

El río es quien regula el clima de casi toda América del Sur y sus árboles son los grandes procesadores de dióxido de carbono y suministradores de oxígeno. Un estudio señala que esa riqueza está bajo amenaza y que el principal factor de la deforestación es la tala indiscriminada de árboles, a lo que se han sumado ahora las actividades de la industria maderera en la región.

Sin embargo, un nuevo método de imagen por satélite permitió a los científicos identificar muchas zonas donde la floresta tropical ha sido reducida a través de lo que calificó como «una tala selectiva». En este tipo de deforestación solo se cortan ciertas especies de árboles comercializables y los troncos se transportan a los aserraderos ubicados fuera del campo.

La tala genera graves consecuencias ambientales. Entre ellas se produce una eliminación de la humedad característica de la selva y se aumenta el peligro de incendios, señalaron los científicos.

1. Lee el artículo y completa las frases.

La cuenca del río Amazonas está en peligro de deforestación .

El río regula el clima de toda la región .

Actualmente la selva sufre dos peligros la tala indiscriminada y las actividades de la industria maderera .

La causa de la deforestación es la tala indiscriminada y las actividades de la industria maderera .

Las consecuencias ambientales de la deforestación son la eliminación de la humedad y el aumento del peligro de incendios .

2. Busca en el texto las palabras que significan:

cosa que constituye una posible causa de riesgo: amenaza

extensión de terreno acotado y protegido para la preservación del ecosistema: reserva

plantas características de una zona: floresta

3. Escribe una frase para cada párrafo que resuma su información.

Bosque tropical amazónico

Talas en el bosque amazónico

El río Amazonas

Variantes del español

Relaciona estas variantes con su significado.

1. Gamberro, bromista
2. Guapo
3. Moreno
4. Muchacho, chico
5. Vago

a. Chavo, pibe
b. Flojo, perezoso
c. Lindo
d. Morocho
e. Pendenciero

1-e; 2-c; 3-d; 4-a; 5-b.

Máscaras artesanales

AHORA YA SÉ

Mostrar simpatía o antipatía

1. Responde a estas preguntas.

1. ¿Cómo le caes a tu mejor amigo?   Le caigo bien/estupendamente/fenomenal.

2. ¿Cómo les caes a tus compañeros de clase?   Les caigo bien/mal.

3. ¿Cómo te cae tu hermano/a?   Me cae bien/mal.

4. ¿Cómo te caen los futbolistas del Real Madrid?   Me caen bien/fatal.

5. ¿Cómo te cae tu vecino?   Me cae bien/mal.

Expresar la opinión

2. Forma frases con las siguientes palabras.

1. creer – ser – no – ellos – simpático – tú

Ellos creen que tú no eres simpático/Ellos no creen que tú seas simpático.

2. yo – egoísta – pensar – ser

Yo pienso que eres/es egoísta.

3. tranquila – ser – María – creer – no

No creo/cree/creemos/creen que María sea tranquila/Creo/Cree/Creemos/Creen que María no es tranquila.

4. no – creer – autoritario – ser – yo – ellos

Ellos no creen que yo sea autoritario/Ellos creen que yo no soy autoritario.

Expresar reacciones

3. Completa las frases.

1. Me molesta que mis padres

2. Me preocupa que mi profesor

3. Me pone nervioso que mi hermano

4. Me da pena que mis amigos

5. Me alegra que mi equipo

6. Me encanta que

7. Me pone triste que

8. Me divierte que

Expresar sentimientos

4. Relaciona.

1. ¡Qué mala suerte!
2. ¡Qué pena!
3. ¡Qué rollo!
4. ¡Qué vergüenza!
5. ¡Qué bien!
6. ¡Qué miedo!

a. Os vais de excursión toda la clase.
b. Oyes un ruido extraño en tu casa.
c. No puedo ir a la excursión.
d. Tengo que estudiar toda la tarde.
e. Tengo que vestirme de payaso en la fiesta de mi hermana.
f. Han suspendido el concierto de tu grupo favorito.

1-f; 2-c; 3-d; 4-e; 5-a; 6-b.

Gramática

El subjuntivo

5. Completa las frases con uno de estos verbos en subjuntivo.

| tener - venir - decir - hacer - salir |

1. Me gusta mucho que (ellos) _**vengan**_ a mi casa.
2. No quiero que (tú) _**salgas**_ a estas horas.
3. No me gusta que (ella) _**tenga**_ toda la habitación en desorden.
4. Me molesta que (vosotros) _**digáis**_ eso de Andrés, es una buena persona.
5. Quiero que (nosotros) _**hagamos**_ los ejercicios antes de comer.

Contraste infinitivo/indicativo/subjuntivo

6. Completa con los verbos en la forma adecuada.

1. Creo que Antonio no (ser) _**es**_ muy ordenado.
2. Me molesta (hablar) _**hablar**_ de eso contigo. No me preguntes más.
3. No creo que (ser) _**sean**_ sinceros contigo.
4. Me fastidia que (comer) _**comas**_ tu bocadillo cuando estás en mi casa.
5. Nos alegra (tener) _**tener**_ noticias tuyas.

Los superlativos

7. Escribe el superlativo correspondiente.

1. Corto _**cortísimo**_
2. Poco _**poquísimo**_
3. Larga _**larguísima**_

4. Caros _**carísimos**_
5. Fácil _**facilísimos**_
6. Grande (la casa) _**grandísimas**_

Léxico

Adjetivos de personalidad

8. Relaciona los adjetivos con las imágenes y escribe una frase con cada uno.

| Tímido – Bromista – Autoritario – Perezoso – Miedoso |

a. perezoso

b. miedosa

c. bromista

d. tímida

e. autoritaria

Preparo
mi examen

Lee este texto y responde a las preguntas.

Había una vez un chico que estaba muy triste y se sentía muy mal. Al final enfermó y tuvo que estar todo el día en la cama sin poder moverse. Nadie venía a verlo y sufría mucho por ello, porque pensaba que no tenía amigos. Empezó a dejar pasar los días, triste y decaído, mirando el cielo a través de la ventana.

Pasó algún tiempo, cada vez más desanimado, hasta que un día vio una extraña sombra en la ventana: era un pingüino comiendo un bocadillo de chorizo que entró a la habitación, le dio las buenas tardes y se fue. El chico se extrañó mucho. Mientras meditaba sobre qué sería aquello, vio aparecer por la misma ventana un mono en pañales inflando un globo. Poco a poco, mientras seguían apareciendo personajes locos por aquella extraña ventana, ya no podía dejar de reír, al ver un cerdo tocando el tambor, un elefante saltando en cama elástica, o un perro con gafas que solo hablaba de política.

No se lo contó a nadie, pero esos personajes alegraron su espíritu y su cuerpo, y en muy poco tiempo este mejoró notablemente y pudo volver al instituto. Allí pudo hablar con sus compañeros y, entonces, sí contó todas las cosas tan raras que había visto. Mientras hablaba con su compañero de mesa, vio asomar algo extraño en su mochila. Le preguntó qué era, y tanto le insistió que finalmente pudo ver su contenido:

¡Allí estaban todos los disfraces que había utilizado su buen amigo para intentar alegrarle! Desde entonces, nuestro chico sabe que tiene muchos amigos que no permiten que se encuentre mal.

1. ¿Por qué enfermó?   Porque siempre estaba triste y deprimido.
2. ¿Por qué estaba cada vez más desanimado?   Porque nadie iba a visitarlo.
3. ¿Qué le hizo volver a estar alegre?   Empezó a ver extraños animales haciendo cosas raras.
4. ¿A quién se lo contó finalmente?   Se lo contó a su compañero de mesa.
5. ¿Qué descubrió en el instituto?   En el instituto descubrió que tenía muchos amigos.

Escucha la conversación entre Roberto y Diana y responde a las preguntas.

Pista 13

1. ¿Como son Miguel Ángel y Sara según ellos?
   Miguel Ángel es simpático pero callado,
   Sara es extrovertida, habladora y divertida.
2. ¿Cómo le cae Miguel Ángel a Diana?
   Le caen bien.
3. ¿Y Luisa y Lucas a Roberto?
   No le caen mal.

Diana

Roberto

Redacta un texto con las respuestas a estas preguntas.

1. ¿Cómo te sientes cuando te invitan a una fiesta y no conoces mucho a la persona que te invita?
2. ¿Te preocupa gustar? ¿Qué haces para gustar a los demás?
3. ¿Qué tipo de personas te gustan?

Habla con tu compañero sobre vuestra idea de la amistad. ¿Qué es la amistad? ¿Tenéis muchos amigos? ¿Cómo elegís a vuestros amigos?

arte
y aparte

Niños comiendo melón

Murillo

Observa

Describe el cuadro. Para ello, responde a estas preguntas:
¿Cómo son los personajes?
¿Qué hacen?

Comenta

Analiza estos aspectos.

Por la actitud de los niños, ¿cómo dirías que es su relación: de rivalidad, de compañerismo, de amistad, de odio? ¿Por qué?

Imagina que dibujamos dos líneas paralelas. Una va paralela con el brazo del niño de la izquierda; la otra, une las uvas de la cesta y los dos trozos de melón. ¿Qué se representa en cada una de las partes en las que queda dividido el cuadro?

Da tu interpretación

¿Te gusta? ¿Por qué?

UNIDAD 4

Vive de forma responsable

En esta unidad aprendes a...

- Dar una orden.
- Expresar una prohibición.
- Hacer promesas.
- Pedir y dar consejos.
- Ponerte en el lugar de otra persona y aconsejarle.
- Mostrar sentimientos y reacciones.
- Expresar voluntad y deseos personales.

Busca en la nube las expresiones o palabras relacionadas con las fotos. ¿Qué tienen en común? Anota más palabras.

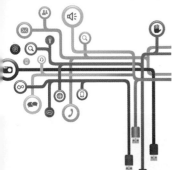

el tranvía

la tarjeta de embarque

el plano
del metro

el tráfico, el coche

el autocar

El billete de metro
EL PASO DE CEBRA
El autocar
tarjeta **tráfico**
EMBARQUE **tranvía**
LA ESTACIÓN DE TREN
EL AVIÓN EL AUTOCAR TARJETA EL COCHE
El avión LA
El avión señal **tarjeta**
señal **LA MOTOCICLETA** EL PASO DE CEBRA tarjeta
señal **EL AUTOCAR**
El plano del metro
tráfico EL CARNÉ DE CONDUCIR
tráfico SEÑAL EMBARQUE EL PLANO DEL METRO tranvía
señal **LA EMBARQUE EL**
El avión TRÁFICO
embarque **EL BILLETE DE METRO**
El coche
LA ESTACIÓN DE TREN TRANVÍA tranvía
El carné de conducir La
EL PLANO DEL METRO
La tarjeta de embarque

el carné
de conducir

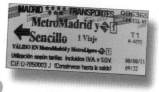

el billete del metro

el paso de cebra,
la señal de tráfico

la motocicleta

el avión

la estación de tren

Lección 7
Prohibiciones y promesas

Junto a una autoescuela

Pista 14

Autoescuela

Cerrado

Nuria: ¡Hola, Tomás! ¿Qué haces por aquí?

Tomás: Estoy sacándome el carné de conducir motos. El mes que viene tengo mi examen.

Nuria: ¿De verdad? No me digas. Siempre has dicho que estabas en contra de las dos ruedas con motor. ¿Has abandonado tus patines?

Tomás: No, no, siguen siendo mis preferidos. Los tengo siempre en mi mochila.

Nuria: De todas maneras, ¿para qué necesitas el carné?

Tomás: Hace algún tiempo respondí a un anuncio en el que buscaban a un estudiante aficionado a la historia para un trabajo al aire libre durante los fines de semana.

Nuria: Sí, hasta mi hermano envió una solicitud.

Tomás: Bien, yo me había olvidado por completo. Bueno, pues hace un mes hice una entrevista y la semana pasada me dijeron que había pasado la selección. Pero tengo que disponer de un medio de transporte.

Nuria: ¿En qué consiste el trabajo?

Tomás: Voy a colaborar con un grupo de estudiantes de secundaria de la ciudad para una empresa que se ocupa de lugares arqueológicos.

Nuria: ¿De arqueología? ¡Venga ya! No me tomes el pelo.

Tomás: No, te lo digo en serio. Tenemos que analizar una serie de restos directamente en el sitio arqueológico. Por eso necesito un medio de transporte.

Nuria: ¡Qué suerte! Me parece que es un trabajo muy original.

Comprendo

1 ESCUCHA, LEE EL TEXTO Y HAZ LAS ACTIVIDADES DE COMPRENSIÓN

A. ¿Verdadero o falso? Corrige las falsas.

	V	F
1. Tomás se examina del carné la semana que viene.		X
2. La bici es el medio preferido por Tomás.		X
3. Tomás ha conseguido un trabajo en una empresa de arqueología.	X	
4. Nuria le aconseja practicar con un grupo de estudiantes de secundaria.		X
5. Nuria va a ayudar a Tomás.		X
6. Tomás necesita el medio de transporte para obtener el trabajo.	X	

B. Localiza estas expresiones en el diálogo y relaciónalas con su uso.

1. ¿De verdad? No me digas.
2. ¡Venga ya! No me tomes el pelo.
3. No, te lo digo en serio.
4. ¡Qué suerte!

a. Asegurar que una información es verdad.
b. Expresar alegría.
c. Indicar que algo no se cree.
d. Mostrar sorpresa.

1-d; 2-c; 3-a; 4-b.

C. Completa el texto.

Nuria y Tomás se ___ encuentran ___ casualmente delante de la ___ autoescuela ___ donde Tomás se está sacando el ___ carné de conducir motos ___ . Nuria se sorprende un poco ___ porque ___ Tomás siempre se ha declarado contrario a ___ dos ruedas con motor ___ . La razón de este cambio es que Tomás ha encontrado un trabajo durante ___ los fines de semana ___ y necesita utilizar un ___ medio de transporte ___ para moverse más rápido.

Practico y amplío

 2 DA UNA ORDEN O EXPRESA UNA PROHIBICIÓN

A. Observa y completa el esquema.

> No corran y no hablen en voz alta.

Imperativo negativo
No + forma del subjuntivo presente

	HABLAR	CORRER	ESCRIBIR
(yo)	no hable	no corra.	no escriba.
(tú, vos)	no hables	no corras.	no escribas
(él, ella, usted)	no hable.	no corra.	no escriba
(nosotros, nosotras)	no hablemos	**no corramos**	no escribamos
(vosotros, vosotras)	no habléis	**no corráis**	no escribáis
(ellos, ellas, ustedes)	no hablen	no corran.	**no escriban**

Gramática

B. ¿Ya conoces la señalización vial? Observa y escribe en tu cuaderno el significado de las señales utilizando estas expresiones.

- Adelantar a otro coche
- Andar por la carretera
- Dar la vuelta
- Girar a la derecha/izquierda
- Ir a más de 40/50/60
- Montar en bici por aquí
- Pasar
- Aparcar

1 No montes en bici por aquí.

2 No andes por la carreterra.

3 40 — No vayas a más de 40.

7

6 No pases.

8 No gires a la izquierda.

4 No des la vuelta.

5 No aparques.

No adelantes a otro coche.

C. Escucha a Tomás que está en clase de conducir con el instructor. ¿Qué señales ha encontrado?

Pista 15

1. (X)  No aceleres, frena.

2. (X)  Párate, no pases.

3. ( )

4. (X) Frena, no frenes inmediatamente.

5. ( )

D. Vuelve a escuchar el diálogo y escribe las prohibiciones y las órdenes.

3 PERMITE, PROHÍBE Y HAZ PROMESAS

A. **Muchos chicos discuten con sus padres porque quieren tener una motocicleta. Lee las objeciones de los padres y relaciona las respuestas de sus hijos. Indica quién hace las promesas.**

Los padres de Nuria:

No, no te dejamos que te saques el carné, nos da miedo que te pase algo en la carretera, eres muy joven y un tanto irresponsable. No queremos que corras. c

Te juro que <u>tendré</u> cuidado y que <u>estaré</u> pendiente de lo que hagan los demás. Además, yo tengo dinero ahorrado y si me prestas algo, te lo <u>devolveré</u>.

a.

El padre de Nacho:

No estoy en contra de que vayas en moto, yo tuve una de joven, pero es absolutamente necesario que seas responsable. Acuérdate de tu primo que tiene una pierna escayolada porque tuvo un accidente de motocicleta cuando llovía. ¡Ten cuidado! ¡Es una orden! d

Te doy mi palabra de que no <u>haré</u> ninguna locura, que <u>seré</u> serio con la moto, de verdad.

b.

La madre de María:

No, absolutamente no, no te doy permiso a que vayas por ahí en una moto. No, no y no. e

Os prometo que <u>iré</u> despacio, que no <u>correré</u>.

c.

Los padres de Carlos:

¡Es mejor que esperes a tener 18 años y a tener el carné de conducir! Prefiero que seas más adulto, más serio. b

Te aseguro que no la <u>usaré</u> si llueve o hace mal tiempo.

d.

La madre de Marisol:

¡Tú estás loca! Te lo prohíbo tajantemente que te compres una moto: un *scooter* es demasiado peligroso. Yo confío en ti, pero no puedo confiar en los demás y, además, es muy cara. a

Te juro que solo la <u>usaré</u> para ir al instituto.

e.

B. **Ahora, subraya la opción que corresponde a los diálogos, completa con los verbos en la forma correcta del subjuntivo y comprueba tus respuestas anteriores.**

1. Los padres de Nuria no le *dejan*/prohíben que se (sacar) **saque** el carné porque les da miedo que le (pasar) **pase** algo. No *están en contra*/quieren que (correr) **corra**. Pero Nuria les promete que no correrá.
2. El padre de Nacho no está *de acuerdo*/en contra de que (ir) **vaya** en moto, pero cree que es absolutamente necesario que (ser) **sea** responsable. Nacho le asegura que no la usará si llueve o hace mal tiempo.
3. La madre de María no le *prohíbe*/impide que (ir) **vaya** en moto por la ciudad y María le jura que solo la usará para ir al instituto.
4. Los padres de Carlos piensan que es *mejor*/peor que (esperar) **espere** a los 18 años, para que sea más adulto y Carlos le da su palabra de que no hará ninguna locura y de que será serio.
5. La madre de Marisol le *autoriza*/prohíbe que se (comprar) **compre** una moto, porque desconfía de los demás conductores y porque es cara, pero Marisol le jura que tendrá cuidado y que estará pendiente de lo que hagan los demás.

4 CONOCE EL FUTURO SIMPLE

A. Observa las promesas que hacen los chicos, subraya las formas de un nuevo tiempo verbal, es el futuro, y escribe el infinitivo. tendré, tener; estaré, estar; devolveré, devolver; iré, ir; correré correr; haré, hacer; seré, ser; usaré, usar; usaré, usar.

B. Observa la forma del futuro y completa con las formas que faltan.

	ESTAR	CORRER	IR
(yo)	estaré	correré	iré
(tú, vos)	estarás	correrás	irás
(él, ella, usted)	estará	correrá	irá
(nosotros, nosotras)	estaremos	correremos	iremos
(vosotros, vosotras)	estaréis	correréis	iréis
(ellos, ellas, ustedes)	estarán	correrán	irán

Gramática

C. En las promesas hay dos verbos irregulares. ¿Sabes cuáles son? Identifica en estas frases los verbos irregulares del futuro. Tendré y haré.

Te prometo que no diré una mentira nunca más.

De verdad, tendré cuidado si me dejas ir en moto.

Si me subes la paga, pondré todos los días la mesa.

Te juro que haré los deberes todos los días.

Déjame ir al cine y te doy mi palabra de que volveré pronto.

Si no me ayudas, no podré hacer los ejercicios yo solo.

Si me dejas salir hasta las once, te aseguro que solo saldré con mis amigos los sábados.

 Actúo

5 DA INSTRUCCIONES

Elige una de estas situaciones o lugares y expresa diez cosas que no debes hacer utilizando el imperativo negativo. Luego, imagina que haces promesas si estás en alguno de ellos.

CÓDIGO <P>

Tus propósitos

• Todos tenemos siempre intenciones de mejorar. Indica tus diez propósitos.

Lección 8 Pide y da consejos

Un programa sobre el futuro

Pista 16

Blas: Buenos días, y bienvenidos a «El futuro en una profesión», nuestra emisión de los fines de semana por la mañana en Radio Cero. Nuestras invitadas de este fin de semana son: Lola Castro, directora del museo de Ciencias Naturales de Lanzarote, y María, una estudiante de 3.º de la ESO que va a tener la suerte esta noche de expresar sus deseos y recibir consejos. María, tienes la palabra.

María: Buenos días, esta es mi pregunta: Estoy casi totalmente decidida a convertirme en directora de películas de animales... vamos, me gustaría rodar documentales. Sé que en todo el mundo hay solo dos mujeres que hacen este trabajo y me gustaría ser una más de ellas. ¿Tú qué harías en mi lugar?

Lola: ¿Por qué quieres seguir este camino?

María: Tengo unas ganas locas de sentirme libre y de vivir en medio de la naturaleza, ya sea en África o en Asia, me da igual. En las grandes ciudades me siento enjaulada como un león.

Lola: Pero, tú, ¿qué estás dispuesta a hacer?

María: ¿Sabía usted que en el momento actual miles de especies animales, grandes o pequeñas, están en peligro? Sobre todo lo que no quiero es que la lista de especies en vías de extinción se siga alargando. Ya he decidido que quiero rodar documentales de estas especies porque quiero ayudar a los animales como la ballena, el elefante... Estoy dispuesta a viajar, a estudiar, a remover cielo y tierra para lograrlo. ¿Qué me aconseja sobre los pasos que tengo que dar?

Lola: Yo que tú me matricularía primero en una carrera como Arte o en Sonido e Imagen y, después, completaría mi formación con un máster. Deberías apuntarte también a una de las numerosas asociaciones y fundaciones que trabajan para la protección de los animales salvajes.

Blas

María

Lola

✓ Comprendo

1 **LEE EL TEXTO Y HAZ LAS ACTIVIDADES**

A. Contesta a las preguntas.

1. ¿Cuál es el tema tratado?
La futura profesión de María.

2. ¿Qué consejos da Lola?
Lola le aconseja que se matricule en una carrera como Arte o en Sonido e Imagen y que haga un máster. También, que se apunte a una asociación para la protección de los animales.

B. Relaciona.

1. Estoy casi totalmente decidida a — **a.** ayudar a los animales como la ballena, el elefante...
2. Me gustaría — **b.** convertirme en directora de películas de animales.
3. Tengo unas ganas locas de — **c.** la lista de especies en vías de extinción se siga alargando.
4. Lo que no quiero es que — **d.** rodar documentales de estas especies.
5. Ya he decidido que quiero — **e.** sentirme libre.
6. Quiero — **f.** ser una más de ellas.

1-b; 2-a; 3-d; 4-c; 5-f; 6-e.

C. Responde a las preguntas.

1. María afirma que está plenamente convencida de llegar a ser:
   a. ☐ cazadora de animales peligrosos   b. ☐ veterinaria   c. ☒ directora de documentales
2. Tiene la intención de seguir este camino porque no quiere que desaparezcan más especies.
3. Está dispuesta a viajar, a estudiar, a remover cielo y tierra.
4. Participa en el programa porque le gustaría que le aconsejen.
5. Para conseguir su objetivo será necesario que ella se matricule en la universidad.
6. ¿Tiene un destino preferido? Asia o África.

Practico y amplío

2 CONOCE EL CONDICIONAL

A. Observa cómo se forma el condicional **y completa con las formas que faltan.**

Gramática

	ESTAR	CORRER	IR
(yo)	estaría	correría	iría
(tú, vos)	estarías	correrías	irías
(él, ella, usted)	estaría	correría	iría
(nosotros, nosotras)	estaríamos	correríamos	iríamos
(vosotros, vosotras)	estaríais	correríais	iríais
(ellos, ellas, ustedes)	estarían	correrían	irían

Los irregulares son los mismos irregulares que en el futuro.
Se emplea para pedir algo de una manera cortés, hablar de situaciones imaginarias, expresar deseos difíciles de realizar, dar consejos o recomendaciones y hacer propuestas o sugerir soluciones.

B. Completa los consejos con los verbos en la forma adecuada del condicional.
Ojo, hay verbos irregulares.

1. ¿Te molesta estar castigado y no poder salir porque has hecho algo mal? Yo que tú les (pedir) **pediría** perdón a tus padres y les (decir) **diría** que nunca lo vas a volver a hacer.
2. Si te pone triste que no te dejen sacarte el carné de conducir, yo que tú (usar) **usaría** la bici para ir al instituto.
3. Si estáis aburridos y no sabéis qué hacer, yo que vosotros (leer) **leería** un buen libro o me (poner) **pondría** a hacer alguna manualidad.
4. Yo no (poder) **podría** hacer eso que tú haces. Creo que (ser) **sería** mejor pedir ayuda a otra persona, yo no (saber) **sabría** qué decirte.
5. • ¿(Tener, tú) **Tendrías** un momento, por favor? Necesito tu ayuda. ¿Cómo (hacer) **harías** tú este ejercicio?
   • Yo que tú le (preguntar) **preguntaría** al *profe* y lo (escribir) **escribiría** a lápiz antes de corregirlo.

3 PONTE EN EL LUGAR DE OTRA PERSONA Y DA CONSEJOS

A. ¿Qué harías tú en estas situaciones?

1. Está prohibido navegar en la red.
2. Está llegando una tormenta.
3. Recibes una invitación anónima a una fiesta.
4. Un cachorro de perro está ladrando fuera de tu puerta.

B. Da un consejo a esta chica usando la expresión Yo que tú.

1. Quiero ser actriz y viajar por todo al mundo.
2. Quiero salir con un chico de otra clase.
3. Mi mejor amigo sale con una chica y no quiere quedar conmigo.
4. Últimamente estoy cansada, no me gusta estudiar y duermo muy poco.

Yo que tú no lo haría.

C. Relaciona cada frase con el uso del condicional.

1. ¿Podrías prestarme tu bicicleta?
2. Me gustaría ir un fin de semana a la montaña.
3. Yo que tú me pondría esa camiseta tan bonita.
4. Yo no diría que esos chicos se conocen.
5. Deberías estudiar mucho más.
6. Mi padre se querría comprar un coche nuevo.
7. Pensaría que has copiado en el examen.
8. ¿Te importaría cerrar esa puerta?

a. Dar consejos y recomendar.
b. Pedir favores de manera menos directa.
c. Expresar opiniones.
d. Expresar deseos.

1-b; 2-d; 3-a; 4-c; 5-a; 6-d; 7-c; 8-b.

4 REACCIONA Y DI TUS EMOCIONES

Gramática

Me gusta Me pone nervioso	+ infinitivo	(si la persona que se expresa es la misma de la oración dependiente)	Me pone nervioso hacer un examen.
Me pone triste (No) soporto Me duele	+ que + subjuntivo	(si los sujetos no coinciden)	Me pone nervioso que el profesor me ponga un examen sorpresa.

A. Completa las frases conjugando el verbo en infinitivo o en subjuntivo.

1. Me tengo que ir ya, porque hoy duermo en casa de mi abuela y a ella le preocupa que (llegar)   llegue   tarde.
2. Me preocupa no (saber)   saber   la lección, así que me voy a estudiar.
3. A Luis le duele mucho que te (enfadar)   enfades   con él de esa manera.
4. Me pone nervioso que Carlos no (terminar)   termine   de cantar esa canción tan triste.
5. A ti, ¿no te pone nervioso (estar)   estar   sin hacer nada?
6. A mis tíos no les gusta que sus hijos, mis primos, (correr)   corran   en bicicleta.
7. Me da mucha pena que Marta ya no te (querer)   quiera .
8. No nos gusta que la gente nos (decir)   diga   lo que podemos hacer.

B. Observa las siguientes campañas de protesta. ¿Qué quiere cada grupo? Formula frases utilizando las expresiones anteriores.

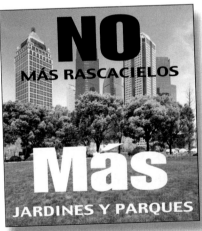

5 EXPRESA VOLUNTAD Y DESEOS PERSONALES

A mí me gustaría... Quiero... Estoy dispuesto/a a... Tengo unas ganas locas de... Me encantaría...	+ infinitivo	¡Ojo! El sujeto de la principal y el de la subordinada coinciden.

Gramática

A. Aquí tienes una lista de profesiones. En parejas escribid lo que os gustaría ser y lo que estáis dispuestos a hacer. Usad las expresiones del cuadro anterior.

- azafata
- traductor/-a
- director/-a de cine
- cantante
- bailarín/-a
- dibujante de cómics
- actor/actriz
- médico/a
- arquitecto/a

Quiero ser actor. Para realizar mi sueño, estoy dispuesto a estudiar mucho y a viajar a Roma, Londres y Los Ángeles.

B. Imagina una entrevista, como la del programa de radio, sobre las mejores profesiones del futuro. Piensa las preguntas y las respuestas.

Actúo

6 VAS A HABLAR DE CONSEJOS Y PROHIBICIONES

A. Comparte con tus compañeros los consejos y las prohibiciones que les darías a estas personas.

1. A una chica que va a realizar un largo viaje con un grupo de estudiantes de español, en avión.
2. A una persona que va a estudiar al extranjero.
3. A un chico que viene a tu país para estudiar tu idioma en verano.
4. A una persona que quiere ser profesor.
5. A un nuevo estudiante de tu instituto.
6. A un chico que quiere salir el sábado por la noche y no sabe cómo decírselo a su padre.
7. A una chica que ha sacado una mala nota y no sabe cómo confesárselo a sus padres.

B. Eres una persona poderosa que puede cambiar el mundo. Indica seis cosas que harías para mejorarlo.

CÓDIGO <M>

Un mundo ideal
• Redacta un texto con las mejores propuestas de la clase.

Participa en la comunidad de Código ELE

Describe vuestra propuesta de entorno ideal y publícalo en el blog. Lee la de otros estudiantes, ¿cuál te gusta más?

Extensión digital

Visite la web de Edelsa
Zona estudiante

Tu biblioteca de español

Violeta Parra

Lee el poema e intenta colocar los versos en su lugar correspondiente.

Ojos

Lluvia fuerte

Motores.

Gracias a la vida

Gracias a la vida
1. .... d ....
Me dio dos luceros*
2. .... e ....
perfecto distingo
3. .... c ....
y en las multitudes,
4. .... b ....
y en el alto cielo,
5. .... a ....

a. su fondo estrellado,
b. el hombre que yo amo.
c. lo negro del blanco
d. que me ha dado tanto.
e. que, cuando los abro,

Gracias a la vida,
que me ha dado tanto.
Me ha dado la marcha
15. .... o ....
Con ellos anduve
16. .... p ....
playas y desiertos,
17. .... q ....
y la casa tuya,
18. .... ñ ....

ñ. tu calle y tu patio.
o. de mis pies cansados.
p. ciudades y charcos,
q. montañas y llanos,

Gracias a la vida,
6. .... h ....
Me ha dado el oído,
7. .... g ....
graba, noche y día,
8. .... j ....
martillos, turbinas*,
9. .... i ....
y la voz tan tierna,
10. .... f ....

f. de mi bien amado.
g. que, en todo su ancho,
h. que me ha dado tanto.
i. ladridos, chubascos*
j. grillos y canarios,

Gracias a la vida,
que me ha dado tanto.
Me dio el corazón
19. .... u ....
cuando miro el fruto
20. .... r ....
cuando miro el bueno
21. .... s ....
cuando miro el fondo
22. .... t ....

r. del cerebro humano,
s. tan lejos del malo,
t. de tus ojos claros.
u. que agita su marco

Gracias a la vida,
que me ha dado tanto.
Me ha dado el sonido
11. .... m ....
Con él, las palabras
12. .... l ....
madre, amigo,
13. .... n ....
la ruta del alma
14. .... k ....

k. del que estoy amando.
l. que pienso y declaro:
m. y el abecedario.
n. hermano y luz alumbrando

Gracias a la vida,
que me ha dado tanto.
Me ha dado la risa y
23. .... x ....
Así yo distingo
24. .... w ....
los dos materiales
25. .... v ....
y el canto de ustedes,
26. .... z ....
y el canto de todos,
27. .... y ....

v. que forman mi canto
w. dicha de quebranto,
x. me ha dado el llanto.
y. que es mi propio canto.
z. que es el mismo canto,

Este poema ha sido cantado en varias versiones. Si tienes acceso a Internet, ve a www.youtube.com/watch?v=cTZSmuiHPs y escucha la canción, ¿te gusta?

Biografía

Cantautora y folclorista chilena. Desde pequeña sintió afición por la música y el folclore chilenos; su padre, profesor de escuela primaria, fue un conocido folclorista de la región. Comenzó a actuar con su hermana Hilda en el *Dúo Hermanas Parra*. En 1942 ganó el primer premio de canto español, y a partir de entonces fue contratada con frecuencia hasta que partió a Valparaíso, donde encontró su verdadera vocación. El constante viajar por todo el país le puso en contacto con la realidad social chilena marcada por desigualdades económicas. En 1956 grabó el primer álbum de la colección «El folclore de Chile».

COMPRENDO

1. ¿De qué habla el poema? Resume las ideas más importantes.

2. Analiza las estrofas.

Estrofa 1: La poeta agradece los ojos porque con ellos puede ...ver bien todo su entorno....

Estrofa 2: Busca estas palabras en tu diccionario. ¿Pertenecen estos sonidos a la ciudad o al campo?

Grillos	......campo......	Canarios	......campo......
Martillos	......ciudad......	Turbinas	......ciudad......
Ladridos	......campo......	Chubascos	......campo......

Estrofa 3: ¿Por qué son los sonidos y el abecedario importantes? ¿Qué consiguen formar?
...Forman las palabras más importantes en su vida....

Estrofa 4: ¿Qué podemos hacer con el uso de los pies?
...Con los pies podemos visitar el mundo....

Estrofa 5: Explica con la ayuda de tu profesora el significado de «el corazón que agita su marco».
...El latido del corazón....

Última estrofa: Según la estrofa, ¿qué elementos componen el canto de Violeta Parra?
...La risa y el llanto....

APRENDO

1. Según la canción, ¿qué acciones se pueden hacer con los «luceros» de la estrofa 1?
...Se puede: ver, abrir, cerrar, distinguir....

2. Según la canción, ¿qué tipo de sonidos podemos escuchar con el uso del oído?
...Ladridos, cubascos, martillos, canarios, turbinas, grillos....

3. Pensando en el abecedario, ¿cuáles son algunos ejemplos de palabras que incluye la poeta?
...Madre, amigo, hermano....

4. ¿Por qué lugares ha podido caminar Violeta Parra con la ayuda de sus pies?
...Ciudades, charcos, desiertos, playas, montañas, llanuras....

5. ¿Por qué es importante el corazón de una persona? ¿Qué ayuda a distinguir?
...Lo bueno y lo malo en la vida....

6. ¿Por qué es necesario tener risa y llanto?
...Porque representan la vida....

ESCRIBO

1. Identifica los seis motivos por los que la autora da gracias a la vida. Márcalos en el texto cada uno con un color diferente.

2. Siguiendo el esquema del poema de Violeta Parra, añade dos estrofas a su canción.

Gracias a la vida que me ha dado .... que ....

....

....

Gracias a la vida que me ha dado .... que ....

....

....

¿Por qué Perú?
Algunos consejos para vivir y viajar

En Perú abundan numerosas ciudades coloniales y antiguos asentamientos incas que conviven mano a mano con fascinantes sitios arqueológicos.

Cuzco
Se encuentra en el sur y es muy famoso por sus numerosos sitios arqueológicos de gran importancia. Es el centro arqueológico más importante en el continente americano.

Lima
La capital es una gran metrópolis situada en medio de la costa del país. Su centro histórico es hogar de una arquitectura colonial verdaderamente impresionante.

Machu Picchu
Situado al noroeste de Cuzco, es posiblemente el lugar de interés turístico más impresionante en todo Perú. También se le conoce como la «ciudad perdida de los incas».

Las mejores cosas que hacer

Ciclismo en los Andes
Es una actividad popular en las montañas de Perú, y en la región del centro de los Andes se encuentran algunos senderos increíbles.

Flotar sobre el lago Titicaca
Tomar un crucero sobre el lago para visitar las islas flotantes de Uros es casi mágico. El lago Titicaca es el lago navegable a mayor altitud en el mundo y se encuentra entre la ciudad de Puno y la frontera con Bolivia del sur de Perú.

Sobrevolar las Líneas de Nazca
Las Líneas de Nazca son figuras y líneas enormes creadas sobre las arenas del desierto que solo pueden ser vistas desde las alturas. Estas figuras fueron realizadas entre los años 300 y 700 A.C.

Hacer surf en las dunas de arena
Muchos turistas vienen al país expresamente para hacer surf en las pendientes creadas por las dunas en tablas. Las dunas más grandes se encuentran cerca de las Líneas de Nazca.

1. Responde verdadero o falso y corrige las falsas.

	V	F
1. Según el blog viajar a Perú merece la pena.	X	
2. En Perú puedes hacer muy poca actividad física.		X
3. La capital de Perú es Cuzco.		X

2. ¿Qué puedes hacer en Perú? Escribe qué no te puedes perder.
   Visitar las ciudades más importantes; visitar los Andes en bicicleta; ir en barco en el lago Titicaca; sobravolar sobre las líneas de Nazca; practicar surf en las dunas de arena. El resto de las respuestas son libres.

3. En tu cuaderno, copia un mapa de Perú y con rotuladores de colores diferentes escribe los lugares de los que se habla en el texto.

4. En parejas, preparad vuestro blog de consejos y recomendaciones para quien visite vuestro país.

5. ¿Sabes que la cocina peruana es Patrimonio de la Humanidad? Relaciona los términos con su imagen. Mira cómo cambian algunos términos entre Latinoamérica y España.

Variantes del español

Relaciona estas variantes con su significado.

1. Aguacate = palta
2. Albaricoque = damasco, chabacano
3. Alcachofa = alcaucil
4. Calabacín = zapallito
5. Calabaza = zapallo, cayuco
6. Carne de vaca = carne de res
7. Cerdo = puerco, chancho
8. Embutidos = carnes frías
9. Fresa = frutilla
10. Gamba = camarón
11. Guisante = chicharro, arveja
12. Judías verdes = chauchas
13. Judías, alubias = poroto, frijoles, ejote
14. Maíz = abatí, canguil, capia
15. Manzana = pero
16. Melocotón = durazno
17. Patata = papa
18. Piña = ananá
19. Plátano = banana, banano
20. Sandía = patilla
21. Zumo = jugo

a. 13
b. 21
c. 20
d. 15
e. 17
f. 19
g. 9
h. 3
i. 16
j. 18
k. 11
l. 10
m. 14
n. 4
ñ. 1
o. 2
p. 8
q. 12
r. 5
s. 6
t. 7

Órdenes, prohibiciones y consejos

1. Escribe unas advertencias para estos productos, incluyendo órdenes, prohibiciones y consejos de uso.

1.
2.
3.

1.
2.
3.

Expresar la opinión

2. ¿Cómo te ves a ti mismo/a dentro de 20 años? Cuenta en unas 150 palabras tus planes, utiliza expresiones de intención y voluntad y los tiempos verbales de futuro simple y condicional.

El condicional

3. Completa la tabla de los condicionales irregulares.

	(yo)	(tú, vos)	(él, ella, usted)	(nosotros, nosotras)	(vosotros, vosotras)	(ellos, ellas, ustedes)
poder	podría	podrías	podría	podríamos	podríais	podrían
querer	querría	querrías	querría	querríamos	querríais	querrían
salir	saldría	saldrías	saldría	saldríamos	saldríais	saldrían
tener	tendría	tendrías	tendría	tendríamos	tendríais	tendrían
decir	diría	dirías	diría	diríamos	diríais	dirían
poner	pondría	pondrías	pondría	pondríamos	pondríais	pondrían
venir	vendría	vendrías	vendría	vendríamos	vendríais	vendrían
saber	sabría	sabrías	sabría	sabríamos	sabríais	sabrían
hacer	haría	harías	haría	haríamos	haríais	harían

Imperativo

4. Cambia el verbo entre paréntesis en una orden o prohibición según la situación.

1. La naranjada está demasiado fría. (Beber) **No la bebas.**
2. La cocina está hecha un desastre. (Ordenar) **Ordénala.**
3. Se ha acabado el zumo de manzana. (Ir a comprar) **Ve a comprarlo.**
4. Estás haciendo demasiado ruido. (Dejarlo) **Déjalo.**
5. La circulación está prohibida. (Pasar) **No pases.**
6. Hay que escuchar la conferencia. (Dormirse) **No te duermas.**

El futuro simple

5. Lee el texto y escribe la forma correcta del futuro de los verbos entre paréntesis.

¿Quién (ser) **será**? ¿De dónde (venir) **vendrá** ese chico de negro que mira ese escaparate de la zapatería? ¿Adónde (ir) **irá** con ese bolso en bandolera? Parece triste. No sabemos nada de él. El chico se (llamar) **llamará** Pepe o Juan. (Ser) **Será** estudiante de 3.º o 4.º ESO. En el bolso (llevar) **llevará** cuadernos, libros, un bono de metro y un móvil. De repente abre su bolso y contesta a una llamada: ¿Con quién (hablar) **hablará**? Sus ojos hablando me miran: ¿qué (pensar) **pensará** de mí?

Usos del subjuntivo

6. Completa las siguientes frases con los verbos en indicativo o subjuntivo.

1. Es indispensable que ella (saber) **sepa** lo que ha ocurrido.
2. Es mejor que (enviar, ella) **envíe** a otra persona.
3. Me encanta que tú (venir) **vengas** a vernos.
4. Nos parece que Pepa no (saber) **sabe** la verdad.
5. No soporto que María (llamar) **llame** a todas horas.
6. No me parece que ellos (estar) **estén** contentos.
7. Es evidente que Lola y Pepa no (tener) **tienen** problemas de amor.

Léxico

Adjetivos de personalidad

7. Observa las fotos y escribe una o más profesiones que pueden practicarse en cada lugar.

   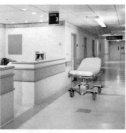 

1. _____ 2. _____ 3. _____ 4. _____ 5. _____

8. Escribe debajo de cada señal lo que se puede o no se puede hacer.

1. No se puede dar la vuelta. 2. No se puede aparcar. 3. No se puede pasar.

Preparo
mi examen

LEO
Completa este texto con las palabras de la lista.

> sencillas - arreglar - laboral - largo - ocupada - oportunidades - pasear - quitar - temporada

Si los adolescentes quieren trabajar después de la escuela, a partir de los 16 años, los fines de semana o durante las vacaciones de verano, pueden encontrar abundantes **oportunidades** de trabajo temporal:
- Las tiendas buscan empleados jóvenes.
- Lugares de comida rápida y restaurantes. Aunque el trabajo puede no ser lo que el adolescente está buscando a **largo** plazo, puede ser un gran lugar para adquirir experiencia **laboral**
- Hoteles, centros turísticos y lugares de interés turístico con frecuencia emplean a adolescentes para el trabajo a tiempo parcial durante su **temporada** alta.
- También hay muchas oportunidades **sencillas** en tu vecindario:
- Cuidar niños.
- Atender a mascotas (sacar a **pasear** perros, alimentar a los animales cuando sus dueños están lejos...).
- **Arreglar** el jardín (en primavera y verano, se puede cortar el césped, cortar las flores, en otoño se pueden recoger las hojas secas y limpiar el patio, y en invierno se puede **quitar** la nieve).
- Limpiar casas, hacer recados para gente **ocupada**, incluyendo compras y recoger su ropa en la lavandería.

ESCUCHO Escucha el diálogo entre Teresa y Ricardo. ¿Qué profesiones mencionan? ¿Qué quieren ser ellos cuando sean grandes?
Futbolista, profesor, policía, ingeniero, veterinario, médico. Ingeniera y veterinario.

ESCRIBO Responde a las preguntas.

1. ¿Qué profesiones te gustan? ¿Qué te gustaría hacer de mayor?
2. ¿Qué es más importante para ti? ¿Hacer algo que te guste o trabajar a cambio de un buen sueldo? ¿Por qué?
3. ¿Te gustaría hacer uno de los trabajos de tus padres?
4. ¿Crees que aprender lenguas puede ser importante para tu trabajo en un futuro? ¿Qué otras cosas puedes necesitar para encontrar un buen trabajo?

HABLO Por turnos. Elige una persona y descríbele a tu compañero qué habilidades necesitan para su trabajo (por ejemplo: estudiar lenguas, saber muchas matemáticas, etc.). Tu compañero tendrá que adivinar quién es y cuál es su profesión.

Dependiente

Veterinaria

Piloto

Médico

Arquitecta

arte
y aparte

Sorolla

Observa

Describe el cuadro. Para ello, responde a estas preguntas:

¿Cómo son los personajes? ¿Qué actitud tienen?

¿Qué están haciendo?

¿Cómo definirías la escena: ordenada, desordenada, equilibrada…?

¿Qué hay alrededor de los personajes? ¿Dónde están?

Comenta

Analiza estos aspectos.

¿La escena se desarrolla en el interior o en el exterior? ¿De dónde procede la luz?

Imagina un título, ¿qué título le pondrías?

¿Cuál es el tono del cuadro: alegre, divertido, triste, romántico…?

Da tu interpretación

El título del cuadro es *¡Y aún dicen que el pescado es caro!* ¿Qué crees que quiere expresar?

Imagina qué ha pasado antes.

¿Te gusta? ¿Por qué?

UNIDAD 5

Decide tu estilo de vida

En esta unidad aprendes a...

- Programar y proponer actividades de tiempo libre.
- Añadir informaciones sobre personas, lugares o cosas.
- Organizar una fiesta.
- Valorar, aprobar o desaprobar las actividades de otras personas o las propias.
- Poner condiciones.
- Anunciar acciones futuras.
- Analizar tu estilo de vida.

Relaciona las frases con las imágenes. ¿A qué actividad de tiempo libre hace referencia cada una? Escríbela debajo de la foto.

1. DAR UNA VUELTA

2. HACER COLA

b | 3 | ir de compras

c | 9 | hacer bricolaje

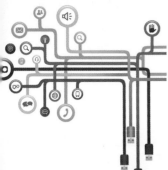

a | 4 | jugar a las cartas

3. IR A LAS REBAJAS

4. ECHAR UNA PARTIDA

5. ENTRENAR

d | 8 | jugar al fútbol

6. ESTAR DE MARCHA

e | 2 | ir al cine

f | 5 | hacer deporte

7. PASAR PÁGINAS

g | 1 | pasear

8. PERDER O GANAR UN PARTIDO

9. SER UN MANITAS

h | 7 | leer

i | 6 | bailar

Haz planes para el futuro

Una conversación por teléfono

Andrés: El sábado es mi fiesta de cumpleaños. Será muy divertido. Vendrá casi toda la clase y me apetece mucho que vengas.

Lucía: 4..
Como mis tíos se van de viaje, mis primas se quedan a dormir en casa.

Andrés: 1..

Lucía: Se lo comento y, si les apetece, claro que vamos.

Andrés: Será una fiesta fantástica. Mis padres han alquilado un local y habrá mucha música, tendremos un grupo en directo y los compañeros que vengan traerán sus discos favoritos; pero antes quiero que hagamos algunos juegos.

Lucía: 2..

Andrés: Es el grupo del hermano de José, Los Astros. Creo que los conoces a todos, están en segundo de ESO y han tocado a veces en las fiestas de la escuela. Hacen versiones de Los Planetas, je, je, por eso se han puesto ese nombre... Ah, y será en el club que está junto al cine Emperador, no me acuerdo cómo se llama.

Lucía: Claro que los conozco. Soy muy amiga de Carlos, el chico que toca la batería. Oye, yo voy. Cuenta conmigo. Ahora tengo que ponerme a estudiar, mi madre está enfadada conmigo porque dice que me he pasado la tarde jugando con la videoconsola.

Andrés: 3..

Lucía: No, gracias. Me apetece que vengas, pero no me apetece hacer deberes.

✓ Comprendo

1 HAZ LAS ACTIVIDADES DE COMPRENSIÓN

A. Lee los mensajes que Lucía y Andrés se intercambian en facebook y completa las partes que faltan con las frases propuestas. Luego, escucha y comprueba.

1. Bueno, pero eso no es un problema. Pueden venir ellas también.
2. ¡Genial! ¿Qué grupo? ¿Dónde será? Cuéntamelo todo.
3. Buff, ¡qué pesados son los padres! ¿Te apetece que me acerque a tu casa y te ayude con los deberes? Así estarás más contenta.
4. ¿El sábado? ¡Horror! Es que el sábado he quedado con mis primas.

B. ¿Cuál de las afirmaciones es la correcta?

1. a. Andrés cambia la fecha de su fiesta para que pueda asistir Lucía.
   b. Lucía cambia sus planes para poder asistir a la fiesta.

2. a. El chico que toca la batería en Los Astros es amigo de Lucía.
   b. El grupo que va a tocar en la fiesta se llama Los Planetas.

3. a. La fiesta se celebrará en un local.
   b. Lucía ha quedado con sus primas en el local que hay junto al cine.

4. a. Como no ha hecho sus deberes, la madre de Lucía está enfadada.
   b. Lucía ha pasado mucho tiempo delante de su consola.

C. Completa las frases según la conversación de Andrés y Lucía.

1. Andrés quiere saber si Lucía   va a asistir a su fiesta de cumpleaños.
2. Lucía dice que no puede ir porque   el sábado ha quedado con sus primas.
3. Andrés le propone que   vayan sus primas también a la fiesta.
4. Lucía dice que tiene que   ponerse a estudiar.
5. Andrés le propone   ir a su casa para ayudar a Lucía con los deberes , pero Lucía contesta que no.

Practico y amplío

2 PROGRAMA ACTIVIDADES DE TIEMPO LIBRE

A. Escucha y anota las actividades de estos chicos.
Después, ordénalas según tus gustos.

Pista 19

4. Jugar con la consola

2. Tocar la guitarra

3. Leer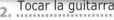

1. Ver la tele

5. Ir a fiestas

6. Ver una película

7. Hacer deporte

B. Dile a tu compañero cuáles son tus favoritas y pregúntale por las suyas. ¿Coincidís en alguna?

3 PROPÓN PLANES

Apetecer				
(yo)	A mí	me		
(tú, vos)	A ti/vos	te		+ infinitivo
(él, ella, usted)	A él/ella/usted	le	apetece	
(nosotros, nosotras)	A nosotros/as	nos		+ que + subjuntivo
(vosotros, vosotras)	A vosotros/as	os		
(ellos, ellas, ustedes)	A ellos/as/ustedes	les		

+ infinitivo	La misma persona
+ que + subjuntivo	Personas diferentes

Gramática

¿Te (a ti) apetece hacer (tú) algo?
¿Te (a ti) apetece que hagamos (nosotros) algo?

Completa estas frases con uno de estos verbos en la forma correcta.

> venir - jugar - escuchar - salir - entrar - ver

¿Te apetece que vayamos al cine?

1. ¿Os apetece que **entremos** en esa tienda?
2. Me apetece mucho que **vengas** tú a mi fiesta.
3. ¿Os apetece que **veamos** juntos esa película en mi casa?
4. ¿Te apetece que **juguemos** a otra cosa? Este juego me está cansando.
5. ¿Le apetece **escuchar** la canción que he escrito?
6. ¿Te apetece que **salgamos** a dar un paseo por el parque el fin de semana?

4 AÑADE INFORMACIÓN SOBRE COSAS O PERSONAS

Gramática

(General)	que	Me gusta el disco que estás escuchando.
(Solo para personas)	preposición + quien	No va a venir esa chica de quien hablas.
(Modo, manera de hacer algo)	como	Ayer te llamé como me dijiste.
(Lugar)	donde	Este es el club donde vamos a celebrar mi cumpleaños.

A. Une las frases formando oraciones con sentido y subraya la opción adecuada.

1. En el cine *donde/que* está al lado de mi casa
2. Hemos quedado con Luis
3. Me encanta la bicicleta
4. He perdido el videojuego
5. Las fiestas *que/quien* se celebran en mi pueblo
6. Ese museo *donde/que* estuviste
7. Esa es la escuela
8. Hay un chico
9. Ese profesor
10. Lo haré
11. Termínalo

a. a *que/quien* le gustaría conocerte.
b. *como/que* te he dicho.
c. *como/quien* tú querías, pero no me parece bien.
d. *donde/que* estudiaron mis padres.
e. en el parque *donde/que* hay detrás del instituto.
f. ponen una película de miedo.
g. por *que/quien* preguntas es muy severo.
h. *que/quien* me regalaron mis padres.
i. *como/que* venía de regalo con la consola.
j. son muy divertidas.
k. tiene mis cuadros preferidos.

1-f; 2-e; 3-h; 4-i; 5-j; 6-k; 7-d; 8-a; 9-g; 10-c; 11-b.

B. Completa las frases con que, quien, como o donde.

1. Esto es solo para **quien** lo necesite de verdad.
2. Este es el lugar **donde** ocurrió todo.
3. Hoy estoy **como** siempre, regular.
4. Hay un libro **que** me gusta mucho en esa tienda, te lo voy a regalar.
5. Hazlo **como** tú sabes y no tendrás problemas.
6. El chico **que** conocí ayer te conoce.
7. El profesor a **quien** tú no conoces es el de Ciencias.

Actúo

5 PRONTO SE ACERCA EL FINAL DEL CURSO. VAMOS A ORGANIZAR UNA FIESTA

A. Decide con tus compañeros qué vais a hacer.

1. Piensa en cinco cosas que a ti te gustaría hacer:

Me apetece que _____
Me apetece que _____
Me apetece que _____
Me apetece que _____
Me apetece que _____

2. Haz una lista común y decidid finalmente qué hacéis.

> María jugaría a algún juego de mesa./A María le gustaría jugar a algún juego de mesa.

B. Elige la música que quieres.

1. Observa estos grupos de música y elige cuál prefieres. Explica tus motivos.

 a.

 b.

 c.

2. Ahora piensa en el local ideal para tu fiesta. ¿Cómo quieres que sea?

> Quiero que el local
> ....

¿Conoces alguno similar? Piensa en un espacio real y explica a tus compañeros cuál es:

> Quiero hacer mi fiesta en el club que está junto al instituto.

Prepara una lista de invitados.

Ha llegado el momento de preparar tu invitación: justifica en ella por qué organizas esta fiesta, qué habrá, dónde y cuándo será y termina animando a tus amigos a asistir.

 CÓDIGO <I>

Tu invitación

• Diseña tu invitación para la fiesta.

Lección 10 · Habla de hábitos de comportamiento

Los hábitos de los jóvenes

Mente sana, cuerpo sano

El estilo de vida se define como el conjunto de los hábitos de comportamiento cotidianos de una persona. La alimentación, las horas de sueño o descanso, la actividad física, el ocio, la higiene, nuestras relaciones familiares y amistades o el consumo de sustancias nocivas para la salud, como el tabaco o el alcohol, caracterizan la forma de vida de cada individuo.

Hábitos alimenticios

Entre los más jóvenes, han adquirido popularidad recientemente las hamburgueserías y establecimientos de comida rápida. Este tipo de alimentación plantea grandes problemas y pone en riesgo la salud de los adolescentes. Frente a este tipo de comidas, es importante que aprendamos las bases de una dieta sana.

Actividad deportiva

El ejercicio físico constituye una actividad beneficiosa para la salud, ofreciendo también una excelente oportunidad para las relaciones sociales. Si practicamos deporte regularmente, nuestro cuerpo nos lo agradecerá. Los adolescentes suelen practicar deporte aunque con el paso del tiempo tienden a abandonarlo. Es bueno seguir con su práctica en la juventud y en la madurez.

El tiempo libre

Los chicos reparten su tiempo de ocio entre los amigos, escuchar música, leer, navegar por Internet o frecuentar las redes sociales, jugar a los videojuegos y ver la televisión. Si sabemos dosificar el tiempo, no tendremos que renunciar a nada, pero si abusamos de la televisión, Internet o los videojuegos, podrán surgir problemas.

Tabaquismo/Alcohol

Para llevar una vida saludable, tenemos que evitar estos hábitos. A menudo caemos en ellos mal aconsejados por «amigos» a los que no queremos decir que no. Tenemos que aprender a decidir por nosotros. Ante una situación de este tipo sé claro: «No, gracias. No me parece bien que fumes o que bebas, no es bueno para la salud. Yo que tú lo dejaría».

Comprendo

1 · LEE EL TEXTO Y HAZ LAS ACTIVIDADES

A. Responde a las preguntas.

1. ¿Qué condiciones se tienen que cumplir para que crezcamos sanos y evitemos problemas en el futuro?
   Tener hábitos saludables.
2. ¿Por qué es importante que conozcamos las bases de una alimentación sana?
   Para no tener problemas de salud.
3. Los chicos de hoy en día, ¿suelen practicar algún deporte?
   Sí, pero suelen abandonarlo con el paso del tiempo.
4. ¿Te parece bien o te parece mal que la gente te aconseje beber o fumar?

B. Relaciona.

g f b c a h d e
1. Higiene **2.** Hábito **3.** Trastorno **4.** Actividad **5.** Dieta **6.** Ocio **7.** Nocivo **8.** Adicción

a. Alimentación **b.** Problema **c.** Ejercicio **d.** Dañino

e. Sumisión **f.** Costumbre **g.** Aseo **h.** Tiempo libre

C. Ahora elige una palabra de la primera fila de la actividad anterior para cada frase.

1. Afortunadamente no tengo ninguna ⎵⎵⎵ adicción ⎵⎵⎵ .
2. Para estar sano es importante seguir una ⎵⎵⎵ dieta ⎵⎵⎵ equilibrada.
3. La ⎵⎵⎵ actividad ⎵⎵⎵ física es muy importante para la salud.
4. La ⎵⎵⎵ higiene ⎵⎵⎵ no solo elimina malos olores, también protege la piel.
5. El tabaco es ⎵⎵⎵ nocivo ⎵⎵⎵ para el cuerpo humano.
6. El alcohol no es un ⎵⎵⎵ hábito ⎵⎵⎵ saludable.
7. Los momentos de ⎵⎵⎵ ocio ⎵⎵⎵ son importantes para los jóvenes.
8. No te preocupes, es solo un ⎵⎵⎵ trastorno ⎵⎵⎵ temporal. Nada grave.

Practico y amplío

2 **APRUEBA Y DESAPRUEBA**

Me parece bien que duermas ocho horas.

No me parece bien que pases tantas horas jugando a la consola.

Me parece genial que hagas deporte.

Me parece fatal que dejes el fútbol.

Pista 20

A. Escucha a Luz y a Toni hablando de sus hábitos de conducta, di qué afirmaciones son verdaderas y corrige las falsas.

	V	F
1. Luz es una persona muy activa. Es vaga.		X
2. Toni también es activo, hace deporte cotidianamente.	X	
3. Toni lleva también una dieta saludable. Come cosas fritas.		X
4. Luz, en cambio, se alimenta muy mal. Come cosas sanas.		X
5. Toni descansa bien, duerme las horas adecuadas.	X	
6. Luz es poco dormilona. No suele descansar.		X
7. Luz utiliza bien su tiempo libre. Duerme demasiado.		X
8. Toni, en cambio, pasa demasiadas horas con el ordenador. Se mueve poco.	X	

B. Ahora dirígete a ellos aprobando o desaprobando sus hábitos:

> Luz, me parece muy bien que...
> Toni, me parece mal que...

C. Con tu compañero escribe un diálogo similar aprobando o desaprobando vuestros hábitos cotidianos. Cuando lo tengáis preparado, representadlo.

3 PON CONDICIONES

A. Relaciona para formar frases con sentido.

1. Si cuidas tu higiene,
2. Si lees mucho,
3. Si fumas,
4. Si descansas bien,
5. Si comes muchas grasas,

a. estarás más atento en clase.
b. mejorarás tu vocabulario.
c. evitarás hongos e infecciones de piel.
d. tendrás problemas de corazón.
e. vivirás menos años.

1-c; 2-b; 3-e; 4-a; 5-d.

B. ¿Cuáles son las condiciones para llevar una vida sana? Escribe cuatro de ellas.

Llevarás una vida sana si...

4 ANUNCIA ACCIONES FUTURAS

Cuando + subjuntivo sirve para expresar el momento futuro en el que haremos algo.

Cuando sepa tu dirección (en ese momento futuro), te escribiré.

Gramática

Completa las frases con una forma adecuada de los verbos entre paréntesis.

1. Si comes alimentos grasientos, cuando (ser) seas mayor, tendrás el colesterol alto.
2. Si te apetece, cuando (ir, nosotros) vayamos al parque, te puedo dejar mi guitarra.
3. Si hacéis poco ejercicio, cuando (jugar) juguéis el partido, no estaréis en forma.
4. Si haces mucho ejercicio, cuando (llegar) llegues a casa, podrás descansar.
5. Si dormís poco, cuando os (levantar) levantéis , estaréis cansados.
6. Si quieres, cuando (comprar) compre el DVD, te lo presto.

5 CONOCE LOS USOS DE **CUANDO**

Gramática

Hablar de actividades habituales	Cuando + presente de indicativo	Cuando llego a casa, pongo la tele.
Hablar de acciones pasadas	Cuando + pretérito perfecto simple	Ayer, cuando llegué a casa, puse la tele.
Hablar de acciones futuras	Cuando + subjuntivo	Hoy, cuando llegue a casa, pondré la tele.

Completa con el verbo en presente, perfecto simple o subjuntivo.

1. Cuando (venir) **vengas**, tráeme el balón que te presté.
2. Cuando (ver, tú) **viste** el anuncio, ¿qué pensaste?
3. Cuando (dormir) **duermo** poco, estoy de mal humor.
4. Cuando se (abrir) **abrió** la puerta, salió todo el mundo.
5. Cuando (querer) **quieras**, voy a tu casa.
6. Cuando (aprender) **aprendas** a comer bien, te sentirás mejor.
7. Cuando no (estudiar) **estudio** mucho, suspendo.
8. Cuando (hacer) **hiciste** los ejercicios, te cansaste mucho.

Actúo

6 ANALIZA TU ESTILO DE VIDA

A. Responde a las preguntas de este test.

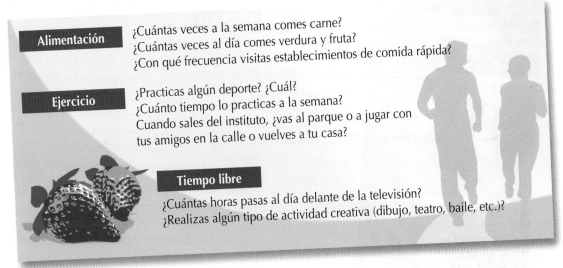

Alimentación
¿Cuántas veces a la semana comes carne?
¿Cuántas veces al día comes verdura y fruta?
¿Con qué frecuencia visitas establecimientos de comida rápida?

Ejercicio
¿Practicas algún deporte? ¿Cuál?
¿Cuánto tiempo lo practicas a la semana?
Cuando sales del instituto, ¿vas al parque o a jugar con tus amigos en la calle o vuelves a tu casa?

Tiempo libre
¿Cuántas horas pasas al día delante de la televisión?
¿Realizas algún tipo de actividad creativa (dibujo, teatro, baile, etc.)?

B. En función de las respuestas que has dado, escribe un texto explicando tus hábitos cotidianos. Valora qué está bien y qué está mal y comenta qué tendrías que cambiar para conseguir una mejor calidad de vida.

CÓDIGO <H>

Hábitos sanos y saludables
- **En grupos, debatid vuestros hábitos y preparad un mural con una pirámide de vida saludable. La pirámide tendrá cuatro escalones. En la base colocaréis las actividades que según vosotros requieren más tiempo y en la cumbre, los hábitos que hay que limitar lo más posible.**

Participa
en la comunidad de
Código ELE

Publica vuestra pirámide en el blog.

Visite la web de Edelsa
Zona estudiante

Tu biblioteca de español

Cultura, fiestas y celebraciones

➡ **Lee este artículo de prensa.**

The New York Times

En español

Especial España

España es uno de los países del mundo con más folclore y fiestas populares de variada temática. El periódico estadounidense *The New York Times* ha reconocido la popularidad de estas fiestas y ha elaborado una lista con las más importantes: En primer lugar, la **Semana Santa**. Se celebra en muchas ciudades de España con procesiones religiosas, en las que desfilan los penitentes con los tradicionales trajes de nazarenos, llevando a hombros pesados pasos con imágenes religiosas. Las más importantes tienen lugar en ciudades como Valladolid y Sevilla.

Como número dos, aparece en la lista los **Sanfermines**, conocidos mundialmente por el escritor Hemingway. Durante los días que van del 7 al 14 de julio, Pamplona recibe a más de un millón y medio de turistas que acuden, con ganas de fiesta y de emociones fuertes. Las calles de la capital navarra se llenan de corredores vestidos con traje blanco y pañuelo rojo dispuestos a correr cada mañana delante de un grupo de toros bravos.

La sorpresa en esta lista se encuentra en este tercer puesto, se trata de la **Tomatina de Buñol** en la Comunidad Valenciana, una batalla a golpe de tomates que se repite cada 30 de agosto. El origen de la fiesta parece estar en una batalla real, con tomates, entre jóvenes del pueblo durante un desfile de gigantes y cabezudos. El año siguiente, los mismos jóvenes decidieron llevarse los tomates de su casa y repetir la batalla. Tras algunos años en los que la policía obstaculizó la batalla, esta se convirtió en tradición y hoy son miles los turistas que llegan de todo el mundo para asistir a tan peculiar combate.

El cuarto puesto recae en las **Fallas de Valencia**. Las Fallas son esculturas burlescas construidas con madera y cartón-piedra que se colocan por las calles y plazas de la ciudad hasta la noche del 19 de marzo, día de San José, cuando son quemadas entre ruidos de petardos.

La **Feria de Abril de Sevilla** ocupa el quinto lugar. Originalmente era un feria de tratantes de caballos que, entre acuerdo y acuerdo, festejaban sus negocios. Hoy, nada queda de los antiguos tratos, pero ha pervivido la fiesta y los caballos, que siguen presentes en el recinto ferial. Y por supuesto el baile; al ritmo de las «sevillanas».

COMPRENDO

1. Responde a estas preguntas.
1. ¿Cómo desfilan los penitentes en las procesiones de Semana Santa?   Con trajes tradicionales.
2. ¿Por qué se llegó a conocer la fiesta de los Sanfermines en todo el mundo?   Por Hemingway.
3. ¿Cómo se comportaba la policía durante los primeros años de la Tomatina?   La prohibió.
4. ¿Qué se hace con las esculturas de las Fallas?   Se queman.
5. ¿Qué elementos siguen presentes en las Ferias de Abril de la actualidad?La fiesta, los caballos y el baile.

2. Observa las palabras marcadas en amarillo y completa con ellas estas frases.
1. El toro bravo… es salvaje, sin domesticar. Se refiere a una raza de toro que vive en libertad.
2. El ……pañuelo……. es una prenda de vestir que se coloca en el cuello.
3. La …………batalla…………. es una guerra pequeña.
4. Un …………petardo…………. es un tubo relleno de pólvora que explota produciendo un ruido muy grande. Se usa en las fiestas de muchos municipios españoles.
5. Un ………penitente………… es una persona que desfila en las procesiones de Semana Santa vestido con una túnica larga.
6. Una …………procesión………… es un grupo de personas que caminan ordenadamente de forma solemne por la calle.

3. De las siguientes afirmaciones solo dos son verdaderas, corrige las falsas.
1. Las fiestas de España son muchas y muy variadas.   V
2. La Semana Santa es una fiesta que se celebra solo en Valladolid y en Sevilla.
                                                        Se celebra en muchas ciudades.
3. En los Sanfermines hay una prueba de atletismo antes de la fiesta de los toros.
                              Hay una gran fiesta que consiste en correr delante de los todos.
4. Como los participantes se llevaban los tomates a su casa, la policía prohibió la fiesta.
                                                        Se tiran unos a otros tomates.
5. Las fallas son esculturas.   V
6. Se siguen vendiendo caballos en la Feria de Abril sevillana.   Ya no se venden caballos.

APRENDO

Busca en el texto los siguientes fragmentos e interpreta su significado.
Variada temática
Ha reconocido la popularidad
Recibe a más de un millón y medio de turistas
Son quemadas entre ruidos de petardos
Nada queda de los antiguos tratos
Al ritmo de las «sevillanas»

ESCRIBO

Seguro que en tu país hay fiestas similares a las españolas. Escribe un correo electrónico a un amigo español imaginario hablándole de las más importantes.

Fútbol, mucho más que una pasión

Iberoamérica vibra con sus deportistas. En pocas regiones del mundo, el deporte tiene tanta importancia como allí. Son muchas las disciplinas deportivas que han aportado grandes campeones a la historia del deporte mundial: tenis, baloncesto, atletismo, *hockey*, béisbol, boxeo, automovilismo, voleibol...

Pero si tenemos que mencionar un deporte que destaca sobre los demás, este es el fútbol. El Campeonato del Mundo de Fútbol se ha celebrado 6 veces en América Latina y países como Uruguay, Argentina y Brasil han sido campeones del torneo en varias ocasiones.

Los futbolistas latinoamericanos han conquistado todos los trofeos posibles y algunos de ellos son considerados los mejores jugadores de todos los tiempos. Veamos unos ejemplos:

Edson Arantes do Nascimento «Pelé»

Futbolista brasileño, ha sido nombrado muchas veces y por distintos organismos, el mejor futbolista de siempre. Para el Comité Olímpico Internacional (COI) es el mejor deportista del siglo xx. Con su selección, de la que es el máximo anotador, ganó tres campeonatos del mundo y con su equipo, el Santos, conquistó todos los títulos posibles. Marcó 760 goles oficiales y es el mayor goleador de todos los tiempos. Se convirtió en un mito deportivo y tras su retiro fue actor y cantante.

Diego Armando Maradona

Como Pelé, también el argentino Maradona es considerado por muchos el mejor futbolista de todos los tiempos. Quienes eligen a Pelé suelen argumentar que Maradona solo ha conseguido un campeonato mundial con su selección, sin embargo, tampoco se puede olvidar que las selecciones brasileñas que vencieron los mundiales eran poco menos que invencibles mientras que el campeonato ganado por Argentina en 1986 se debió fundamentalmente a la participación de Maradona. A nivel de clubs, los mejores resultados los obtuvo con el Nápoles italiano, equipo con el que ganó los dos únicos campeonatos del club. Sus éxitos deportivos contrastan con su adicción a las drogas, lo que dañó tanto su carrera deportiva como su salud.

Lionel Messi

Argentino, como Maradona, es considerado el mejor futbolista del mundo en la actualidad. Todavía jovencísimo (nació en 1987), ha conseguido ya los mayores premios deportivos a título individual, pero todavía tiene que ganar un campeonato mundial para poder discutir a Pelé o a Maradona el título de mejor futbolista de siempre. Por ahora ha ganado tres Ligas de Campeones con el Barcelona, además de otros torneos internacionales y un título olímpico con Argentina, su selección. Todavía puede mejorar un palmarés ya magnífico.

(Adaptado de Wikipedia)

1. Responde a las preguntas.
1. ¿Cuál es el argumento del texto?   El texto habla de algunos grandes deportistas iberoamericanos.
2. ¿Qué hizo Pelé cuando dejó el fútbol?   Fue actor y cantante.
3. ¿Qué diferencias hay entre Pelé y Maradona?   Pelé conquistó con su selección tres campeonatos del mundo, mientras que Maradona solo consiguió uno con Argentina.
4. ¿Por qué Messi todavía no está a la altura de los anteriores? Todavía no ha ganado ningún campeonato del mundo.
5. ¿Conoces a otros deportistas latinoamericanos? ¿Cuáles?

2. Marca si las afirmaciones son verdaderas o falsas.

	V	F
1. Latinoamérica ha ganado seis veces el Campeonato del Mundo de Fútbol.		X
2. El COI considera que Pelé es el mejor futbolista del siglo xx.	X	
3. Pelé es el futbolista que más goles oficiales ha marcado.		X
4. Maradona ganó dos mundiales.		X
5. Maradona tuvo problemas deportivos y de salud por su adicción a las drogas.	X	
6. Con solo 25 años, Lionel Messi ya lo ha ganado todo.		X

3. Busca las palabras que responden a estos significados.
Vencedor de un torneo   campeón
Equipo nacional formado por los mejores jugadores de un país al que representan en un campeonato
                selección
Jugador que marca muchos goles · goleador
Conjunto de éxitos, méritos o victorias palmarés

4. Busca en el texto estos verbos y asócialos con sus sinónimos.

vibrar	tener lugar	vibrar-entusiasmarse
aportar	citar	aportar-contribuir
mencionar	oponerse	mencionar-citar
celebrar	contribuir	celebrar-tener lugar
argumentar	entusiasmarse	argumentar-razonar
contrastar	razonar	contrastar-oponerse

5. Haz una frase con cada una de las palabras de la primera columna manteniendo el mismo sentido que tienen las palabras en el texto.

6. Elige al deportista de tu país que más te gusta y escribe una pequeña ficha sobre él. Incluye alguna fotografía. Junto a tus compañeros, prepara un mural con los deportistas que habéis elegido, agrupándolos por deportes.

Variantes del español

Relaciona estas variantes con su significado.

1. Cancha (Argentina, Chile, México, Venezuela...)
2. Competencia (Argentina, Chile, México, Venezuela...)
3. Arco (Argentina, Chile, México, Venezuela...)
4. Arquero (Argentina), golero (Uruguay), guardameta (México)
5. Basquetbol (Chile, México), basket (Argentina)
6. Voley (Argentina), volibol (México), voleyball (Venezuela)
7. Cuadro (Argentina, Uruguay)
8. Trekking (Argentina, Chile), caminata (México)
9. Andar en bici (Argentina, Chile, México, Venezuela...)

a. Baloncesto
b. Campo, estadio
c. Competición
d. Equipo
e. Montar en bici
f. Portería
g. Portero
h. Senderismo
i. Voleibol, balonvolea

1-b; 2-c; 3-f; 4-g; 5-a; 6-i; 7-d; 8-h; 9-e.

AHORA YA SÉ

Identificar cosas o personas

1. Forma frases con los elementos propuestos como en el ejemplo.

¿Quién es tu primo? (chico, jugar, fútbol)   Es el chico que juega al fútbol.

1. ¿Cuál es tu regalo? (consola, gustar, Pepe)   La consola que le gusta a Pepe.
2. ¿A quién invitas a la fiesta? (compañero, estudiar, Juan)   Al compañero con quien estudia Juan.
3. ¿Cuál de ellas es tu amiga? (chica, llevar, cazadora vaquera)   La chica que lleva la cazadora vaquera.
4. ¿En qué gimnasio estás apuntado? (gimnasio, conocer, Marisa)   En el gimnasio donde conocí a Marisa.
5. ¿Qué estás escuchando? (disco, regalar, cumpleaños)   El disco que me han regalado por mi cumpleaños.
6. ¿Te traigo algo? (libro, estar, mesa)   El libro que está encima de la mesa.

Proponer planes

2. Aquí tienes una serie de planes. Proponle a un amigo que te acompañe, utilizando la estructura

¿te apetece que...?

1. Ir al cine
2. Ver una película
3. Jugar con un videojuego
4. Chatear por Internet con un amigo español
5. Escuchar el nuevo disco de tu grupo favorito

Expresar condición

3. ¿Qué condiciones pondrías a tus amigos para que se cumplan tus afirmaciones?

1. Te regalaré el libro que te gusta
2. Iré a la playa contigo
3. Jugaré con tu equipo
4. Os presentaré a mi primo

Sitúa en un tiempo futuro

4. Completa.

1. Cuando tenga tiempo, (ir, yo) iré a tu casa.
2. Cuando (hablar, vosotros) habléis con Julia, decidle que quiero que venga a mi fiesta.
3. Cuando te (apuntar) apuntes al gimnasio, pregunta por un monitor que se llama Víctor.
4. Cuando vayas a su casa, (entender, tú) entenderás por qué nunca estudia nada.
5. Cuando (jugar, nosotros) juguemos al Trivial, ganaremos porque hemos estudiado.
6. Cuando comas, (elegir) elige bien los alimentos más sanos.

Aprobar y desaprobar

5. Esto es lo que quieren hacer tus compañeros de clase. Aprueba o desaprueba sus decisiones.

1. Voy a pedirme una hamburguesa, unos *nuggets* de pollo, unas patatas fritas y un batido de chocolate.
   Me parece mal que comas tantas grasas.
2. Maruja está enferma, mañana voy a visitarla.   Me parece bien que vayas a visitarla.
3. Yo nunca me ducho después de los partidos.   Me parece mal que no te duches.
4. No tengo ganas de estudiar, al llegar a casa me pasaré la tarde con la consola.   Me parece mal que no estudies.
5. A esas horas no puedo ver la tele, me gusta acostarme pronto para descansar bien.   Me parece bien que te acuestes pronto.

Gramática

¿Indicativo o subjuntivo?

6. Completa las frases con los verbos en la forma adecuada.

1. Me apetece mucho que (salir, nosotros)   salgamos   juntos la próxima semana.
2. Si te (portar, tú)   portas   bien, te regalaré lo que me pides.
3. Cuando (tener)   tengas   tiempo, llama a Susana y pídele perdón.
4. Como la profesora no (llegar)   llega   , estamos pensando en irnos a casa.
5. Está muy bien que (decir)   digas   eso; has cambiado mucho.
6. Los chicos que (salir)   salgan   de clase ahora no harán el examen.
7. Cuando (viajar)   viajo   , siempre compro algún recuerdo.
8. ¿Os apetece que (comer, yo)   coma   con vosotros mañana?
9. Tendrás problemas de salud, si no (llevar)   llevas   una vida saludable.
10. Como ya (ser)   es   un poco tarde, me tengo que acostar.

¿Condicional, futuro, imperfecto o presente?

7. Haz como en el ejercicio anterior.

1. Yo que tú, (ver)   vería   esa peli, es muy buena.
2. Si no vienes a mi fiesta, (dejar, nosotros)   dejaremos   de ser amigos.
3. Señor director, ¿(poder, yo)   podría   hablar con usted?
4. Como no (llegar)   llegaba   nadie, entré al cine yo solo.
5. ¿Te (apetecer)   apetece   que vayamos al centro comercial?
6 No puedo ir, es que no (tener)   tengo   dinero.
7. Cuando me pidas perdón, te (hablar, yo)   hablaré   de nuevo.
8. Si les (decir)   dices   algo a los otros, no te contaré más secretos.
9. Como (ser)   era   tarde, me volví a casa.
10. Yo que él (tener)   tendría   mucho cuidado. Comer tanta grasa no es bueno.

Léxico

Costumbres

8. Utiliza estas palabras para completar las frases.

| higiene
ocio
quedar
hábito
pasatiempo
dieta |

1. El tiempo de   ocio   es el que dedicamos a hacer las cosas que nos gustan.
2. Mi   pasatiempo   preferido es escuchar música.
3. Para estar en forma es suficiente hacer ejercicio y seguir una   dieta   saludable.
4. Suelo   quedar   con mis amigos en el centro comercial.
5. Fumar es un   hábito   dañino.
6. La   higiene   es tan importante como la alimentación o el ejercicio para crecer sanos.

Preparo
mi examen

LEO Completa este texto con las palabras que faltan.

Educar a los adolescentes ___en___ la importancia de llevar un estilo ___de___ vida activo y saludable durante el crecimiento debería formar ___parte___ del programa educativo general.

Para ello, hemos desarrollado un modelo educativo reflejado en una pirámide ___que___ tiene cuatro caras y una base. Cada cara está orientada ___a___ la consecución de un determinado objetivo relacionado ___con___ la salud: los hábitos alimentarios diarios (cara 1) y la pirámide alimentaria (cara 3), la actividad física diaria (cara 2) y la higiene y la salud (cara 4). En la base de la pirámide, los consejos nutricionales se combinan ___con___ consejos sobre la actividad física y deportiva.

Además, se incluyen indicaciones ___para___ la adquisición de hábitos relacionados ___con___ la higiene y la salud, la organización ___de___ un programa diario y la progresión ___que___ debería conseguirse ___mediante___ la práctica deportiva.

ESCUCHO Escucha cómo organiza su fiesta esta chica y marca las opciones adecuadas.

Pista 21

Música:	☐ Música en directo	☒ Música grabada por un DJ
Lugar:	☐ En un club	☒ En su casa
Adultos:	☐ Con sus padres	☒ Sin sus padres
Hora final:	☒ Hasta las 11	☐ Hasta las 9
Para comer:	☐ Bocadillos y *pizza*	☒ Patatas fritas
Para beber:	☒ Refrescos y un cóctel de frutas	☐ Zumos naturales de frutas

ESCRIBO Responde a las preguntas.

1. ¿Cómo son tus hábitos cotidianos? ¿Cuántas horas duermes al día?
2. ¿Bebes mucha agua? ¿Cuánta?
3. ¿Con qué frecuencia haces deporte?
4. ¿Qué comida tiene más importancia para ti, el desayuno, la comida de mediodía o la cena?
5. Describe brevemente tu alimentación.

HABLO Cuéntale a tu compañero la última fiesta que organizaste.

arte
y aparte

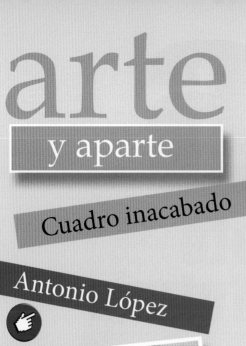

Cuadro inacabado

Antonio López

Observa

Describe el cuadro. Para ello, responde a estas preguntas:

¿Qué se ve en el cuadro?

¿Qué es lo que más se destaca?

¿Qué hace el pintor?

¿Dónde está? ¿Por qué lo sabes?

¿Cómo definirías la escena: espectacular, cotidiana, conmovedora, costumbrista? ¿Por qué?

Comenta

Analiza estos aspectos.

¿Desde dónde se enfoca la escena? ¿Desde dónde, supuestamente, observamos la escena?

¿Cuál es la actitud del pintor ante nuestra presencia?

¿Qué está pintando el pintor?

¿Qué colores rompen la gama de colores generales?

Da tu interpretación

¿Cómo definirías el estilo: realista, figurativista, fotográfico?

Al estilo de Antonio López se le denomina *hiperrealista*, ¿qué crees que quiere decir el término?

¿Te gusta? ¿Por qué?

UNIDAD 6

Prepárate para el futuro

En esta unidad aprendes a...

- Hablar de la informática.
- Expresar intención e indicar probabilidad.
- Formular consecuencias.
- Situar temporalmente acontecimientos antes, después y durante otras acciones.
- Referirse a personas, animales u objetos ya mencionados o implícitos.
- Redactar un texto sobre el futuro.
- Contar la biografía de un científico.

Observa las imágenes y crea una definición para cada palabra. ¿Conoces más palabras del mundo de la informática? Crea su definición.

Para ayudarte:
Es un aparato que sirve/se usa para...

EL ORDENADOR O COMPUTADORA

LA IMPRESORA

LA PANTALLA

EL TELÉFONO INTELIGENTE

LOS DISCOS

LA TABLETA

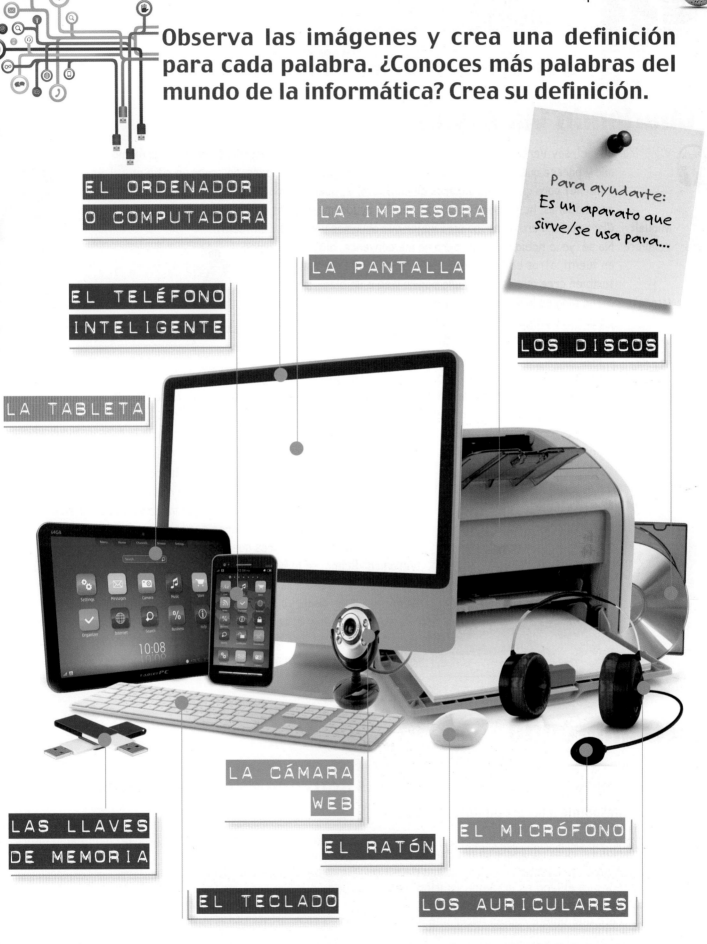

LA CÁMARA WEB

LAS LLAVES DE MEMORIA

EL MICRÓFONO

EL RATÓN

EL TECLADO

LOS AURICULARES

Habla del mundo virtual

Charlando vía skype

Verónica: Miguel, soy Verónica. Mira, he estado hablando con algunos compañeros sobre el próximo año y parece que muchos se cambian de instituto, así que he pensado crear un sitio en Internet para que todos sigamos en contacto. Y, bueno, como a ti se te dan muy bien los ordenadores, he pensado que quizá puedas ayudarme. Podrás hacerlo, ¿verdad?

Miguel: Claro que sí. Pero, oye, ¿no será mejor que abramos una página en tuenti?

Verónica: No sé, ya lo había pensado, pero no me convence, algunos estamos en tuenti, otros en facebook... Se lo he dicho a Lourdes y ella también cree que es mejor una página web o un blog.

Miguel: Sí, un blog es lo mejor. Cada uno puede subir sus fotos o escribir y subir sus entradas cuando quiera.

Verónica: Tú podrás venir mañana, ¿verdad?

Miguel: ¿Después de las clases? No lo sé... Pero quizá podamos hacerlo en el recreo. Pedimos permiso para usar el aula de informática y lo hacemos allí. Montar el blog es muy rápido, depende de cuánto tardemos en elegir el estilo y las fotos del blog.

Verónica: Por mí, estupendo. Para los estilos, ya lo hablamos cuando veamos las plantillas. Para la foto de la cabecera, tengo una que está muy bien de todo el grupo en la excursión del año pasado; o a lo mejor podemos poner una foto de la escuela, que es muy bonita.

Miguel: Pues será muy bonita, pero creo que no tendrá mucho sentido el año próximo, o sea que mejor la foto de la excursión. Tráela el jueves a clase. Supongo que prepararás también un texto, ¿no? ¿O prefieres que lo hagamos juntos?

Verónica: Bueno, se lo he pedido a Julio, que escribe muy bien, y para el jueves seguramente ya estará.

Miguel: Vale. Como yo ahora estoy haciendo aplicaciones para la tableta y el teléfono inteligente, quizá consiga hacer una para el grupo, con el blog y otras cosas, como un chat o un mapa para localizarnos, no sé, voy a pensarlo y a ver qué sale.

Verónica: ¡Genial!

✓ Comprendo

1 **ESCUCHA, LEE EL TEXTO Y HAZ LAS ACTIVIDADES DE COMPRENSIÓN**

A. Responde a las preguntas.

1. ¿Qué piensa hacer Verónica para mantener el contacto con sus compañeros? Crear un blog del instituto.
2. ¿Qué tal se le da a Miguel la informática? Se le da muy bien.
3. ¿A quién le cuenta Verónica su idea del sitio? Se lo ha dicho a Lourdes.
4. ¿Por qué el blog es la mejor solución? Porque todos pueden subir sus fotos y escribir cuando quieran.
5. ¿Por qué le ha pedido a Julio que escriba el texto para el blog? Porque escribe muy bien.
6. ¿Para qué quiere Miguel hacer una aplicación? Para compartirla con el grupo.

B. Localiza en el texto las palabras para estas definiciones.

1. Nombre de dos redes sociales: tuenti y facebook
2. Sinónimo de *página web*: sitio
3. Contenido escrito de un blog: entrada
4. Espacio superior de una página web, donde se suele situar el título de la página: cabecera
5. Tres aparatos con los que te puedes conectar a Internet: tableta , teléfono inteligente y ordenador

C. Relaciona.

1. Muchos se cambian de instituto el año que viene,
2. A Miguel se le dan bien los ordenadores,
3. Como cada estudiante utiliza distintas redes sociales,
4. Van a pedir permiso
5. Miguel está desarrollando unas aplicaciones,

a. así que va a pensar en unas para el blog.
b. así que Verónica ha pensado que le puede ayudar.
c. así que Verónica piensa crear un sitio para que todos sigan en contacto.
d. deciden crear un blog.
e. para crear el sitio en el aula de informática.

1-c; 2-b; 3-d; 4-e; 5-a.

Practico y amplío

2 CONOCE EL LÉXICO DE LA INFORMÁTICA

Pista 23

A. Lee el texto y complétalo con las siguientes palabras. Luego, escucha y comprueba.

actualizan
conectarse
correos
entran
muro
social
suben

Diez de la noche: hora de conectarse . Primero, miran el tuenti (la red social favorita entre los adolescentes), leen los mensajes recibidos por los amigos en el tablón público y luego responden a los correos contando cómo ha ido la tarde. Según un reciente estudio, cuando entran en su red social favorita, los adolescentes principalmente suben fotos de sus amigos, las comparten y las comentan. En segundo lugar, escriben privados o en el muro . Por último, actualizan el perfil o se informan.
Posteriormente, y antes de acostarse, por el messenger se despiden y se cuentan detalles que han pasado por alto en la red social .

B. Completa las frases con algunas de las palabras anteriores.

1. Tengo el muro de mi facebook lleno de mensajes.
2. Esta tarde Felipe me ha mandado un correo , pero todavía no le he contestado.
3. Tuenti es una red social .
4. Los contenidos del sitio se actualizan todas las semanas.
5. Mañana subo las fotos a mi página, no te preocupes.

3 EXPRESA INTENCIÓN

A. Explica qué piensan hacer los personajes de los dibujos.

Pienso comprarme una tableta.

B. Ahora responde: ¿Qué piensas hacer al terminar las clases?

Quizá cree un blog.

A lo mejor yo también lo creo y seguramente el mío será más bonito.

4 INDICA PROBABILIDAD

Gramática

Expresar probabilidad
Quizá **+ subjuntivo**
A lo mejor **+ presente de indicativo**
Seguramente **+ futuro**

A. Completa con una expresión de probabilidad considerando los verbos.

- A lo mejor subo el vídeo de la fiesta a YouTube.
- Seguramente será divertido. Nos lo pasamos muy bien.
- Quizá tenga que preguntarle antes a Pepe, estas cosas no le gustan.
- Seguramente te dirá que sí. Él tiene muchos vídeos en Youtube.
- Quizá vaya luego a su casa y le pregunte.
- A lo mejor te acompaño. Hace tiempo que no lo veo.

B. Completa con los verbos considerando las formas de posibilidad.

- Quizá me (comprar) compre un portátil nuevo. El mío ya no funciona bien.
- En la tienda que hay en mi calle, seguramente (estar, ellos) estarán rebajados.
- A lo mejor me (acercar) acerco ahora y lo miro.
- Vale, pero piénsalo. Quizá (ser) sea mejor una tableta.
- A lo mejor (costar) cuesta menos, pero seguramente no (hacer) hará las mismas cosas.

5 DESCUBRE EL USO DEL FUTURO PARA INDICAR PROBABILIDAD

Gramática

Con el tiempo de futuro, además de hablar de acciones que todavía no han ocurrido, podemos hacer suposiciones.

¡Será carísimo! ¿Tendrá GPS?

Responde a las preguntas. Usa las expresiones de la lista.

| estar cansado - ser de un equipo - tener hambre - ir al instituto - ser vegetariana |

1. ¿Por qué va María tanto a la cocina? Tendrá hambre.
2. ¡Qué raro, es muy pronto y Luis se ha acostado ya! ¿Qué le pasará? Estará cansado.
3. ¿Por qué está José en la parada del autobús? Irá al instituto.
4. ¡Qué raro, Ana solo compra verdura! ¿Por qué? Será vegetariana.
5. ¿Por qué quiere Julián ir a la final del campeonato? Será de un equipo.

Actúo

6 CREA UN BLOG DE LA CLASE

A. Lee y completa.

| chat |
| conectan |
| digital |
| mensajes |
| móvil |
| tecnológica |
| virtual |

¿Despertador? Ni hablar. Los saca de la cama la alarma del **móvil**, el iPod o el ordenador. Viajan en autobús o caminan por la calle ajenos a los «sonidos» de la ciudad, enchufados a su reproductor de música **digital**, frenando el paso cada tanto para enviar o controlar **mensajes** de texto con su teléfono móvil. Usan el **chat** y el messenger para «charlar» con sus amigos, publican historias y fotos en Internet con la naturalidad de quien escribe un mensaje en papel y se adaptan a cualquier novedad **tecnológica** con facilidad intuitiva. Son la generación digital, adolescentes hiperconectados que viven lo **virtual** y lo digital como un estilo de vida y un modo de relación social y personal.

El lugar de encuentro ya no es la plaza, la esquina ni el club: es Internet. Los chicos se **conectan** porque allí están sus amigos. La gente se refugia en el ciberespacio porque es una manera de no estar solos y de estar comunicados.

B. **¿Te reconoces en el texto? Vais a preparar una encuesta sobre vuestra relación con la tecnología. Responde a estas preguntas.**

1. ¿Qué dispositivos electrónicos usas normalmente?
2. ¿Qué tal se te dan los ordenadores? ¿Y la tecnología en general?
3. ¿Cuántas horas diarias navegas por Internet? ¿Estás en alguna red social? ¿En cuál?
4. ¿Qué actividades sueles hacer cuando estás delante del ordenador? Enuméralas de más tiempo a menos tiempo.
5. ¿Tienes un blog o una página personal en Internet o piensas crear una?
6. Si has contestado que sí, ¿qué contenidos publicas en él? Si has contestado que no, pero piensas crear una, ¿qué contenidos crees que publicarás?

C. **Compara tus respuestas con las de tus compañeros y haced una estadística.**

 # CÓDIGO <T>

Las tecnologías
• Escribe un texto explicando cómo vives las tecnologías y el ciberespacio.

Participa en la comunidad de
Código ELE
B L O G

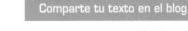 Comparte tu texto en el blog.

Visite la web de Edelsa
Zona estudiante

La conferencia del científico Leocadio Fuertes

Pista 24

Las ciencias son importantes porque nos dan __respuestas__ para afrontar los problemas del mundo. Cuando vosotros __tengáis__ 30 o 40 años, cuando seáis científicos, profesores, abogados o simples ciudadanos, tendréis que afrontar nuevos __retos__, nuevos problemas que todavía no conocemos. Cuando __lleguemos__ a Marte, confirmaremos que no hay marcianos __esperándonos__ pero, después de que exploremos el planeta rojo, emprenderemos otros viajes por el firmamento y, mientras viajemos, aparecerán organismos vivos, que nos abrirán nuevas perspectivas. En ese futuro, no tan lejano, __desaparecerán__ algunas enfermedades que hoy se cobran miles de vidas. Gracias a los avances de la medicina, viviremos más, esto es seguro, pero quizá vivamos peor.

Los retos son infinitos, pero __antes__ de que ese momento llegue, las personas que nos dedicamos a la ciencia nos tenemos que enfrentar a los problemas del presente: el cambio climático, por ejemplo. Todos sabéis que la __temperatura__ mundial está aumentando muy rápidamente por culpa del hombre. De nosotros mismos. Al __cortar__ árboles, al contaminar, al generar basura, estamos contribuyendo al cambio de temperatura. Los expertos __dicen__ que el efecto invernadero, producido por la acción del sol y los gases de las fuentes de __energía__ tradicionales, provocará un aumento del nivel del mar y la desaparición de muchas ciudades. Pero la energía es fundamental y como no podemos prescindir de ella, necesitamos __producir__ otro tipo de energía, energía limpia, no contaminante. Energía __renovable__. Hasta que no seamos capaces de reducir la contaminación, no descansaremos. Este es el gran reto que los científicos tenemos ahora por delante. Se lo debemos a todas las personas que han creído en la ciencia. Os lo debemos a todos vosotros.

Comprendo

1 LEE Y COMPLÉTALA CON ESTAS PALABRAS. LUEGO, ESCUCHA Y COMPRUEBA

> antes – cortar – desaparecerán – dicen – energía – esperándonos – lleguemos
> producir – renovable – respuestas – retos – temperatura – tengáis

2 HAZ LAS ACTIVIDADES DE COMPRENSIÓN

A. ¿Verdadero o falso?

	V	F
1. Las ciencias se proponen que el mundo vaya mejor.		X
2. Dentro de unos años seguirá habiendo problemas en el mundo.	X	
3. Dentro de unos años tendremos que enfrentarnos a nuevas formas de vida.	X	
4. Las nuevas formas de vida cambiarán nuestro modo de ver el mundo.	X	
5. Los científicos tienen que pensar en los nuevos problemas para anticiparlos.		X
6. El hombre contribuye al cambio climático del planeta.		X
7. Cortar árboles contribuye a crear el efecto invernadero.	X	
8. La producción de energía es el mayor reto de los científicos.		X

B. Localiza estas palabras en el texto y úsalas para completar las frases.

| afrontar |
| perspectivas |
| cobran |
| avances |
| basura |
| contaminante |

1. Los   avances   de la informática han sido evidentes en estos últimos años.
2. Si queremos ser ciudadanos responsables, tenemos que reciclar la   basura   .
3. En muchos momentos, tenemos que   afrontar   situaciones complicadas.
4. Hay un coche poco contaminante, funciona con energía eléctrica en la ciudad.
5. Las perspectivas de futuro del planeta Tierra son interesantes.
6. Los terremotos se   cobran   muchas vidas cada año.

Practico y amplío

3 CONOCE LOS USOS DE **ANTES DE, DESPUÉS DE, MIENTRAS Y HASTA**

Quiza + subjuntivo

Expresar la anterioridad	Antes de que + subjuntivo	Antes de que consigamos llegar a Júpiter, llegaremos a Marte.
Expresar la posterioridad	Después de que + subjuntivo	Después de que nos explicaran el reciclado, iniciamos la recogida selectiva de basura.
Expresar la simultaneidad	Mientras + indicativo (habitual o pasado)	Mientras descubrimos remedios para las enfermedades, surgen enfermedades nuevas.
Expresar el momento final de una acción	Mientras + subjuntivo (futuro) Hasta que + indicativo (habitual o pasado) Hasta que + subjuntivo (futuro)	Mientras la medicina progrese, se vivirá más años. Te estuve esperando hasta que llegó mi hermana. Hasta que sepamos si hay vida en el universo, seguiremos buscando.

A. Observa los dibujos y asócialos a las frases.

Gramática

1. Llamo a María y hablo con ella antes de que llegue a casa.
2. Llamo a María y hablo con ella mientras va a casa.
3. Llamo a María y hablo con ella después de que llegue.
4. Llamo a María y hablo con ella hasta que llegue a casa.

B. Elige entre antes de, después de, hasta y mientras.

1. Veré a Marta   antes de   que veamos la película, así que me contará el final.
2. Saldré con él   hasta   que yo quiera.
3. Decidimos que queríamos ser científicos   mientras   escuchábamos la conferencia.
4. Los médicos buscarán una cura a esa enfermedad   hasta   que puedan acabar con ella.
5.   Antes de   que empecemos a trabajar, tendremos que prepararnos y formarnos.
6.   Mientras   subíamos con el globo, disfrutábamos del paisaje.
7. Después de   que te vistas, te llevaré a visitar la ciudad.
8.   Antes de   que te lo compres, prueba el mío. A lo mejor cambias de opinión.

C. Completa con el verbo en indicativo o en subjuntivo.

1. No lo arreglé hasta que (tener, yo) **tuve** dinero suficiente.
2. Antes de que (venir, tú) **vengas** a mi casa, pásate por la papelería y cómprame un lápiz.
3. Hasta que (saber, vosotros) **sepáis** la dirección, no podremos ir.
4. Mientras (venir, nosotros) **veníais** al instituto, anunciaban por la tele que hoy no había clases.
5. Después de que lo (hacer, él) **haga**, intenta hacerlo tú.

4 RECUERDA Y REPASA LOS USOS DE LOS PRONOMBRES COMPLEMENTO

A. Sustituye las palabras subrayadas por la, se lo, se la, se los o se las.

1. He dicho <u>a Miguel las tres actividades de clase</u>. Se las he dicho.
2. He dado <u>a María los libros que estaban encima de la mesa</u>. Se los he dado.
3. Hemos regalado <u>un disco a Jesús y a Paco</u>. Se lo hemos regalado.
4. Hemos contado <u>la película a nuestros amigos</u>. Se la hemos contado.
5. Me han traído <u>la revista nueva</u>. Me la han traído.
6. Ha regalado <u>los libros de Lorca a sus padres</u>. Se los han regalado.

B. Completa.

1. Esos discos que tiene Ana son míos, **se los** he prestado yo.
2. Leonardo ya sabe la noticia, **se la** contó su hermano mayor.
3. Tus amigos van a venir a mi cumpleaños. **Los** he invitado esta mañana.
4. Marisa tiene un teléfono y una tableta nuevos. **Se los** han regalado sus padres.
5. **Les** he dicho que no voy a ir, pero ellos insisten para que vaya.
6. Pepa asegura que la bicicleta roja es suya. ¿**Se la** has regalado tú?

5 FÍJATE EN LA COLOCACIÓN DE LOS PRONOMBRES

Gramática

Normalmente antes del verbo	**Les** he dicho la verdad. No se las enseñes tú, ya lo haré yo.
Con el imperativo afirmativo van detrás y unidos al verbo	**Di**le tu nombre. **Cómpra**selo.
Con los verbos en infinitivo o gerundio — Van detrás y unidos al verbo	Se cayó al levantarlo. Prohibiéndoles salir no vas a solucionar nada.
— Excepto si forman parte de una construcción verbal	Tengo que decírselo = Se lo tengo que decir. Sigo hablándole, pero ya no es mi amigo = Le sigo hablando, pero ya no es mi amigo.

Responde a las preguntas.

1. • ¿Le doy permiso a mi hermano para usar mi ordenador?
   • **No, no se lo des**, te lo puede estropear.
2. • ¿Les leo el libro a mis sobrinos?
   • Claro, **léeselo**, les gustará mucho.
3. • ¿Quieres que siga comprando la revista de música?
   • Sí, **cómprala** hasta que yo te diga.
4. • ¿Dónde tengo que recoger a tus amigos?
   • **Recógelos** en la plaza Mayor.
5. • ¿Tengo que sacar esos libros de la biblioteca?
   • **No, no los saques**, te los puedo prestar yo.

Actúo

6 **TU CIENTÍFICO O INVENTOR**

A. **¿Recuerdas a Pedro Duque? Es un astronauta español que conociste hace tiempo. No ha estado en Marte, pero sí en el espacio. Ordena los párrafos para completar su biografía y rellena con las palabras propuestas.**

astronauta - atmósfera - curioso - ensayos - espacio - gravedad - misión

2 Al entrar en la universidad, empezó a pensar que podía cumplir su gran sueño: ser astronauta, por eso eligió la escuela de Ingeniería Aeronáutica. Y, mientras estudiaba, seguía mirando el firmamento y pensando que un día él estaría allá arriba.

6 Antes de que se jubile, sueña con viajar a Marte y dice que el hombre podrá vivir de forma estable en el espacio. Solo es cuestión de tiempo. Su ilusión es inagotable. Y anima siempre a los niños a que sigan su camino. Primero, a que estudien mucho y, después de que lo hagan, a recoger los frutos de sus esfuerzos en forma de sueños cumplidos.

3 Hasta que terminó sus estudios, su carrera espacial era difícil, pero Pedro Duque otorgó un papel decisivo a la suerte, su gran aliada. Y la suerte lo llevó hasta Alemania donde se presentó a un con- curso para convertirse en piloto espacial mientras trabajaba en la Agencia Espacial Europea (ESA).

5 La misión del *Discovery* duró nueve días en los que la tripulación realizó más de 80 ensayos científicos y experimentos, que contribuyeron a conocer la estructura de los genes hu- manos, los efectos de la gravedad en el cuerpo y la mente y a desarrollar nuevos medicamentos. A su vuelta, el astronauta español declaró que había visto la Tierra «pequeña, redonda y con una atmósfera extremadamente delgada».

1 Pedro Duque nació el 14 de marzo de 1963 en el barrio obrero de San Blas en Madrid y es hijo de un controlador aéreo. De pequeño, fue un chico inteligente y aplicado, pero extraordinariamente curioso y muy terco. Cuando era pequeño, le gustaba mucho jugar al ajedrez y coleccionar fósiles.

4 Tras un duro entrenamiento, Pedro Duque cumplió por fin su sueño y viajó fuera de la órbita terrestre. Se convirtió entonces en el primer astronauta de la historia nacido en España. En su nave espacial, Pedro Duque no sintió temores en el espacio. Según él, en una profesión peligrosa la mejor fórmula para evitar que el subconsciente te traicione es no tener miedo.

B. **Piensa en tu científico más importante, busca información y redacta su biografía.**

CÓDIGO <C>

Tu científico
• Presenta a la clase tu científico.

Tu biblioteca de español

Belén Gopegui

Lee este fragmento de su novela
Deseo de ser punk.

No tenía el ánimo como para concentrarme en ningún libro, así que me fui a los ordenadores. Aunque todavía no eran las cuatro de la tarde, estaban los seis ocupados. Por lo menos, esperando no había nadie; el primero debía quedar libre en cinco minutos, me dijeron. Me quedé de pie y de repente apareció Alex, el hermano de Vera. Impresiona bastante, ¿sabes? Es que tiene exactamente la misma cara que su padre, aunque con treinta años menos o por ahí.

También tiene su voz más aguda. Le reconocí por ella, yo miraba hacia otro lado, pero le oí preguntar:
—¿Cuánto falta para que quede uno libre?
—Quince minutos —le contestaron. Entonces me di la vuelta.
—Hola, Alex. ¿Tienes mucha prisa? Puedo cederte mi turno.
—¡Hola, Martina! Sí, quería mandar un correo. Tardo un minuto.
—Vale.

Luego esperamos callados. Los dos nos llevamos bien, no estábamos incómodos. Cuando se levantó la chica del ordenador, le dije a Alex:
—Todo tuyo.
Yo me quedé en el mismo sitio, y le vi abrir el correo desde lejos y escribir algo. Luego me llamó con la mano. Me acerqué.
—Ya está. Ponte tú. Yo ya espero mi turno.

Me senté al ordenador. Alex se quedó de pie a mi lado. Normalmente me habría molestado muchísimo, pero en ese momento no me molestaba.

Busqué el segundo vídeo de Johnny Cash. Le conté a Alex que había ido varias veces a cantar a las prisiones y que hicieron un documental sobre eso, y hay partes colgadas en YouTube. Le digo en voz baja que en el trozo que vamos a ver canta una canción de amor y de lealtad, pero que lo que me gusta no es tanto la canción, que no está mal, como la manera en que Johnny Cash se sube al escenario.

Es una de las mejores escritoras jóvenes españolas de la actualidad. Ha recibido varios premios, tanto españoles como hispanoamericanos, por sus novelas. En 2009 escribió *Deseo de ser punk*, una novela que retrata, con la música *rock* como telón de fondo, el inconformismo de la adolescencia a partir de la voz de Martina, una chica de 16 años.
Deseo de ser punk es una confesión, el desahogo de una joven, que intenta buscar su lugar en el mundo.

COMPRENDO

1. Marca la opción adecuada.

¿Dónde están?
☐ En casa de Martina.
☒ En una biblioteca.
☐ En una tienda de ordenadores.

¿Qué siente Martina por Alex?
☒ Le gusta Alex.
☐ Le molesta Alex.
☐ Ni le gusta ni le molesta, le es indiferente.

¿Cómo se siente Martina con Alex?
☐ Mal, se pone nerviosa.
☐ Se siente impresionada, incómoda.
☒ Se siente bien, cómoda.

2. Responde a las preguntas.

¿Por qué tiene que esperar Martina para usar un ordenador?   Porque están los seis ocupados.
¿Cómo es físicamente Alex?   Es igual a su padre, pero más joven.
¿Por qué le gusta a Martina la canción de Johnny Cash?   Por el modo con el que Johnny Cash se sube al escenario.

3. Responde, ¿verdadero o falso?

	V	F
Martina quiere leer un libro, pero no puede porque tiene que escribir un correo.	☐	☒
Martina se da cuenta de la presencia de Alex porque lo escucha.	☒	☐
Alex le recuerda a Martina al padre de él.	☒	☐
Alex no tiene prisa para usar el ordenador.	☐	☒
A Martina le molesta que Alex se quede a su lado mientras usa el ordenador.	☐	☒
Martina busca un vídeo en YouTube.	☒	☐

APRENDO

Completa las frases.

Martina está en una biblioteca, pero no tiene ganas de leer, así que .....se va a los ordenadores... .
Martina podrá usar un ordenador cuando ......pasen cinco minutos....... .
Martina reconoció a Alex porque su voz .es parecida a la de su padre. .
Martina cede su turno a Alex porque su amigo ....tiene prisa............... .

ESCRIBO

Describe tu estilo de música. Para ello responde a estas preguntas.

¿Tú tienes una música tuya? Habla de tu música y de cómo ha cambiado tu modo de escucharla.
¿Tienes CD o la almacenas en tu ordenador?
¿La llevas siempre contigo? ¿Dónde?
¿Usas YouTube u otros servicios similares para acceder a ella?
¿Te gusta escucharla con auriculares o prefieres que todo el mundo se entere?

La ciencia antes de la llegada de los españoles
Tres civilizaciones muy avanzadas

Cuando los españoles llegaron a América, se quedaron maravillados con las grandes ciudades que encontraron. Eran el fruto de las civilizaciones que se habían desarrollado o se estaban desarrollando en el continente, entre las que destacan, por el elevado nivel alcanzado, las culturas inca (Perú y otros países andinos), maya (México y otros países centroamericanos) y azteca (México).

El alto grado de desarrollo de estas civilizaciones alcanzó también el ámbito científico. Los incas desarrollaron la astronomía, la arquitectura y las técnicas agrícolas. Pero sobre todo sobresalieron en medicina (llegaron a realizar intervenciones quirúrgicas) y en matemáticas. Los mayas, por su parte, destacaron también por su arquitectura, por la astronomía (a ellos se debe el calendario de 365 días) y las matemáticas (utilizaron el cero ya en el 40 a.C.). Pero sobre todo, los mayas desarrollaron el sistema de escritura más completo de todos los pueblos indígenas americanos. Con este sistema, escribieron textos de medicina, botánica, matemáticas, historia, astronomía... Los aztecas, por su parte, recogieron y desarrollaron la herencia de los mayas y brillaron con luz propia en medicina (los sacrificios humanos favorecieron un buen conocimiento de anatomía; sabían curar fracturas o mordeduras de serpiente y se ocupaban también del cuidado de los dientes) y en astronomía. Veamos algunos de sus avances científicos:

Cuchillo ceremonial inca

Códice maya

Reproducción del calendario azteca

• La astronomía azteca no se puede entender sin mencionar su relación con la arquitectura. Este pueblo construyó grandes edificaciones, especialmente pirámides, en honor al sol, la luna y otros astros. Muchos de estos espacios eran también observatorios desde donde seguir el movimiento celeste.

• Usando como guía el horizonte, construían los planos para sus ciudades y edificios más importantes. Las líneas equinocciales les servían de orientación. El Templo Mayor, por ejemplo, está alineado de tal forma que durante el equinoccio de primavera el sol pasa entre dos de sus construcciones.

• La observación de los cielos permitió que los aztecas descubrieran la duración del año solar, el mes lunar y las revoluciones de Venus. Desarrollaron calendarios y predijeron eclipses lunares y solares, así como el paso de cometas y estrellas fugaces.

• El más famoso es la Piedra del Sol, una gran piedra redonda de más de 20 toneladas de peso. Este calendario se construyó entre 1427 y 1479 y en su centro se encuentra una imagen del dios Sol rodeado por seres vivos y elementos naturales que representan las estaciones y los días del mes azteca.

1. Responde a las preguntas.

1. Cuando llegaron a América los españoles, ¿esperaban civilizaciones tan avanzadas como las que encontraron?   No. Se quedaron maravillados con el grado de desarrollo que encontraron.
2. ¿Qué ámbito científico es el que destaca en general en las civilizaciones consideradas? ¿Y en qué sobresalía cada una de esas civilizaciones?   Ver soluciones en la Guía didáctica.
3. ¿Por qué sabían tanta anatomía los aztecas?   Por los sacrificios humanos.
4. ¿Para qué servían las pirámides aztecas?   Servían como observatorios.
5. Explica cómo es el calendario Piedra del Sol.

2. Completa las frases.

1. Algunas civilizaciones precolombinas alcanzaron   un alto grado de desarrollo.
2. El sistema de escritura maya era   el más completo de todos los sistemas de escritura de los   pueblos indígenas.
3. Gracias a la herencia de los mayas, los aztecas   brillaron en medicina y en astronomía.
4. Para construir sus edificios los aztecas se orientaban   usando las líneas equinocciales.
5. Gracias a su alto nivel en astronomía, los aztecas   descubrieron la duración del año solar,   desarrollaron calendarios y predijeron eclipses.

3. Estas son algunas de las ramas de la ciencia en las que brillaron las distintas civilizaciones precolombinas. Intenta definirlas

Medicina: *Es la ciencia que estudia...*
Botánica:
Astronomía:
Arquitectura:
Matemáticas:
Historia:

4. Dividid la clase en tres grupos. Cada uno se ocupará de una de las tres civilizaciones del texto. Tenéis que buscar datos sobre ellas para escribir un pequeño artículo en el que explicarles a vuestros compañeros dónde vivían, cuándo se desarrolló la civilización, cómo era su vida cotidiana, etc. Completadlo con fotos de sus principales edificios.

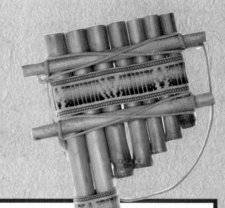

Variantes del español

Relaciona estas variantes con su significado.

1. Computación (Argentina, Chile, México)
2. Computadora (Argentina, México, Venezuela), computador (Chile)
3. Video (Argentina, México, Chile, Venezuela)
4. Noticiero (Argentina, México, Chile, Venezuela)
5. Celular (Argentina, México, Chile, Venezuela)
6. Casilla de mensajes (Argentina)
7. Parlantes (Argentina), bocinas (México), cornetas (Venezuela)
8. Audífonos (Chile, México, Venezuela)
9. Prender un aparato (Argentina, México, Chile, Venezuela)
10. No andar un aparato (Argentina), estar malo (Chile, Venezuela)
11. Arreglo (Argentina)

a. Encender
b. Ordenador
c. Reparación
d. Auriculares, cascos
e. Altavoces, bafles
f. Buzón de voz
g. Móvil
h. Telediario, informativo
i. Informática
j. No funcionar
k. Vídeo

1-i; 2-b; 3-k; 4-h; 5-g; 6-f; 7-e; 8-d; 9-a; 10-j; 11-c.

AHORA YA SÉ

Comunicación

Expresar intención

1. Transforma las frases en intenciones como en el ejemplo.

1. Iré al museo la próxima semana.

Pienso ir al museo la próxima semana.

2. ¿Vendrás a clase de Física mañana?

¿Piensas venir a clase de Física mañana?

3. Pablo se hará una cuenta en tuenti.

Pablo piensa hacerse una cuenta en tuenti.

4. Reciclaremos todo el papel que usamos.

Pensamos reciclar todo el papel que usamos.

5. ¿Vendréis en moto?

¿Pensáis venir en moto?

6. Ana y Felipe abrirán un blog sobre ciencias.

Ana y Felipe piensan abrir un blog sobre ciencias.

Expresar la probabilidad

2. ¿Qué le pasará a Laura? Está un poco rara. Intenta expresar tus conjeturas.

1. Tener un problema: Quizá   tenga un problema.

2. Estar enfadada: A lo mejor   está enfadada.

3. Estar cansada: Seguramente   estará cansada.

4. No saber qué hacer: A lo mejor   no sabe qué hacer.

5. Estar nerviosa: Quizá   esté nerviosa.

6. Sentirse mal: Seguramente   se sentirá mal.

Expresar consecuencia

3. Elige un verbo para cada frase y expresa consecuencia.

> acompañar - encontrar - entrar - leer - prestar - ser

1. No me conecté ayer, así que no   leí   tu mensaje.

2. No voy a ir al cine mañana, o sea que te   acompaño   si quieres.

3. Ya nunca hablas conmigo, o sea que ya no   somos   amigos.

4. Marta ha perdido el disco que le dejé, así que no le   prestaré   más cosas.

5. Llegamos tarde al concierto, así que no   entramos   .

6. El aula de conferencias estaba llena, o sea que no   encontramos   sitio.

4. Completa las frases.

1. _____ , así que no opino.

2. _____ , así que no puedo ir.

3. _____ , o sea que por este oído no oigo nada.

4. _____ , o sea que puedo ir, pero no puedo esquiar.

5. _____ , así que me voy ya.

6. _____ , así que no pienso invitarte a mi cumpleaños.

Usos de **antes de**, **después de**, **mientras** y **hasta**

5. Completa las frases.

1. Hasta que (encontrar) **encuentre** a mi hermano, no te muevas de ahí.
2. Después de que (ver) **veas** mi blog, querrás hacerte uno.
3. Antes de que (llegar) **lleguen** tus padres, ordena la habitación.
4. Mientras (hacer) **haces** los deberes, puedes comer algo.
5. Después de que te (decir) **digan** sus nombres, pregúntales por sus apellidos.
6. Quédate en la cafetería hasta que (llegar) **llegues** con mi primo.
7. Antes de que (empezar) **empiece** el concierto, llama a mamá y dile que no llegaremos a cenar.

Gramática

Usos del futuro

6. Completa con los verbos en futuro simple o en presente.

1. Cuando llegues a clase, (saludar) **saluda** siempre.
2. (Costar) **Costará** mucho, supongo. Es el mejor móvil del mercado.
3. ¿Cuántos años (tener) **tendrá** Lucas? Nunca lo quiere decir.
4. Seguramente (ir, nosotros) **vamos** después a mi casa.
5. Dice que mañana (estar) **estará** en su casa esperándonos.
6. Cuando (ver) **veo** toda esta contaminación, te enfadarás.

Indicativo o subjuntivo

7. Completa con los verbos en la forma adecuada.

1. Quizá (poder, tú) **puedas** ayudarme, tengo un pequeño problema.
2. Cuando (leer) **leo** cosas sobre el cambio climático, pienso que tenemos que hacer algo pronto.
3. Cuando (saber) **sepas** el precio, me lo dices.
4. Pepe me llamará antes de que (terminar) **termine** la conferencia.
5. Lola dice que (ir, tú) **vayas** a su casa inmediatamente.
6. A lo mejor (poder, vosotros) **podéis** hacer algo por mí.

Léxico

Los nombres de las nuevas tecnologías

8. Completa las frases usando una de estas palabras:

> aplicaciones - comparto - conectarme - chateo - móvil - página - red social

1. Mi **red social** favorita es facebook.
2. Como no hay red, hoy no he podido **conectarme** a Internet.
3. Hoy en día, con un **móvil** puedes leer tu correo.
4. Nunca **comparto** mi perfil con desconocidos.
5. Tengo pocas **aplicaciones** instaladas en mi tableta.
6. La **página** web de la escuela no se abre.
7. Cuando llego a casa, siempre **chateo** con mis amigos por Internet.

Preparo
mi examen

LEO Completa este texto con las palabras que, por el sentido, pueden ir en el texto.

Desde niños una _curiosidad_ innata nos lleva a buscar, crear, imaginar y _descubrir_ el mundo. Afortunadamente para todos, estas virtudes siguen vivas en los _científicos_ y, gracias a ellos, la ciencia nos ha permitido _conocer_ nuestro entorno en profundidad. Sin embargo, el campo de la _ciencia_ es enorme, diverso y muy especializado.

Por ello, quienes no somos iniciados en la materia difícilmente podríamos entender y valorar todos esos _avances_. Se requieren puentes que comuniquen efectivamente a los científicos y la _población_.

La divulgación de la ciencia es la _herramienta_ que permite ofrecer al público en _general_ un abanico de posibilidades, de espacios y de recursos con los cuales _poder_ observar, experimentar, explicar y generalizar la riqueza del _mundo_ que nos rodea.

ESCUCHO Escucha la conversación entre David y Gonzalo, y responde a las preguntas.

1. ¿Qué se puede hacer con el nuevo teléfono de David?
   Conectarse a Internet.
2. ¿Cuánto le cuesta al mes su contrato y qué puede hacer con ese dinero?
   20 €. Tiene 400 minutos de llamadas al mes, 400 SMS y 2 gigas de datos.
3. ¿Se comprará uno Gonzalo?
   No sabe.

ESCRIBO Responde a las preguntas.

¿Cómo imaginas tu futuro? ¿En qué crees que trabajarás?

¿Cómo será el mundo en el que vivirás?

¿Qué haces hoy para conseguir un mundo mejor?

HABLO Explícale a tu compañero qué aparatos tienes en casa. ¿Qué puedes hacer con ellos? ¿Qué otros aparatos que no tienes te gustaría tener?

arte
y aparte

Estampas de la cometa

Equipo crónica

Observa

Describe el cuadro. Para ello, responde a estas preguntas:
En el cuadro hay siete personas y un perro. Señálalos.
¿Qué están haciendo?
Hay dos objetos dibujados de forma realista, ¿qué son?
¿Dónde se desarrolla la escena?

Comenta

Analiza estos aspectos.
Este cuadro es un homenaje a otro cuadro de Velázquez,
Las meninas. Compara las diferencias y las similitudes.
Fíjate especialmente en el cambio de los colores entre el
original y este, ¿cómo son?
¿Cómo definirías el estilo?

Da tu interpretación

¿Qué sentimiento te provoca el cuadro?
¿Te gusta? ¿Por qué?

Carpeta de actividades complementarias

Contiene:

Seis exámenes de preparación a los exámenes oficiales de fin de curso:

Modelo de examen 1

Prueba 1, Comprensión lectora:
Texto poético

Lee el texto y responde a las preguntas.

Nombre: ....
Curso: ....
Fecha: ....

VIAJAR
(Gabriel García Márquez)

Viajar es marcharse de casa,
es dejar los amigos,
es intentar volar.
Volar conociendo otras ramas
recorriendo caminos,
es intentar cambiar.
Viajar es vestirse de loco,
es decir «no me importa»
es querer regresar.
Regresar valorando lo poco,
saboreando una copa,
es desear empezar.

Viajar es sentirse poeta,
es escribir una carta,
es querer abrazar.
Abrazar al llegar a una puerta
añorando la calma,
es dejarse besar.
Viajar es volverse mundano,
es conocer otra gente,
es volver a empezar.
Empezar extendiendo la mano,
aprendiendo del fuerte,
es sentir soledad.

Viajar es marcharse de casa,
es vestirse de loco,
diciendo todo y nada con una postal.
Es dormir en otra cama,
sentir que el tiempo es corto,
viajar es regresar.

- ¿Qué es para el autor el viaje?
- ¿Crees que es algo positivo? Explica qué elementos te llevan a pensar eso.
- ¿Crees que el poema es estático o te parece que invita al movimiento? ¿Cómo crees que se consigue ese efecto?
- El poema empieza diciendo «viajar es marcharse» y termina con «viajar es regresar». Parece un contrasentido. Explícalo.
- Viajar es estar solo y conocer a gente, otra contradicción. Explícala también.
- ¿Para ti un viaje va también asociado a la escritura? ¿Qué escribes cuando viajas? ¿Qué te gusta contar?
- ¿Qué es para ti un viaje? Habla de cosas que no aparezcan en el texto.

Correo electrónico

Lee el siguiente «e-mail». Es la respuesta a otro correo anterior tuyo. Fíjate en los elementos que organizan el «e-mail». Además, en amarillo están evidenciadas las referencias a tu correo. Tenlas en cuenta y escríbelo, explicando cómo fueron tus vacaciones.

Encabezamiento y saludos

¡Hola, Arturo! ¡Menos mal que has vuelto ya! Esto estaba muy aburrido sin ti.

Respuesta concreta al correo anterior

Para el sábado, sin problemas. Tengo que ver a qué hora puedo, pero nos vemos, fijo.

Cuerpo del mensaje

Bueno, parece que te lo has pasado genial, ¿no? Yo no puedo decir lo mismo. En agosto me tuve que quedar en Sevilla para estudiar y septiembre ha sido una locura, con tres exámenes bastante difíciles, pero creo que me han salido bien :-)

Menos mal que en julio me lo pasé estupendamente. Al final estuvimos en Conil, en la casa de mis tíos. Estaban mis primos, así que nos divertimos mucho. Íbamos a la playa, hacíamos películas con el móvil... Jugamos mucho con el iPad de mi primo Ángel y también hicimos alguna excursión estupenda. Fuimos a Doñana y vimos un montón de animales y también estuvimos en Bolonia que tiene unas ruinas romanas muy bonitas. Además fuimos a Gibraltar, hablé inglés y todo... En fin, estuvo muy bien, pero nada que ver con tu viaje y seguro que los animales que tú has visto eran más grandes que los de Doñana :-)

Despedida, saludos y firma

Bueno, ahora te dejo, que tengo que hacer un recado a mi madre. Mándame unas fotos de tu viaje que no puedo esperar al sábado para verlas.
Nos vemos en un par de días.
Un abrazo,
Pepe

Posdata, añadidos a la carta

PD: Mañana te confirmo a qué hora estoy libre el sábado, tengo que hablar con el entrenador.

Un viaje

Cuenta el mejor viaje de tu vida.

Modelo de examen 2

Prueba 1, Comprensión lectora:
Artículo periodístico

Lee el artículo y responde a las preguntas.

Nombre: ....
Curso: ....
Fecha: ....

Clasificados 11870.com Vivienda Empleo Coches mujerhoy.com

Viernes, 26 abril 2013   Hoy 16 20   Mañana 13 19 +

lasprovincias.es

SÍGUENOS
En Twitter
Las últimas noticias en tu timeline

Iniciar sesión con f | Regístrate

Portada Comunitat Valenciana Deportes Economía Más Actualidad Gente y TV Ocio Participa Blogs Servicios Hemeroteca   IR

Valencia Alicante Castellón Sucesos Política Gastronomía Fallas Valencia CF Levante UD Lo más visto SALUD REVISTA INNOVA +   **lasprovincias TV** ▶

Los jóvenes de Foios disponen de un parque para realizar grafitos. El objetivo es evitar que se ensucien el resto de paredes del municipio

Los grafiteros de Foios ya no tendrán que esconderse para hacer sus obras maestras. Ahora podrán pintar con total tranquilidad y enseñar a todos sus vecinos lo que son capaces de hacer con un par de tubos de pintura. El recién inaugurado parque del sector sur ha sido el lugar habilitado por el Ayuntamiento de la localidad para instalar tres muros de grandes dimensiones. Ahí será donde los grafiteros del municipio podrán pintar.

La iniciativa pionera comenzó a gestarse hace cerca de un año. Un grupo de jóvenes, de entre 14 y 18 años, cansados de pintar en el barranco del Carraixet y en otros muros, decidieron acudir al Ayuntamiento y entrevistarse con el alcalde, Javier Ruiz.

«Le pedimos que nos pusiera un espacio para pintar sin que molestáramos a los vecinos, de esta forma nadie nos podría llamar la atención», explica Cristian, uno de los promotores. «Propusimos al alcalde que si nos habilitaba ese espacio, nosotros nos encargaríamos del mantenimiento y nos comprometíamos a no hacer pintadas por el pueblo». Esta idea fue bien recibida por el alcalde del municipio que también ha instalado numerosos bancos en la zona y grandes papeleras para que se depositen allí los tubos de pintura. Además, otra de las normas que deben cumplir estos artistas callejeros es que los grafitos que hagan no deberán ser nunca ofensivos ni discriminatorios.

Según indicó Cristian, uno de los grafiteros, «estamos muy contentos con este nuevo espacio. Ahora nos sentimos más libres, podemos hacer lo que nos gusta y ya no tenemos que estar pendientes de si alguien nos va a pillar o si algún vecino nos va a reñir».

Adaptado de www.lasprovincias.es

1. ¿Quién es el/la protagonista?   Los grafiteros de Foios.
2. ¿Dónde pasan los hechos de los que se habla?   En un parque del pueblo de Foios.
3. ¿Cuándo pasa lo sucedido?   Recientemente.
4. ¿Por qué?   Un grupo de jóvenes ha llegado a un acuerdo con el alcalde.
5. ¿Cómo termina lo sucedido?   Los grafiteros ya tienen un parque que ellos mismos cuidan.
6. ¿Qué aspectos positivos destaca uno de los grafiteros?   Se sienten libres y nadie los va a reñir.
7. ¿Qué piensas de los grafitos?
8. ¿Qué te parece la propuesta del artículo?
9. ¿En tu barrio/ciudad/instituto existe el problema de los grafitos?

Fíjate en las siguientes palabras: te indican las diferentes partes de un artículo periodístico. ¿A qué términos corresponden en tu lengua?

Título

Subtítulo

Entrada

Cuerpo

Prueba 2, Expresión escrita:
Resumen informativo
Observa las estrategias. Luego, vuelve a leer el texto anterior y subraya las frases más importantes. Resume, por último, el contenido en 10 líneas.

Estrategias
☐ Lee con cuidado el texto completo.
☐ Marca las frases más relevantes, eliminando las palabras menos importantes.
☐ Relaciona estas frases, no se te olviden los conectores.
☐ Cambia las expresiones del autor por las tuyas personales.
☐ Vuelve a leer tu tarea, pon atención en la coherencia, en la gramática y si has escrito toda la información útil para que se entienda lo sucedido.

Prueba 3, Interacción oral:
Tu instituto
Presenta tu instituto. Ten en cuenta los puntos que te damos. Tienes dos minutos.

☐ El edificio
☐ Lo que se estudia
☐ Los profesores
☐ Lo que cambiarías

Modelo de examen 3

Prueba 1, Comprensión lectora:
Texto narrativo

Nombre: ....
Curso: ....
Fecha: ....

Lee este fragmento de una novela y responde a las preguntas.

La insolación (Carmen Laforet)

No podía separarse de los Corsi. No podía ni pensar en un día sin ellos. Los Corsi, a veces, le desesperaban, pero no podía tomárselo en cuenta.

Una tarde los Corsi no llamaron y Martín se aventuró a entrar en la finca. Frufrú le indicó vagamente que buscase a los chicos en el pinar. Martín se hartó de aquella búsqueda, oyó sus cuchicheos y sus risas como los primeros días de Beniteca, cuando le acechaban. Espoleado, siguió llamando y buscando, y una y otra vez intentó renunciar, aburrido y exasperado por la habilidad que ellos demostraban en esconderse. Pero una y otra vez corría cuando creía ver el vestido de Anita o la cabeza de Carlos entre los troncos de los pinos. Más de una hora tuvieron a Martín practicando este juego de buscarles y cuando aparecieron de pronto, chillando a espaldas suyas, fingieron gran sorpresa al verle. Martín intentó enfadarse y Anita se encogió de hombros.

-Martín, esta es nuestra casa. Hacemos lo que queremos y si no te gusta puedes no aparecer más.

Martín pensó seriamente en no aparecer más -pero mientras lo pensaba no se iba de aquí de junto a ellos-. Se despidió con aire digno al terminar la tarde sintiendo que la garganta le dolía y con el ceño fruncido al despedirse. Al día siguiente, apenas despertó, pudo oír que le llamaban ya desde detrás de la casa, junto al portillo. Antes que ningún día. Se le olvidó todo su enfado. Quizá si hubieran estado siempre discutiendo Martín habría terminado por no poderlos soportar -lo pensaba a solas algunas veces-, pero en general lo que hacían los tres era vivir juntos los días de sol -todos los días como un largo día con las interrupciones de la noche, de las horas de las comidas y de los domingos por la mañana-, y la felicidad de estar juntos los tres era algo casi tangible, a pesar de las pequeñas y grandes amarguras de Martín.

(...)

Martín sabía todo. Sabía que para los Corsi lo importante eran ellos mismos, sus propias opiniones, su propio deseo de las cosas. Martín solo contaba cuando era él la diversión, la compañía, el aplauso que necesitaban.

1. ¿Quiénes son los Corsi?   Unos amigos ricos de Martín que le tratan mal.
2. Por los datos que te da el texto, ¿cómo te los imaginas? Usa algún adjetivo para describirlos.
3. Los tres personajes al principio del texto parece que juegan al escondite. ¿Qué crees que simboliza esa escena?
4. ¿Qué le impide al protagonista enfadarse con ellos?   Porque no siempre discutían y porque eran amigos.

Prueba 2, Expresión escrita:

Diálogo

Lee el diálogo y la descripción de un diálogo. Responde a las preguntas y luego redacta un diálogo entre dos amigos que discuten porque uno cree que el otro ha puesto cosas falsas sobre él en facebook. Resuelve el conflicto.

Marta: ¡Hola, María! ¿Qué tal?
María: **Pues** fatal, la verdad.
Marta: ¿Y eso? ¿Qué te ha pasado?
María: **Pues que** he reñido con Paco y ya no me habla. Ha desaparecido, lo veo en clase, pero ya está, no me saluda, no me mira, no me manda mensajes...
Marta: **¡Venga ya!** Pero si sois muy buenos amigos... ¿Qué os ha pasado?
María: Nada, **de verdad**. Bueno, sí, discutimos un poco, pero fue una tontería.
Marta: **Hombre**, una tontería no creo, porque Paco es muy sensato. Seguro que algo le ha dolido.
María: **Pues la verdad**, en este caso, no ha demostrado ser tan sensato. Nada, **es que** el otro día estaba cansada y no le hice el favor que me pedía, así que piensa que no soy lo suficientemente fiable y ya no se siente mi amigo.
Marta: Bueno, **hombre**, si solo es eso, seguro que se le pasará pronto.
María: **Pues la verdad**, no estoy tan segura. Es muy cabezota y cuando se le mete algo...
Marta: Oye, si quieres hablo con él, a ver qué me dice. ¿Qué te parece?
María: **¡Guay!** Tú le caes muy bien, así que seguro que lo calmas.
Marta: **¡Ojalá!**

> Los diálogos son negociaciones, el intercambio de opiniones o puntos de vista. En los diálogos, son fundamentales los marcadores de discurso o conectores, esas palabras que nos sirven para entrar en la conversación o para mantener el hilo del discurso o para marcar nuestro turno de palabra. Con ellos intensificamos nuestras afirmaciones o mostramos nuestra alegría o decepción.

1. ¿Qué conector se usa para llamar la atención del oyente?   Oye.
2. ¿Qué conector se usa para tener tiempo antes de responder?   Pues y pues que.
3. ¿Qué conector se usa para reforzar el punto de vista del hablante?   De verdad.
4. ¿Cuál expresa incredulidad?   ¡Venga ya!
5. Uno de los conectores expresa justificación. ¿Cuál?   Pues la verdad.
6. Fíjate en el *hombre*. Aparece dos veces, pero con dos valores diversos. ¿Cuál denota disconformidad o desacuerdo y cuál propone una relación afectiva con el oyente?   Disconformidad: Hombre, una tontería no creo; Relación: Bueno, hombre...
7. ¿Con qué marcador se expresa alegría, optimismo? ¿Y esperanza?   Guay. Ojalá.

Prueba 3, Interacción oral:

Una discusión

¿Has reñido alguna vez con un buen amigo? Cuenta los motivos y cómo te sentiste. Cuenta también cómo acabó la situación.

Modelo de examen 4

Código 3

Nombre: ....
Curso: ....
Fecha: ....

Prueba 1, Comprensión lectora:
Una anécdota

Lee el artículo y responde a las preguntas.

Cómo triunfar en la vida

Vicente Holgado era un ingenuo. Un día vio un libro titulado *Cómo triunfar en la vida*; en seguida pensó que le bastaría leerlo para alcanzar el éxito. Lo compró, lo leyó y no entendió nada. (...)

Hubo, sin embargo, algo que le llamó la atención: y es que en el capítulo décimo, donde se mostraba el ingenio de algunos hombres para ganar dinero, se contaba la historia de un sujeto de Nueva York que puso en la prensa el siguiente anuncio: «Si quiere hacerse rico en 15 días, envíe 50 dólares al apartado de correos número tal». Por lo visto, el hombre recibió miles de cartas a las que contestó con esta breve frase: «Haga lo mismo que yo».

Contaba el libro que el sujeto en cuestión fue llevado a los tribunales sin éxito, pues pudo demostrar que efectivamente se había hecho rico en dos semanas con tan sencillo método. Vicente Holgado estuvo dándole vueltas al asunto durante algunos días. Nunca había figurado entre sus objetivos el de hacerse rico, pero le asombró la simpleza del mecanismo por el que alguien había llegado a serlo. Además, le fascinaban las cartas, los anuncios, el teléfono y en general todo aquello que servía para poner en contacto a personas que no se conocían.

De manera que decidió probar suerte con el sistema americano y colocó en la prensa local, en la sección de anuncios por palabras, el siguiente reclamo: «Si quiere hacerse rico en 15 días, envíe 5000 pesetas* a tal dirección». Puso su domicilio particular, pues no sabía lo que era un apartado de correos. Además, eligió -de los dos periódicos que había en su ciudad- el de menos tirada porque era también el de tarifas más bajas.

El resultado fue que recibió una sola carta, con las 5000 pesetas y una demanda urgente de soluciones para alcanzar la riqueza. Vicente pasó unos días atroces, pues no sabía qué contestar al pobre señor. Además, vivía permanentemente corroído por la culpa, pues pensaba que quizá le había robado 5000 pesetas a alguien muy necesitado. No podía, por otra parte, contestarle que hiciera lo mismo que él, pues era evidente que sería tan pobre como antes.

Finalmente, cuando la culpa alcanzó una intensidad insoportable, decidió ir a ver al ingenuo que le había enviado el dinero para devolvérselo y pedirle disculpas. El sujeto vivía en una casa baja del extrarradio, donde regentaba una mercería situada al lado de un hipermercado.

-¿Don Felipe Gastón? -preguntó a un tipo que estaba al otro lado del mostrador.
-Yo soy -contestó el sujeto.
-Mi nombre es Vicente Holgado y soy el autor del anuncio de cómo hacerse rico.
-Por fin- respondió el hombre saliendo del mostrador-, llevo una semana esperándole. Fíjese en qué situación estoy. Desde que han puesto el hipermercado ese ahí al lado no vendo ni un botón. Dígame, por favor, cómo puedo hacerme rico en 15 días.

Vicente holgado no tuvo valor para confesarle que su sistema era un desastre.
Hizo un plan de viabilidad que consistía en convertir la mercería en guardería para custodiar a los niños de los matrimonios que iban al hipermercado mientras estos realizaban sus compras.

* 30 euros.

Adaptado de Juan José Millás

1. Vicente Holgado, el protagonista del cuento, ¿dónde encuentra la solución a sus problemas?   En el capítulo 10 de un libro.
2. ¿Qué tipo de problemas tenía Vicente?   Que es un ingenuo y se lo cree todo.
3. ¿Qué tiene que hacer para tener éxito?   Poner un anuncio diciendo que, si quieren ser ricos, tienen que mandarle 30 euros (5000 pesetas).
4. ¿Cuánto dinero recibe?   Solo 30 euros.
5. ¿Quién ha enviado el dinero?   Un dependiente de una mercería.
6. ¿Qué hace Vicente con el dinero?   Devolvérselo.
7. ¿Qué solución le propone Vicente?   Que abriera una guardería.

Prueba 2, Expresión escrita:
Escribir una carta
Según el esquema de reacción de una carta que te explicará tu profesor, elige una de las tres situaciones siguientes y escribe tu carta.

1. Escribe una carta a alguien que va a estudiar en tu instituto.

Tienes que describir:
- [ ] El instituto y los compañeros.
- [ ] Tus sensaciones sobre el instituto y sobre el examen que se acerca.
- [ ] Los idiomas extranjeros que has estudiado (lo que te ha gustado y lo que te ha salido más difícil).
- [ ] Tus próximas vacaciones (dónde, con quién, cuándo, qué vas a hacer...).

Para conocer mejor a tu amigo hazle preguntas sobre su vida escolar, su tiempo libre e invítale a tu casa para las próximas vacaciones.

2. Escribe una carta a un chico/a extranjero/a que desea conocerte.

Tienes que describir:
- [ ] A tu familia y a ti mismo (físico, carácter, gustos y aficiones...).
- [ ] Tu casa, tu barrio y la ciudad en la que vives.
- [ ] Tus cantantes preferidos, cuándo escuchas música y por qué.
- [ ] Los deportes que más te gustan y los que practicas, expresa tu opinión sobre el deporte.
- [ ] Una excursión que has hecho este último año (dónde, cuándo, por qué, tus opiniones...).

Para conocerle mejor hazle preguntas sobre él/ella, su familia, sus aficiones, su instituto, sus deportes. Lo/La vas a invitar para las próximas vacaciones y al mismo tiempo le hablas de tus próximas vacaciones.

3. Acabas de celebrar tu fiesta de cumpleaños, escribe una carta a un amigo.

Tienes que decir:
- [ ] Quién estaba.
- [ ] Dónde lo celebraste.
- [ ] Lo que hicisteis.
- [ ] Lo que comisteis.
- [ ] Los regalos que recibiste.
- [ ] Algo divertido que pasó (puedes inventar...).
- [ ] Qué piensas hacer en tu próxima fiesta.

Prueba 3, Interacción oral:
Una descripción
Describe a un amigo o a una amiga (cuándo y dónde os conocisteis, su aspecto físico y su carácter, lo que le gusta y no le gusta, por qué sois amigos...).

Modelo de examen 5

Prueba 1, Comprensión lectora:
Texto teatral

Nombre: ....

Curso: ....

Fecha: ....

Lee el fragmento y responde a las preguntas.

Adaptado de *Las bicicletas son para el verano* (Fernando Fernán Gómez)

(Campo muy cerca —casi dentro— de la ciudad. Cae de plano el sol sobre el campo, sobre las zonas arboladas y los edificios a medio construir. Se oye el canto de los pájaros y los motores y las bocinas de los escasos coches que van hacia las afueras. Pasean dos chicos como de catorce años, PABLO y LUIS. Llevan pantalones y camisas veraniegas).

PABLO.—Me ha dicho Ángel García que a él le ha gustado un rato. Es de guerra, ¿sabes?

LUIS.—Ya, ya lo sé.

PABLO.—A mí son las que más me gustan.

LUIS.—¿Vas con tus padres?

PABLO.—Sí, como todos los domingos. Se han empeñado en ir al «Proye».

LUIS.—Pero ahí echan *Vuelan mis canciones*.

PABLO.—Claro, por eso. Me han mandado a las once a la cola, pero yo he sacado las entradas para el «Bilbao». Luego les digo que en el «Proye» ya no quedaban, y listo.

LUIS.—Se van a enfadar.

PABLO.—Sobre todo mi madre. Las de guerra no las aguanta.

LUIS.—La mía tampoco. Le gustan solo las de amor.

PABLO.—¿Tú cuál vas a ver?

LUIS.—Yo, *Rebelión a bordo*, de Clark Gable.

PABLO.—Todavía no la he visto. Debe de ser de piratas.

LUIS.—Sí; a mí, por las fotos, eso me ha parecido.

PABLO.—¿Vas con Arturo Romera?

LUIS.—Sí. Vienen también Ángel García y Socuéllamos.

...

LUIS.—... ¿Y novelas de guerra has leído? Yo tengo una estupenda.

PABLO.—¿Cómo se llama?

LUIS.—*El tanque número 13*. Si quieres, te la presto.

PABLO.—A mí no me gusta leer novelas. El cine, sí. En el cine lo ves todo. En cambio, en las novelas no ves nada. Todo tienes que imaginártelo.

LUIS.—Pero es como si lo estuvieras viendo.

PABLO.—¡Qué va! Y, además, son mucho más largas. En el cine en una hora pasan la mar de cosas. Coges una novela, y en una semana no la acabas. Son un tostonazo.

LUIS.—Pues yo en una novela larga, de las que tiene mi padre, tardo dos días. Bueno, ahora en verano, que no hay colegio. Y me pasa lo contrario que a ti: lo veo todo. Lo mismo que en el cine.

PABLO.—No es lo mismo.

1. ¿Dónde se desarrolla la acción? ¿En el campo? ¿En la ciudad? ¿En el centro? ¿En las afueras? ¿Qué elementos nos ayudan a entenderlo?   En las afueras de la ciudad. Lo sabemos por la descripción.
2. ¿Quiénes son los protagonistas del diálogo?   Dos niños, Pablo y Luis.
3. ¿En qué estación del año se desarrolla la acción?   Están en verano.
4. ¿Cuál es el tema del diálogo entre los dos chicos?   Hablan del cine.
5. ¿Qué es lo que tenía que hacer Pablo y qué no hace para su familia?   Tenía que sacar entradas en otro cine y para otra película.
6. ¿Qué opinión les merece a los chicos la película *Vuelan mis canciones*?   Que es una película de amor.
7. ¿Le gustan también a Luis los libros? ¿Por qué? ¿Qué opina de los mismos Pablo?   A Luis le gustan, pero a Pablo no, porque te lo tienes que imaginar todo. Prefiere el cine.

Prueba 2, Expresión escrita:
Un texto teatral

Reyes: Tía, ¿has visto la última *peli* de Javier Bardem? Es buenísima.
Blanca: ¡**Qué va**! Mis padres me han castigado sin salir una semana. Como suspendí el examen de Inglés...
Reyes: Pues tienes que verla en cuanto puedas. Va de un policía que tiene que capturar a una ex suya y...
Blanca: Bueno, bueno, no me cuentes más, que luego no tiene gracia.
Reyes: **Vale, vale**, pero tranquila, eh, que no hay misterios raros ni cosas así.
Blanca: Bueno, pero es igual. Prefiero no saber nada. Ya sabes que Bardem me encanta.
Reyes: Pues una amiga de mi hermana lo conoce.
Blanca: ¡**Venga ya**! Eso no te lo crees ni tú.
Reyes: **Que sí**, mujer, **que sí**. A ver, Bardem tiene un restaurante aquí en Madrid, y esta chica trabaja allí.
Blanca: Pues ya me estás diciendo dónde está ese restaurante...
Reyes: Pues mira, me voy a informar. Como dentro de poco es mi cumpleaños, puedo decirles a mis padres que quiero celebrarlo allí. Te gustaría, ¿**verdad**?
Blanca: ¡**Desde luego**!

Fíjate en los marcadores, están en negrita. Busca los que se usan para estas intenciones:
Incredulidad, negación, afirmación categórica, pedir conformidad, desaprobación o desacuerdo, aceptación.

Escribe ahora tú un diálogo: dos amigos hablan de música y conciertos. Usa algunos de estos marcadores.

Prueba 3, Interacción oral:
Una crítica literaria

Piensa en la última vez que has ido al teatro o al cine o en la última novela que has leído. Habla de los personajes, del lugar en el que se desarrolla, de la banda sonora, del tema de la obra, de lo que te ha gustado y de lo que no, si lo aconsejas y por qué.

Modelo de examen 6

Prueba 1, Comprensión lectora:
Texto periodístico

Nombre: ....
Curso: ....
Fecha: ....

Lee el texto y responde a las preguntas.

Los inventos, que sean prácticos o mejoren algo

Con 11 años, ganó un Diamond con un molino de viento con placas solares

---

Cuando durante la cena de gala de la feria de inventos British Invention Show, en Londres, Eudald Vehí (Girona, 2000) escuchó su nombre entre el de los premiados con el Diamond Award se quedó «petrificado». De eso hace solo tres meses. Con solo 11 años acababa de ganar uno de los cuatro premios que reconocen a los inventores más importantes del mundo. «¿Eres consciente de lo que acabas de ganar?», le felicitaba un montón de gente en inglés. «No lo era, pero estaba muy contento», dice él entre sorbo y sorbo de Cacaolat. Lo increíble es que el jurado no sabía que el autor tenía 11 años, porque el certamen obvia la edad del inventor.

Todo empezó durante las vacaciones de Navidad del año pasado. La tía de Eudald se lo llevó a él y su primo de excursión a Barcelona. Decidieron visitar el Miba, el Museo de Ideas e Inventos de Barcelona. Tras la visita, el centro ofrece a los niños la posibilidad de pensar y dibujar un invento. Eudald ideó un molino de viento en el que las aspas llevan incorporada una placa solar. «Todo el mundo pensó en inventos para resolver sus problemas, yo opté por conseguir energía sin contaminar en una sola instalación», explica.

El invento fue seleccionado entre los tres mejores de ese mes por el Miba y luego el museo se llevó los 30 artefactos ganadores del año a la feria del British Invention Show. La familia pudo organizarse para viajar tres días a Londres. Eudald repite como un mantra la frase que memorizó en inglés para responder a todo aquel que le preguntara por su invento: «Mi invento combina dos energías, solar y eólica en un solo aparato, el molino solar».

Cuenta el padre de Eudald, Josep, que «cuando tenía cuatro años, una noche nos dijo que necesitaba un martillo para arreglar no sé qué», relata entre risas. «Siempre ha tenido un pensamiento ingenieril, de buscar soluciones», asegura el padre, que es ingeniero. «¡No tengo nada que ver, no estaba en el museo!», bromea Josep. Quizás también le ha ayudado la escuela Montessori, donde estudia. «Es buena para su forma de ser, es un aprendizaje que permite que cada estudiante vaya a su ritmo, con objetivos por ciclo».

Eudald resta importancia al invento y al premio. Tanta que ni siquiera lo explicó en clase.

1. Resume en pocas frases el texto que acabas de leer.
2. ¿Crees que el chico del que habla el artículo es un genio? ¿O piensas que cualquiera puede tener una buena idea alguna vez y es más producto de la casualidad?
3. ¿Has tenido alguna vez una buena idea o conoces a alguien que la haya tenido?
4. ¿Cuáles son para ti los mejores inventos?
5. ¿Conoces algún museo interesante? ¿Alguno interactivo?
6. El padre del chico declara que su hijo siempre ha sentido curiosidad por los objetos, que no es algo nuevo. ¿Piensas que hay características tuyas que se mantienen desde que eras pequeño?

Prueba 2, Expresión escrita:
Un esquema

Para resumir el artículo anterior, empieza analizándolo como texto periodístico. Busca el qué, el quién, el cuándo, el dónde y el cómo. Señala cuál es el titular y cuál la entradilla. ¿Por qué ha elegido el periodista esas frases? Busca la idea central del texto y después resúmelo siguiendo las pautas que ya conoces para el resumen textual.

Prueba 3, Interacción oral:
Una experiencia personal

¿Cómo se te dan los inventos? ¿Eres curioso? Explica tu relación con las ciencias en función de tus capacidades. Independientemente de tus capacidades, ¿cómo crees que han ayudado las ciencias y los inventores a construir un mundo

Gramática

LOS VERBOS EN PRESENTE

	HABLAR	COMER	ESCRIBIR
(yo)	hablo	como	escribo
(tú)*	hablas	comes	escribes
(él, ella, usted)	habla	come	escribe
(nosotros, nosotras)	hablamos	comemos	escribimos
(vosotros, vosotras)	habláis	coméis	escribís
(ellos, ellas, ustedes)	hablan	comen	escriben

* (vos)	hablás	comés	escribís

Yo me levanto a las siete y media y salgo de casa a las ocho. Y tú, ¿a qué hora tienes clase?

	SER	TENER	VER	HACER	JUGAR	VENIR
(yo)	soy	tengo	veo	hago	juego	vengo
(tú)*	eres	tienes	ves	haces	juegas	vienes
(él, ella, usted)	es	tiene	ve	hace	juega	viene
(nosotros, nosotras)	somos	tenemos	vemos	hacemos	jugamos	venimos
(vosotros, vosotras)	sois	tenéis	veis	hacéis	jugáis	venís
(ellos, ellas, ustedes)	son	tienen	ven	hacen	juegan	vienen

* (vos)	sos	tenés	ves	hacés	jugás	venís

	LEVANTARSE	SALIR	IR	VOLVER	EMPEZAR	VESTIRSE
(yo)	me levanto	salgo	voy	vuelvo	empiezo	me visto
(tú)*	te levantas	sales	vas	vuelves	empiezas	te vistes
(él, ella, usted)	se levanta	sale	va	vuelve	empieza	se viste
(nosotros, nosotras)	nos levantamos	salimos	vamos	volvemos	empezamos	nos vestimos
(vosotros, vosotras)	os levantáis	salís	vais	volvéis	empezáis	os vestís
(ellos, ellas, ustedes)	se levantan	salen	van	vuelven	empiezan	se visten

*(vos)	te levantás	salís	vas	volvéis	empezás	te vestís

EL VERBO «GUSTAR»

(A mí)	me		
(A ti, vos)	te	gusta	el cine/la música/leer
(A él, ella, usted)	le		
(A nosotros, nosotras)	nos		
(A vosotros, vosotras)	os	gustan	las fresas
(A ellos, ellas, ustedes)	les		los perros

A mí me gusta mucho el chocolate. También me gustan las fresas. Y a ti, ¿qué te gusta?

Acuerdo	• Me gustan los perros.	• A mí también.
	• No me gusta leer.	• A mí tampoco.
Desacuerdo	• Me gustan los perros.	• A mí no.
	• No me gusta leer.	• A mí sí.

Se utilizan igual que guster otros verbos como: parecerle, costarle mucho/poco hacer algo, caerle bien o mal alguien, molestarle, preocuparle...

> A mí me gusta mucho tu vestido amarillo, me parece muy bonito.

> Gracias. A mí también me gusta tu camiseta azul.

EXPRESAR LA OPINIÓN

A mí me parece	(+ MUY)	feo/a ≠ bonito/a fácil ≠ difícil bien ≠ mal pequeño/a ≠ grande interesante ≠ aburrido agradable
	(~~MUY~~)	estupendo/a, fantástico/a, increíble, genial, fatal, horrible

LOS VERBOS EN PRETÉRITO PERFECTO SIMPLE

	HABLAR	COMER	ESCRIBIR
(yo)	hablé	comí	escribí
(tú, vos)	hablaste	comiste	escribiste
(él, ella, usted)	habló	comió	escribió
(nosotros, nosotras)	hablamos	comimos	escribimos
(vosotros, vosotras)	hablasteis	comisteis	escribisteis
(ellos, ellas, ustedes)	hablaron	comieron	escribieron

> Querido diario:
> Ayer hice muchas cosas interesantes. Fui al zoo con mis amigos y vimos muchos animales. Después estuve en casa de mis abuelos...

	JUGAR	LEER	ESTAR	HACER	IR	VER
(yo)	jugué	leí	estuve	hice	fui	vi
(tú, vos)	jugaste	leíste	estuviste	hiciste	fuiste	viste
(él, ella, usted)	jugó	leyó	estuvo	hizo	fue	vio
(nosotros, nosotras)	jugamos	leímos	estuvimos	hicimos	fuimos	vimos
(vosotros, vosotras)	jugasteis	leísteis	estuvisteis	hicisteis	fuisteis	visteis
(ellos, ellas, ustedes)	jugaron	leyeron	estuvieron	hicieron	fueron	vieron

	DAR	TENER	PODER	PONER	MORIR
(yo)	di	tuve	pude	puse	morí
(tú, vos)	diste	tuviste	pudiste	pusiste	moriste
(él, ella, usted)	dio	tuvo	pudo	puso	murió
(nosotros, nosotras)	dimos	tuvimos	pudimos	pusimos	morimos
(vosotros, vosotras)	disteis	tuvisteis	pudisteis	pusisteis	moristeis
(ellos, ellas, ustedes)	dieron	tuvieron	pudieron	pusieron	murieron

Se utiliza el pretérito perfecto simple para hablar de acciones pasadas alejadas del presente.

LOS VERBOS EN PRETÉRITO PERFECTO COMPUESTO

> Este verano he aprendido a hacer surf.

> Pues yo nunca he hecho surf.

PARTICIPIOS IRREGULARES

abrir	abierto
poner	puesto
decir	dicho
romper	roto
ver	visto
escribir	escrito
volver	vuelto
hacer	hecho

PRETÉRITO PERFECTO COMPUESTO

	El verbo haber	+ el participio
(yo)	he	
(tú, vos)	has	
(él, ella, usted)	ha	viajado
(nosotros, nosotras)	hemos	leído
(vosotros, vosotras)	habéis	salido
(ellos, ellas, ustedes)	han	

Se utiliza el pretérito perfecto compuesto para hablar de acciones pasadas próximas al presente.

Carpeta de actividades

LOS VERBOS EN PRETÉRITO IMPERFECTO

Cuando yo era pequeño, vivía en México y estudiaba en un colegio bilingüe.

	HABLAR	COMER	ESCRIBIR
(yo)	hablaba	comía	escribía
(tú, vos)	hablabas	comías	escribías
(él, ella, usted)	hablaba	comía	escribía
(nosotros, nosotras)	hablábamos	comíamos	escribíamos
(vosotros, vosotras)	hablabais	comíais	escribíais
(ellos, ellas, ustedes)	hablaban	comían	escribían

	SER	IR	VER
(yo)	era	iba	veía
(tú, vos)	eras	ibas	veías
(él, ella, usted)	era	iba	veía
(nosotros, nosotras)	éramos	íbamos	veíamos
(vosotros, vosotras)	erais	ibais	veíais
(ellos, ellas, ustedes)	eran	iban	veían

Se utiliza el pretérito imperfecto para:
- describir cosas o personas en el pasado.
- expresar acciones realizadas de forma habitual.
- presentar una acción pasada que es interrumpida por otra.
- narrar una acción pasada en desarrollo simultánea a otra acción.
- pedir algo de forma cortés.

LOS VERBOS EN PRETÉRITO PLUSCUAMPERFECTO

Cuando llegué a tu casa, ya te habías ido.

	PRETÉRITO PLUSCUAMPERFECTO	
	El verbo haber	**+ el participio**
(yo)	había	
(tú, vos)	habías	
(él, ella, usted)	había	viajado
(nosotros, nosotras)	habíamos	leído
(vosotros, vosotras)	habíais	salido
(ellos, ellas, ustedes)	habían	

Se utiliza el pretérito pluscuamperfecto para hablar de acciones pasadas anteriores a otra acción también pasada.
- A menudo se utiliza el adverbio ya para reforzar la anterioridad.
- Con nunca expresamos que es la primera vez que hacemos algo.

SITUAR TEMPORALMENTE

Señalar el momento en que ocurre un acontecimiento pasado	El + día de la semana o del mes En + fecha Hace + cantidad de tiempo	El 15 de julio salimos de viaje. El miércoles volvimos a casa. Estuve en Buenos Aires en mayo de 2010. Hace dos años, estuve en Buenos Aires.
Contar el tiempo que ha pasado desde que ocurrió un acontecimiento pasado	Hace + cantidad de tiempo + que + verbo en perfecto simple	Hace dos años que estuve en Buenos Aires.
Contar el tiempo desde que ocurre una situación presente	Desde + una fecha Desde hace + cantidad de tiempo Hace + cantidad de tiempo + que + verbo en presente	Vivo en Madrid desde 2007. Vivo en Madrid desde hace cinco años. Hace cinco años que vivo en Madrid.

CONTRASTE «HACE/HACÍA»

Si la referencia es el presente

Hace...
Desde hace...

Luisa viajó a Sevilla hace dos años.
Hace dos años que no nos vemos. ¿Cómo estás?

Si la referencia es el pasado

Hacía...
Desde hacía...

Luisa había viajado a Sevilla hacía dos años. **(Cuando Luisa fue era la segunda vez, dos años antes ya había ido).**
Hacía dos años que no nos veíamos. **(Cuando se vieron, habían pasado dos años desde su último encuentro).**

Hace unos días me encontré con un viejo amigo.

LOS VERBOS EN FUTURO SIMPLE

	ESTAR	CORRER	IR
(yo)	estaré	correré	iré
(tú, vos)	estarás	correrás	irás
(él, ella, usted)	estará	correrá	irá
(nosotros, nosotras)	estaremos	correremos	iremos
(vosotros, vosotras)	estaréis	correréis	iréis
(ellos, ellas, ustedes)	estarán	correrán	irán

El futuro simple se utiliza para hablar de acciones futuras y para expresar hipótesis sobre el pasado.

LOS VERBOS EN CONDICIONAL SIMPLE

	ESTAR	CORRER	IR
(yo)	estaría	correría	iría
(tú, vos)	estarías	correrías	irías
(él, ella, usted)	estaría	correría	iría
(nosotros, nosotras)	estaríamos	correríamos	iríamos
(vosotros, vosotras)	estaríais	correríais	iríais
(ellos, ellas, ustedes)	estarían	correrían	irían

Yo que tú no lo haría.

Se emplea para pedir algo de una manera cortés, hablar de situaciones imaginarias, expresar deseos difíciles de realizar, dar consejos o recomendaciones y hacer propuestas o sugerir soluciones.

LOS VERBOS EN IMPERATIVO AFIRMATIVO

	ESCUCHAR	LEER	ESCRIBIR	LEVANTARSE
(tú)*	escucha	lee	escribe	levántate
(usted)	escuche	lea	escriba	levántese
(vosotros, vosotras)	escuchad	leed	escribid	levantaos
(ustedes)	escuchen	lean	escriban	levántense
(vos)*	escuchá	leé	escribí	levantate

En los verbos reflexivos el pronombre va unido al verbo.

	HACER	SER	TENER	PONER	IR	SALIR	VENIR	DECIR
(tú)*	haz	sé	ten	pon	ve	sal	ven	di
(usted)	haga	sea	tenga	ponga	vaya	salga	venga	diga
(vosotros, vosotras)	haced	sed	tened	poned	id	salid	venid	decid
(ustedes)	hagan	sean	tengan	pongan	vayan	salgan	vengan	digan
(vos)*	hacé	sé	tené	poné	ve	salí	vení	decí

No corran y no hablen en voz alta.

LOS VERBOS EN IMPERATIVO NEGATIVO

No + forma del subjuntivo presente

	HABLAR	CORRER	ESCRIBIR
(yo)	no hable	no corra	no escriba
(tú, vos)	no hables	no corras	no escribas
(él, ella, usted)	no hable	no corra	no escriba
(nosotros, nosotras)	no hablemos	no corramos	no escribamos
(vosotros, vosotras)	no habléis	no corráis	no escribáis
(ellos, ellas, ustedes)	no hablen	no corran	no escriban

Ojalá saque buenas notas.

LOS VERBOS EN PRESENTE DE SUBJUNTIVO

	REGALAR	COMER	ESCRIBIR
(yo)	regale	coma	escriba
(tú, vos)	regales	comas	escribas
(él, ella, usted)	regale	coma	escriba
(nosotros, nosotras)	regalemos	comamos	escribamos
(vosotros, vosotras)	regaléis	comáis	escribáis
(ellos, ellas, ustedes)	regalen	coman	escriban

	VENIR	IR	PODER	TENER	HACER	SER	SALIR
(yo)	venga	vaya	pueda	tenga	haga	sea	salga
(tú, vos)	vengas	vayas	puedas	tengas	hagas	seas	salgas
(él, ella, usted)	venga	vaya	pueda	tenga	haga	sea	salga
(nosotros, nosotras)	vengamos	vayamos	podamos	tengamos	hagamos	seamos	salgamos
(vosotros, vosotras)	vengáis	vayáis	podáis	tengáis	hagáis	seáis	salgáis
(ellos, ellas, ustedes)	vengan	vayan	puedan	tengan	hagan	sean	salgan

USOS DEL SUBJUNTIVO

EXPRESAR DESEOS

Expresar deseos	Que + subjuntivo	Que aproveche. Que se mejore.
	Ojalá + subjuntivo	Ojalá no haya clase. Ojalá apruebe el examen.
Expresar confianza en que algo suceda	Espero + infinitivo (si los sujetos coinciden)	Espero llegar a tiempo. Espero aprobar el examen.
	Espero que + subjuntivo (si los sujetos son diferentes)	Espero que mi novio llegue a tiempo. Espero que te aprueben.

EXPRESAR TU OPINIÓN

OPINAR
Se utiliza un verbo de opinión (como pensar, creer, parecer**) +** que **+ indicativo si es una pregunta o es una afirmación.** ¿No crees que **es** muy valiente? Creo que **es** muy valiente. **Se utiliza con subjuntivo si está negado. No** creo que **sea** valiente.

ENUMERAR SENTIMIENTOS Y REACCIONES

Me molesta que la gente hable en el cine.

Se utiliza una expresión de sentimiento (como me da pena, me molesta, me alegra, me da miedo...**) + infinitivo si el sujeto es el mismo (si se reacciona ante lo que hacemos).**
Me alegra **celebrar** mi cumpleaños.
A mi amigo le da pena **cambiarse** de colegio.
Se utiliza con que **+ subjuntivo si los sujetos son distintos (si se reacciona ante lo que hacen otras personas).**
Me alegra que tú **celebres** tu cumpleaños.
A mi amigo le da pena que yo me **cambie** de colegio.

«ESTAR» + GERUNDIO

Ahora mismo tú estás leyendo estas páginas.

ESTAR		
estoy estás está estamos estáis están	**+**	Nadar: nadando Hacer: haciendo Escribir: escribiendo

ADVERBIOS DE LUGAR

Muy lejos – ALLÁ/ALLÍ

Lejos – AHÍ

Cerca – AQUÍ

LOS DEMOSTRATIVOS

| | CERCA ────────────────▶ MUY LEJOS | | | | | |
| | AQUÍ | | AHÍ | | ALLÍ | |
	Singular	Plural	Singular	Plural	Singular	Plural
Masculino	este	estos	ese	esos	aquel	aquellos
Femenino	esta	estas	esa	esas	aquella	aquellas

Es un jersey buenísimo, pero también carísimo.

129 €

COMPARATIVOS

De superioridad: más + **adjetivo** + que
El abrigo es más **largo** que **la cazadora.**
De inferioridad: menos + **adjetivo** + que
El gorro rojo es menos **caro** que **el verde.**
De igualdad: tan + **adjetivo** + como
El vestido es tan **caro** como **la falda.**

SUPERLATIVOS

Es muy caro/a = **Es car**ísimo/a.
Es muy barato/a = **Es barat**ísimo/a.
Es muy corto/a = **Es cort**ísimo/a.
Es muy largo/a = **Es largu**ísimo/a.
Es muy poco/a = **Es poqu**ísimo/a.

LOS PRONOMBRES INDEFINIDOS

Hablamos de personas	1 persona	0 personas
	alguien	nadie
Hablamos de cosas o ideas sin determinar	1 cosa	0 cosas
	algo	nada

En casa vivimos cinco personas: mis padres, mi hermano, mi abuela y su gato y yo.

LOS ADJETIVOS POSESIVOS

	MASCULINO	FEMENINO
yo	mi **hermano** / mis **hermanos**	mi **hermana** / mis **hermanas**
tú, vos	tu **abuelo** / tus **abuelos**	tu **abuela** / tus **abuelas**
él, ella, usted	su **sobrino** / sus **sobrinos**	su **sobrina** / sus **sobrinas**
nosotros, nosotras	nuestro **tío** / nuestros **tíos**	nuestra **tía** / nuestras **tías**
vosotros, vosotras	vuestro **primo** / vuestros **primos**	vuestra **prima** / vuestras **primas**
ellos, ellas, ustedes	su **nieto** / sus **nietos**	su **nieta** / sus **nietas**

LOS PRONOMBRES POSESIVOS

MASCULINO	FEMENINO
El mío / **Los** míos	**La** mía / **Las** mías
El tuyo / **Los** tuyos	**La** tuya / **Las** tuyas
El suyo / **Los** suyos	**La** suya / **Las** suyas
El nuestro / **Los** nuestros	**La** nuestra / **Las** nuestras
El vuestro / **Los** vuestros	**La** vuestra / **Las** vuestras
El suyo / **Los** suyos	**La** suya / **Las** suyas

Transcripciones

Pista 2

1. María hizo un curso de inglés en Oxford en verano.
2. Hace un tiempo, Pepa estuvo en los Pirineos de *camping* con su familia.
3. Antonio viajó por primera vez en tren cuando tenía siete años.
4. El año pasado, Marcos no fue de vacaciones porque suspendió muchas asignaturas.
5. Esta semana, Elisa ha vuelto de sus vacaciones en Mallorca.
6. En enero, Julián y Raquel estuvieron esquiando en Sierra Nevada.

Pista 3

Raúl: Ángeles, ¿cómo ha ido tu viaje?

Ángeles: ¡Muy bien, la verdad! Ha sido una semana muy completa.

Raúl: ¿El viaje fue incómodo?

Ángeles: No, estaba más cerca de lo que yo creía. Fui en tren hasta León y, desde allí, en autobús hasta un pueblo que se llama Boñar. En el pueblo, nos estaban esperando y nos llevaron en coche hasta el *camping*.

Raúl: ¿Y qué tal todo? ¿Estaba bien organizado?

Ángeles: Sí, muy bien. Nos asignaron una tienda para cada cuatro personas y nos dieron el programa con los horarios y las actividades.

Raúl: ¿Actividades? Creía que se trataba de un campamento de inglés.

Ángeles: Claro, pero eso significa que todo lo hacíamos en inglés, no que nos pasábamos el día dando clases. Hacíamos muchas cosas.

Raúl: ¿Ah, sí? ¿Por ejemplo?

Ángeles: Pues teníamos actividades deportivas. Hicimos *rafting*, eso de bajar un río en barcas de gomas, montamos a caballo, organizamos un espectáculo teatral, nos enseñaron un poco de escalada, hicimos orientación por el bosque y dimos muchos paseos por la montaña.

Raúl: ¡Estupendo! Y la gente,

¿qué tal?

Ángeles: También muy bien. Los monitores eran simpáticos y estaban muy preparados y mis compañeros resultaron estupendos. He hecho buenos amigos y algunos son de aquí, de Madrid, así que ya te los presentaré.

Pista 4

a. - Hoy me dan los resultados del examen de Historia. ¡Ojalá estén bien!
 - Seguro que sí. Espero que apruebes y saques buenas notas.
 - Gracias.

b. - ¡Ojalá consiga mucho dinero el día de mi cumpleaños!
 - Sé que a todos les has pedido dinero, espero que lo utilices para algo bueno.
 - Espero que consigamos ahorrar lo suficiente para comprarnos una moto mi hermano y yo.

c. - Espero que hoy no toque examen sorpresa de Historia.
 - ¿Y eso?
 - Es que no me sé muy bien la lección. Ojalá el *profe* busque hoy otra actividad.
 - ¡Ojalá!

Pista 5

Pepe Lobos: aprobado. Tienes que mejorar sobre todo la producción escrita. Ana López: suspenso. Voy a llamar a tus padres después de clase. Angélica Charro: Aprobado. José Gorris: suspenso. Voy a hablar contigo. Nacho Gómez: sobresaliente. Un examen excelente. María Sánchez: notable. Si sigues así, la nota final será sobresaliente.

Pista 7

Iván: Me cuestan los verbos.

Laura: Para mí lo más difícil es entender los textos.

Simón: Los españoles hablan demasiado rápido.

Juana: Me cuesta pronunciar la jota.

Luis: No consigo aprender y acordarme de las palabras.

Pista 8

Gabriel: ¿Sabes que estoy aprendiendo alemán?

Rocío: No, no lo sabía. ¿Y para qué lo estudias?

Gabriel: No sé, me apetecía. Pero es muy difícil. Me cuesta mucho aprenderlo y sobre todo hablarlo. Tú lo hablas bien, ¿no?

Rocío: Bueno, bien, bien, no. Lo aprendí cuando vivíamos en Alemania, claro, pero nos volvimos a España cuando tenía 9 años y se me ha olvidado mucho.

Gabriel: He pensado que podemos practicar de vez en cuando. Podemos hablar en alemán un día a la semana durante un rato. ¿Qué te parece?

Rocío: Se me hace raro, pero si quieres que te ayude...

Gabriel: Es que en la academia donde estudio solo hacemos gramática, no hablamos casi nada y además los profesores no son nativos.

Rocío: Es importante hablar. Tienes que perder el miedo a equivocarte. Usa los recursos que te da tu lengua. Escucha programas de radio o de televisión, ve películas...

Gabriel: Sí, sí, eso ya lo hago, pero hablar es más complicado porque no conozco a nadie y por Lugo no hay muchos alemanes... Por eso tu ayuda es importante.

Rocío: Bueno, pues si quieres empezamos ahora mismo. ¡Ojalá sea capaz de ayudarte!

Pista 9

1. Paula tiene frío. Es invierno y es muy friolera.
2. Amelia es muy antipática, siempre está de mal humor y parece enfadada.
3. La madre de Carlos es muy autoritaria, siempre da órdenes.
4. Fátima es muy estudiosa y trabajadora. Es muy responsable.
5. Isabel es muy graciosa y chistosa. Siempre está de buen humor y le gusta hacer bro-

mas.

6. Julián es un soñador y es muy romántico. Siempre está distraído, pensando en otras cosas.
7. Paco tiene mucho sueño, está cansado. Se va a ir a dormir.
8. Alberto tiene hambre. Es muy comilón y ya es la hora de la merienda.
9. Cristina está aburrida, no sabe qué hacer.
10. Mónica tiene miedo, está asustada. Es que ha visto una película de terror.
11. Silvia es muy optimista y siempre está alegre.
12. Raúl está enfadado, muy enfadado. Su equipo de fútbol ha perdido el partido.

Pista 11

Marta: Ana, ¿cómo te caen los compañeros de clase?

Ana: Bueno, todavía no los conozco bien, pero hay gente que está bien y gente que no me gusta. Aurora me cae fatal, es supercreída y muy egoísta.

Marta: A mí el que peor me cae es Matías, es muy falso.

Ana: ¿Y qué piensas de Luis?

Marta: Me cae fenomenal, es simpático y generoso. En cambio, me cae de pena Rosa, es aburrida.

Ana: Sí, y muy desordenada. También me cae mal Lorenzo, es demasiado serio.

Marta: El que mejor me cae es Antonio, es sincero, optimista, bromista y generoso.

Pista 12

1. - Hola, Lourdes, ¿te pasa algo? Pareces preocupada.
   - Es que el periódico dice que hay muchos ladrones en la ciudad. ¡Qué miedo!
2. - Santiago, ¿qué te pasa?
   - Es que se me ha roto el pantalón y se me ve el calzoncillo. ¡Qué vergüenza!
3. - Ana, estás muy triste.
   - Es que mi perro está muy enfermo.
   - ¡Qué pena!
4. - Hola, Leonardo, te veo muy contento.
   - Es que Sara me invita a su fiesta y eso me alegra.
   - ¡Qué guay!
5. - Elena, ¿te pasa algo? Pareces enfadada.
   - Sí, estoy muy enfadada. Me han puesto un examen para el lunes y no puedo ir a esquiar. Me molesta mucho.
   - ¡Qué rollo!
6. - Hola, Ramón, tienes cara de pocos amigos. ¿Te pasa algo?
   - Pues que no sé dónde está mi móvil y me preocupa.
   - ¡Qué rabia!

Pista 13

Roberto: Oye, Diana, ¿a ti te cae bien Miguel Ángel?

Diana: Bueno, sí, es simpático, aunque no hemos hablado mucho porque es muy callado.

Roberto: Es que me ha invitado a su casa y es la primera vez que me dirige la palabra. La verdad, me preocupa un poco que me invite a su casa así, la primera vez que hablamos.

Diana: Es muy amigo de Sara y yo creo que se parecen mucho.

Roberto: Pero si Sara es muy extrovertida... Es divertida y habladora, tiene muchos amigos, es muy popular. Miguel Ángel es muy tímido. Es amable sí, pero normalmente no participa mucho en el grupo. No sé por qué me ha invitado, la verdad.

Diana: ¿Pero te ha invitado solo a ti?

Roberto: No, también estarán Lucas y Luisa.

Diana: No sé, es un grupo extraño. Lucas es muy optimista y generoso, pero Luisa es pesimista y tímida. Y además a ti no te caen nada bien.

Roberto: Sí, pero tengo ganas de conocer mejor a Miguel Ángel y esta es una oportunidad. Además, no creo que Luisa y Lucas sean malas personas, no los conozco mucho, eso es todo, pero eso no significa que no me caigan bien.

Diana: Bueno, puede ser la ocasión para conocer mejor a unos compañeros de clase.

Pista 15

Instructor: Tomás. Aquí reduce. ¿Ves aquel cartel? ¿Qué significa?

Tomás: Que estamos cerca de una curva peligrosa, y por tanto, tengo que reducir y frenar...

Instructor: Sí, reduce, no frenes inmediatamente... bien, cuidado. ¿Qué haces? ¡Párate! ¿No has visto la señal?

Tomás: ¿Qué señal?

Instructor: La de dirección prohibida...

Tomás: Ah, no, no la he visto. Perdone...

Instructor: Mal, cuidado... Ahora nos acercamos a una rotonda... pero ¿qué haces? ¡No aceleres, frena! ¡Frena!

Pista 17

Ricardo: Acabo de leer una encuesta en el periódico sobre las profesiones que más nos gustan a los chicos y resulta sorprendente.

Teresa: ¿Ah, sí? ¿Y por qué?

Ricardo: Bueno, pues porque la mayoría de los chicos queremos ser futbolistas y la mayoría de las chicas queréis ser profesoras.

Teresa: Bueno, ¿qué tiene eso de extraño? Os pasáis el día jugando al fútbol o hablando de vuestros equipos...

Ricardo: Hombre, pero eso no significa que queramos ser futbolistas. Pero bueno, me extraña porque hay mucha diferencia entre los chicos y las chicas. Nosotros preferimos ser futbolistas y luego policías e ingenieros, mientras que vosotras queréis ser profesoras y luego veterinarias o médicas.

Teresa: Pues a mí me gustaría más trabajar con ordenadores. No sé, hacer videojuegos o algo así. ¿Y tú? ¿Tú también quie-

Transcripciones

res ser futbolista?

Ricardo: No te rías... No, a mí me gusta el fútbol, pero me temo que no sería muy bueno. Yo quiero ser veterinario. Bueno, no sé, en realidad quiero trabajar con animales, pero no me apetece mucho curarlos; me gustaría estudiarlos.

Teresa: O sea, que a ti te gustaría hacer una profesión de chica y a mí una de chico...

Ricardo: Bueno, eso es lo que dicen las encuestas.

Pista 19

1. A mí me gusta mucho ver pelis en el cine.
2. Me encanta practicar deporte.
3. ¿Os gusta jugar con la consola?
4. No me gusta demasiado ver la tele.
5. A mí me entusiasma leer.
6. Siempre estoy tocando la guitarra, me encanta la música.
7. No solemos hacerlo, pero nos gusta ir a fiestas.

Pista 20

Luz: Bueno, pues yo soy muy vaga, no me gusta el deporte, así que me muevo poco. ¿Y tú, Toni?

Toni: No, a mí el deporte me gusta mucho. Nado tres veces a la semana y muchos sábados juego al baloncesto con mis amigos. Además patino mucho y voy en bici a todas partes. Como siempre cosas fritas, necesito moverme mucho.

Luz: Claro. Yo, en cambio, como cosas muy sanas y por eso no necesito hacer deporte.

Toni: No te creas. Hacer deporte es tan importante como dormir bien.

Luz: Yo no hago deporte, pero duermo mucho. A veces más de 12 horas.

Toni: ¡Pero es demasiado! Yo duermo 8 horas, que es lo adecuado.

Luz: Bueno, pero tú pasas mucho tiempo en Internet y eso tampoco es bueno.

Toni: Sí, lo sé. Pero tú también estás mucho tiempo con el ordenador y además no te mueves.

Pista 21

Luz: Bueno, Raquel, ¿has pensado ya qué harás en tu fiesta?

Raquel: Sí, claro, lo tengo todo organizado. Será mejor que la del año pasado, verás.

Luz: Cuenta, cuenta.

Raquel: A ver, lo primero la música. No habrá grupo en directo, pero tendremos un DJ. Es un amigo de mi hermano Paco, trabaja en locales de noche y tiene hasta un disco suyo.

Luz: ¿Pero será en un club? Creía que era en tu casa.

Raquel: Sí, sí, en casa. Él trae su música, yo he estado en una sesión que organizó mi hermano y es genial, música electrónica muy bailable.

Luz: ¿Y estarás tus padres?

Raquel: No, se van a cenar fuera. Me han dado hasta las 11, pero luego, cuando vuelvan, tengo que ponerlo todo en orden. Espero que me ayudéis.

Luz: Claro que sí. ¿Y vas a poner algo para comer?

Raquel: No sé, he pensado que queda muy de niños pequeños, ¿no? Supongo que pondré algo para picar, patatas fritas y esas cosas, pero ya está. Cuando la gente se vaya, los íntimos podemos comer una *pizza*.

Luz: No me parece bien que tengas solo cosas así porque si la gente no cena en casa se va a morir de hambre.

Raquel: Hombre, si alguien tiene hambre puede tomar algo de la nevera. En principio habrá solo patatas fritas y mucha bebida, refrescos y un cóctel de frutas con buena pinta que he encontrado en Internet.

Luz: E imagino que no organizarás juegos ni nada de eso, ¿verdad?

Raquel: Claro que no. Eso es como la comida, para fiestas de críos. Nosotros ya somos grandes.

Pista 25

David: Mira, Gonzalo, mi padre me ha pasado su teléfono viejo y está muy bien.

Gonzalo: ¡Hala, es un teléfono inteligente!

David: Sí, hace de todo, navega por Internet, lee el correo electrónico, tiene un montón de juegos y te puedes bajar las aplicaciones que quieras.

Gonzalo: Pero cuestan, ¿no?

David: Hay muchas gratis y otras son de pago. Yo me he descargado muchas que me ha aconsejado mi primo Felipe, puedo consultar las películas del cine, ver vídeos de YouTube, hacer fotos y editarlas, escuchar mi música... En fin, tiene de todo.

Gonzalo: ¡Qué suerte! A mí me han dicho mis padres que, si apruebo todo, quizá me compren uno.

David: Es que son imprescindibles, yo no sé cómo se puede vivir sin uno.

Gonzalo: Oye, ¿y pagas mucho de contrato al mes?

David: He cogido una oferta de voz y datos, tengo 400 minutos de llamadas al mes, 400 SMS y 2 gigas de datos y pago 20 euros al mes.

Gonzalo: ¡Uf, es un poco caro!

David: Pero ya no tienes que gastarte nada más, con esos minutos tienes suficiente y para los mensajes entre los que te dan y el whatsapp no necesitas más.

Gonzalo: Sí, tío, pero luego hay que pagar las aplicaciones que descargas... no sé.

David: Verás, en cuanto lo tengas, ya no podrás vivir sin él.

Cuaderno de ejercicios

Nivel 3

Alicia Jiménez
Juan Manuel Fernández
Rosa Basiricó

edelsa
GRUPO DIDASCALIA, S.A.

índice

Está organizado en 6 unidades y, cada una, en 2 lecciones como tu libro.

Actividad de práctica con el texto de la lección.
Haz los ejercicios después de leer o escuchar el texto de tu libro y después de hacer las actividades de **Comprendo.**

Conoce los objetivos y los ejercicios.

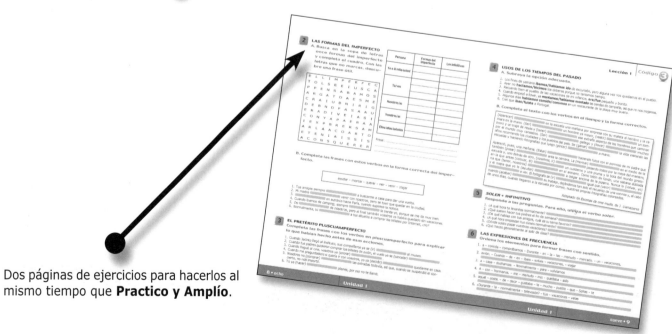

Dos páginas de ejercicios para hacerlos al mismo tiempo que **Practico y Amplío.**

Una página extra de ejercicios para hacer después de las actividades de **Tu biblioteca de español** de tu libro.

Más ejercicios para hacer después de las actividades de **Tu rincón hispano** de tu libro.

Evalúa tus conocimientos, después de hacer todas las actividades de tu libro y antes de **Preparo mi examen**.

Traduce las palabras más importantes de la unidad a tu lengua y apréndelas.

UNIDAD 1

Cuenta tus acontecimientos vividos

Contenido y actividades

1. Repasar las formas y los usos del pretérito imperfecto.
2. Practicar las formas y los usos del pretérito pluscuamperfecto.
3. Reforzar los usos contrastados de los diferentes tiempos del pasado.
4. Formar frases con *soler* + infinitivo.
5. Expresar la frecuencia.
6. Relatar una historia pasada.
7. Situar temporalmente una acción: *hace* + cantidad de tiempo.
8. Afianzar las expresiones de tiempo.
9. Fortalecer las oraciones temporales.
10. Ejercitar el léxico de las vacaciones.

Habla del mundo que conoces

1 ¿QUÉ TAL TUS VACACIONES?

Completa el diálogo con las palabras del recuadro.

> ayer – billetes – cómo – cuando – habían – han – Íbamos – instituto – playa
> – preciosa – prontísimo – Qué – Solíamos – vuelta – ya

Javier: Hola, Lourdes, otra vez al __instituto__, ¿eh? ¿Qué tal todo?

Lourdes: Hola, Javi. Fenomenal. Y tú, ¿__cómo__ estás?, ¿qué tal por Asturias?

Javier: Pues un poco cansado. Es que volvimos __ayer__, pero nos lo hemos pasado muy bien. Asturias es __preciosa__.

Lourdes: Pero tú __ya__ habías estado por allí, ¿no?

Javier: Bueno, sí, había ido dos o tres veces __cuando__ era pequeño, pero no la recordaba así. Además, este año estaban mis primos y nos hemos divertido mucho. __Íbamos__ a la playa todos los días nosotros solos y, a veces, por las tardes, dábamos una __vuelta__ por el pueblo. Y tú, ¿al final fuiste a Grecia?

Lourdes: ¡No, qué va! Hemos ido a Alicante. Pensábamos ir a Grecia, pero tuvimos que cambiar de planes porque no encontramos __billetes__ baratos. Pero bien, allí conozco a mucha gente y me lo he pasado muy bien. Yo también iba sola a la __playa__, pero por la noche no me dejaban salir. Salí con mis amigas el primer día, pero llegué a casa casi a las once y mis padres me __habían__ dicho a las diez. Cuando llegué, estaban muy preocupados y bastante enfadados.

Javier: ¡A las diez en verano, es __prontísimo__!

Lourdes: Ya conoces a mis padres... pero bueno, ha estado muy bien. Me he bañado mucho, he comido arroces buenísimos y lo mejor es que he conocido a una chica de Manchester muy simpática. __Solíamos__ vernos por las tardes y hablábamos siempre en inglés. Sus padres me __han__ invitado a su casa y los míos están de acuerdo. Así que mi próximo viaje: Inglaterra. ¡Y yo sola!

Javier: ¡__Qué__ suerte!

2 LAS FORMAS DEL IMPERFECTO

A. Busca en la sopa de letras once formas del imperfecto y completa el cuadro. Con las letras que no marcas, descubre una frase útil.

```
E L L I M P E R F E C
T O L S E E I U S C A
P P E N S A B A M O S
A R G A T D A E S M E
C R A I U B N I R I G
D E B N D P A S A A U
E R A D I V E I A S I
C O N Y A P A E R A A
I E X P B R E R S A M
A R L A A C O A R T O
E T E N I A I S S I S
A C O N S Q U E R E R
```

Persona	Formas del imperfecto	Los infinitivos
Yo o él/ella/usted	decía	decir
	era	ser
Tú/vos	comías	comer
	veías	ver
	eras	ser
Nosotros/as	pensábamos	pensar
	seguíamos	seguir
Vosotros/as	estudiabais	estudiar
	teníais	tener
Ellos/ellas/ustedes	llegaban	llegar
	iban	ir

Frase: ..... **El imperfecto se usa para describir** ..... **en pasado y para expresar la cortesía con** ..... *querer.* .....

B. Completa las frases con estos verbos en la forma correcta del imperfecto.

> ayudar – montar – querer – reír – venir – Viajar

1. Tus amigos siempre **venían** a buscarme a casa para dar una vuelta.
2. Mi madre **quería** venir con nosotros, pero se tuvo que quedar en la ciudad.
3. **Viajábamos** en autobús hacia París, cuando supimos la noticia.
4. Cuando íbamos de *camping*, siempre **montaba** la tienda yo, porque se me da muy bien.
5. Os **reíais** de nosotros, pero al final también vosotros os habéis quedado sin vacaciones.
6. Normalmente, tú **ayudabas** a tus abuelos a comprar los billetes por Internet, ¿no?

3 EL PRETÉRITO PLUSCUAMPERFECTO

Completa las frases con los verbos en pluscuamperfecto para explicar lo que habían hecho antes de esas acciones.

1. Cuando Jacinto llegó al instituto, sus compañeros ya se (ir) **habían ido** al museo.
2. Cuando tus padres quisieron comprar los billetes de avión, el vuelo ya se (cancelar) **había cancelado** .
3. Cuando llegué al cine, vosotros ya (entrar) **habíais entrado** .
4. Cuando me preguntasteis si quería ir con vosotros, yo ya (decidir) **había decidido** quedarme en casa.
5. Nosotros no (comprar) **habíamos comprado** las entradas todavía, así que, cuando se suspendió el concierto, no nos importó.
6. Tú ya (hacer) **habías hecho** planes, por eso no te llamé.

4 USOS DE LOS TIEMPOS DEL PASADO

A. Subraya la opción adecuada.

1. Los fines de semana **íbamos**/habíamos ido de excursión, pero alguna vez nos quedamos en el pueblo.
2. Ayer no hacíamos/**hicimos** los deberes porque no teníamos tiempo.
3. Recuerdo bien el pueblo de las vacaciones de mi infancia, **era**/fue pequeño y bonito.
4. Cuando empezó a llover, ya montamos/**habíamos montado** las tiendas de campaña, así que no nos mojamos.
5. Algunos días habíamos comido/**comimos** en un restaurante de la playa muy bueno.
6. Creí que **ibas**/fuiste a Portugal.

B. Completa el texto con los verbos en el tiempo y la forma correctos.

(Aparecer) **Apareció** en la escuela una mañana por sorpresa con su maleta al hombro y la cámara en la mano. (Ser) **Era** un hombre ya mayor, (vestir) **vestía** un sombrero y un traje de rayas y (tener) **tenía** ese extraño aspecto de los hombres que caminan por el mundo muy cansados. (Ser) **Era** gallego y (llevar) **llevaba** muchos años recorriendo las ciudades y los pueblos del país. Se (ganar) **ganaba** la vida visitando las escuelas y haciendo fotografías que luego (pintar) **pintaba** a mano.

Apareció, pues, una mañana. (Estar) **Estuvo** haciendo fotos con el permiso de mi padre que también (posar) **posó** ante la cámara. La (montar) **había montado** en el medio de la escuela y, uno detrás de otro, (nosotros, ir) **fuimos** pasando todos por la mesa del maestro, en la que antes (colocar, él) **había colocado** un cuaderno y una pluma y la bola del mundo giratoria que (tener, nosotros) **teníamos** en el armario. Como telón de fondo, una sábana doblada y el mapa que yo le (ayudar) **había ayudado** a colgar encima de la pizarra. Nunca lo (volver, yo) **volví** a ver. El fotógrafo se (ir) **fue** igual que (venir) **había venido** cuando (acabar) **acabó** su trabajo, dejándonos tan solo el recuerdo de una sonrisa y, al cabo de unos días, cuando llegaron a la escuela por correo, nuestras propias fotografías coloreadas.

Adaptado de *Escenas de cine mudo*, de J. Llamazares

5 SOLER + INFINITIVO

Responde a las preguntas. Para ello, utiliza el verbo *soler*.

1. ¿A qué hora te levantas normalmente?
2. ¿Qué suelen hacer tus padres el fin de semana?
3. ¿De qué hablas con tus amigos, cuál es tu tema favorito?
4. ¿A qué hora empiezan tus clases normalmente?
5. ¿Dónde soléis pasar vuestras vacaciones?
6. ¿Qué haces generalmente al salir de clase?

6 LAS EXPRESIONES DE FRECUENCIA

Ordena los elementos para formar frases con sentido.

1. a – comida – comprábamos – Durante – en – la – las – menudo – mercado. – un – vacaciones,
   Durante las vacaciones, a menudo comprábamos la comida en un mercado.
2. avión. – Cuando – de – en – ibais – solíais – vacaciones, – viajar
   Cuando ibais de vacaciones, solíais viajar en avión.
3. a – casa – ducharnos. – Normalmente – para – volvíamos
   Normalmente volvíamos a casa para ducharnos.
4. A – con – hermanos. – me – menudo – mis – quedaba – solo
   A menudo me quedaba solo con mis hermanos.
5. aquel – costa. – de – decir – gustaba – la – mucho – pueblo – que – Solías – te
   Solías decir que te gustaba mucho aquel pueblo de la costa.
6. ¿Durante – la – normalmente – televisión? – tus – vacaciones – veías
   ¿Durante tus vacaciones veías normalmente la televisión?

Lección 2 · Relata tus experiencias

 1 **RELATA TUS EXPERIENCIAS**

Subraya la opción adecuada según el sentido del texto.

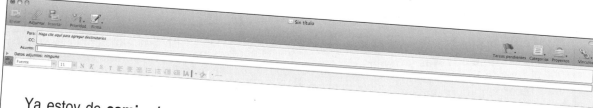

Ya estoy de **camino/vuelta** de las vacaciones y te tengo que contar una historia que quiero recordar durante mucho tiempo. Hace un par de años **estuve/fui** con mis padres en un *camping* en los Alpes franceses y allí conocí a Pierre, un chico de París muy simpático. Hablaba algo de español, así que nos hicimos amigos y **pasamos/viajamos** dos semanas muy buenas. **Antes/Después** de aquel verano, nos escribimos alguna vez alguna postal, pero perdimos el contacto.

Este verano lo he vuelto a encontrar en un *camping* de Tossa del Mar. Llegamos a finales de junio y no había mucha gente, a los pocos días **todavía/ya** nos conocíamos todos. Un día por la mañana en la playa vi a un chico en la **barca/orilla** que parecía pensar lo mismo que yo, que el agua estaba demasiado **caliente/fría**. Metía un pie, lo sacaba, lo volvía a meter. Decidí acercarme a la orilla para ver si pasaba algo. No lo había visto desde hacía dos años, pero lo reconocí **después/enseguida**, era Pierre.

• Eres Pierre, ¿no?
• ¿Pilar? ¡Cuánto tiempo! ¡Qué alegría! ¿Nos bañamos o no nos bañamos?

Antes/Después de ese extraño encuentro, no dejamos de vernos ni un solo día. Pierre seguía siendo el chico divertido que había conocido dos años **antes/después** y yo estaba muy contenta de haberlo encontrado de nuevo. Ahora que han terminado las vacaciones, nos hemos prometido no perdernos de vista y hoy, al volver a **casa/clase**, me he encontrado el correo electrónico lleno de mensajes suyos con estas fotos que nos hizo su madre.

2 *HACE* + CANTIDAD DE TIEMPO

A. Responde a las preguntas. Utiliza la expresión *hace*.

1. ¿Cuándo empezaste a estudiar español?
2. ¿Cuándo fuiste al cine por última vez?
3. ¿Cuándo escribiste tu último correo electrónico?
4. ¿Cuánto tiempo hace que estás en este instituto?
5. ¿Cuándo comiste pasta por última vez?
6. ¿Cuánto tiempo hace que usas ordenador?

B. Completa con *hace* o *hacía*.

1. **Hacía** semanas que no nos veíamos, así que nos alegramos mucho al encontrarnos.
2. **Hacía** poco que había llegado a la ciudad y todavía no la conocía bien, por eso no supe encontrar la dirección.
3. **Hace** mucho que conozco a Maruja y te puedo decir que es muy sincera.
4. **Hacía** tiempo que no estaba tan contento.
5. **Hace** un año que llegué a este instituto y cada día me gusta más.
6. **Hace** un momento he visto a tu primo. Te está esperando.

3 EXPRESIONES DE TIEMPO

A. Completa cada frase con una de estas expresiones: *desde, desde... hasta, desde hace, desde hacía, hace* y *hacía... que*.

1. Uf, Julián... No nos vemos **desde hace** cinco años, por lo menos.
2. **Hacía** poco **que** se habían visto y ya eran amigos.
3. No viajo en avión **desde** 2002.
4. Su abuelo se marchó de viaje **hace** tres años y todavía no ha vuelto.
5. **Desde** 2006 **hasta** 2009 estudié en aquel instituto.
6. **Desde hacía** tres años no salían de vacaciones porque no tenían mucho dinero.

 B. Escucha y anota las acciones y los momentos en que se realizaron. Después, responde a las preguntas.

Acción	Cuándo
Estuvo en la playa	Hace un mes
Estudia idiomas	Desde hace un año
Comió con sus abuelos	Ayer
Fue a Barcelona	En 2010
Cumplió 13 años	En 3 de septiembre
No viene al instituto	Desde hace dos semanas
No se hablan	Desde febrero
Ha ido el cine	Hoy

1. ¿Cuánto hacía que Enrique no visitaba a sus abuelos?
   Hacía tres meses.
2. ¿Desde cuándo estás sin noticias de Sara?
   Desde febrero.
3. ¿Cuándo pasó Juan unos días en la costa?
   Hace un mes.
4. ¿Cuánto hacía que Luis no veía una película?
   Desde hacía dos años.
5. ¿Desde cuándo aprende lenguas Marta?
   Desde hace dos años.
6. ¿Cuándo viajó Ana en avión por primera vez?
   En 2010.
7. ¿Cuánto hace que falta a clase Belén?
   Desde hace dos semanas.
8. ¿Cuándo cumplió Carlos trece años?
   El 3 de septiembre.

4 ORACIONES TEMPORALES

A. Subraya la opción adecuada en cada frase.

1. Hoy, **antes/después** de desayunar, me he lavado los dientes, como todos los días.
2. Anoche leí un poco **antes/después** de dormirme.
3. Esta mañana he discutido con mi madre **antes/después** de salir de casa.
4. **Antes/Después** de hacer deporte hay que ducharse siempre.
5. **Antes/Después** de los exámenes me pongo muy nerviosa.
6. **Antes/Después** de pedir su ayuda, intenta resolverlo tú solo.
7. Nos fuimos al cine **antes/después** de terminar los deberes. Tendremos que trabajar esta noche.

B. Completa las frases con *antes, después, antes de, después de, hasta* o *al*.

1. Hace un tiempo visité Asturias, **hasta** ese momento no había estado nunca allí.
2. Primero montamos la tienda, **después** nos fuimos de excursión.
3. Perdimos el autobús, pero **al** poco tiempo salía otro y llegamos a tiempo.
4. **Antes de** comer visitamos el museo, pero estábamos hambrientos y lo hicimos muy rápido.
5. No han vuelto de su viaje **hasta** esta semana. Están muy contentos.
6. Sí, bajo ahora mismo, pero **antes** tengo que hacer una llamada, son dos minutos.
7. Mira, **antes de** comprar los billetes, tus padres tienen que asegurarse de que es el mejor destino para vosotros.
8. Desayunamos y **después** pensamos qué queremos visitar.
9. La película no nos gustó mucho al principio, pero **al** rato cambiamos de idea.
10. No tenemos nada que hacer **después de** terminar las clases, si queréis podemos ir al centro comercial.

5 EL LÉXICO DE LAS VACACIONES

Relaciona las palabras.

1-a; 2-g; 3-h; 4-d; 5-c; 6-b; 7-f; 8-e.

1. avión   a. azafata
2. billete   b. *camping*
3. oficina   c. embarque
4. playa   d. mar
5. tarjeta   e. monumento
6. tienda de campaña   f. tiempo libre
7. vacaciones   g. tren
8. visitar   h. información turística

Tu biblioteca de español

Carmen Laforet

1 «Por dificultades en el último momento para adquirir billetes...». Así comienza la novela. Cuando viajamos, normalmente adquirimos billetes, pero también otras cosas. Aquí tienes una lista, subraya qué cosas adquirimos normalmente en un viaje.

<u>billetes</u>, <u>postales</u>, tostadoras, <u>pilas</u>, relojes, juguetes, <u>guías</u>, sombreros, <u>entradas</u>, peces, altavoces, <u>recuerdos</u>

2 «El olor especial, el gran rumor de la gente, las luces siempre tristes, tenían para mí un gran encanto». En esta frase, la autora nos transporta al momento de su llegada a través de tres de los cinco sentidos. ¿Cuáles? ¿Cuáles faltan?

Olfato (olor), oído (rumor), vista (luces). Faltan el gusto y el tacto.

3 Observa en el texto estas palabras y relaciónalas por su sentido.

1. Calle
2. Equipaje
3. Excitante
4. Faroles
5. Tren
6. Desconocida
7. Medianoche

a. Misteriosa
b. Expreso
c. Madrugada
d. Acera
e. Ansiosa
f. Maleta
g. Luces

1-d; 2-f; 3-e; 4-g; 5-b; 6-a; 7-c.

4 Busca los contrarios.

1. asustado
2. largo
3. risueño
4. retraso
5. profundo
6. dormido
7. salida
8. pesado
9. confuso
10. asombro

a. adelanto
b. audaz
c. corto
d. despierto
e. entrada
f. indiferencia
g. ligero
h. nítido
i. superficial
j. triste

1-b; 2-c; 3-j; 4-a; 5-i; 6-d; 7-e; 8-g; 9-h; 10-f.

Tu rincón hispano

1. **Di si estas afirmaciones son verdaderas o falsas.**

                                                   V F

1. Con «A lo largo de 26 ediciones» expresamos que se ha hecho muchas veces algo. ☒ ☐
2. «Al mismo tiempo» expresa a la misma hora exacta. **Simultáneamente** ☐ ☒
3. «Que va más allá de la riqueza y la pobreza» significa que no se tienen en cuenta esos conceptos. ☒ ☐
4. Un «vuelo transoceánico» es el que sale de un continente. **Que cruza un océano** ☐ ☒
5. Si decimos que «por fin llegamos al aeropuerto» expresamos que teníamos ganas de hacerlo y que ha sido muy largo el viaje. ☒ ☐
6. «Según nos dijeron» expresa que alguien nos ha dado una información que desconocíamos. ☒ ☐
7. Si decimos que descargaron «el equipaje en la propia pista» es que el avión tiene una pista reservada donde siempre se descargan las maletas. **Que se recogen las maletas donde ha aterrizado el avión** ☐ ☒
8. «Hicimos el camino» significa que descubrimos o construimos nosotros la carretera. **Que andamos** ☐ ☒

Corrige las afirmaciones que resultaron falsas.

2. **Observa estas palabras y busca en el texto otras de su misma familia.**

pertenecer	**pertenencia**
iniciar	**iniciático**
concepto	**concepción**
formación	**formativa**
desarrollo	**desarrollar**
transcurso	**transcurrir**
costumbre	**acostumbrar**

Ahora con las que te hemos propuesto construye frases.

3. **Subraya la opción adecuada.**

Hemos preparado <u>**un programa**</u>/una escala con los contenidos del curso.
Tenemos poca **dimensión**/<u>**experiencia**</u> en este tipo de situaciones.
Es importante preparar <u>**los cimientos**</u>/la idea para nuestro futuro.
Tenemos <u>**una buena oportunidad**</u>/un buen objetivo para conseguir lo que queremos.

Escribe una frase con cada una de las palabras descartadas.

4. **Busca los contrarios.**

1. juventud	a. reducir
2. incluido	b. cortísimo
3. distante	c. vejez
4. mestizaje	d. cercano
5. ampliar	e. excluido
6. larguísimo	f. pureza

1-c; 2-e; 3-d; 4-f; 5-a; 6-b.

Escribe frases usando estas palabras.

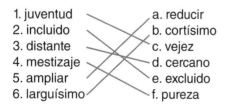

Portfolio: evalúa tus conocimientos de español.

Después de hacer la unidad 1
Fecha: ....

	Insuficiente	Suficiente	Bueno	Muy bueno
Nivel alcanzado				

Comunicación
- Puedo expresar la frecuencia con la que realizo mis actividades.
Escribe las expresiones:

- Puedo preguntar por el momento en que se realizó una actividad.
Escribe las expresiones:

- Puedo situar temporalmente un acontecimiento pasado.
Escribe las expresiones:

Gramática
- Sé usar el pretérito pluscuamperfecto.
Escribe algunos ejemplos:

- Sé usar los diferentes tiempos del pasado.
Escribe algunos ejemplos:

- Sé distinguir las expresiones *hace*, *desde hace* y *hace que*.
Escribe algunos ejemplos:

- Conozco la perífrasis *soler* + infinitivo.
Escribe algunos ejemplos:

Vocabulario
- Conozco las palabras para hablar de viajes.
Escribe las palabras que recuerdas:

- Conozco las palabras relacionadas con los medios de transporte.
Escribe las palabras que recuerdas:

Mi diccionario

Traduce las principales palabras de la unidad 1 a tu idioma.

A

acera (la) ....

acercarse (verbo irregular reflexivo) ....

acostumbrarse (verbo regular reflexivo) ....

adolescencia (la) ....

adquirir (verbo irregular) ....

alojarse (verbo regular reflexivo) ....

alquilar (verbo regular) ....

ampliar (verbo regular) ....

anotar (verbo regular) ....

ansioso, ansiosa ....

anterior ....

anterioridad (la) ....

antes ....

antiguo, antigua ....

aprobar (verbo irregular) ....

asombro (el) ....

aspecto (el) ....

aunque ....

autobiográfico, autobiográfica ....

B

bastante ....

biografía (la) ....

C

camarote, compartimento (el) ....

camping (el) ....

canjear (verbo regular) ....

cansado, cansada ....

cansarse (verbo regular reflexivo) ....

cantidad (la) ....

caravana (la), remolque (el) ....

celebración (la) ....

chofer (el) ....

civil ....

civilización (la) ....

coche, auto, carro (el) ....

coger (verbo irregular) ....

coincidir (verbo regular) ....

colectivo, camión, autobús (el) ....

comenzar (verbo irregular) ....

comprobación (la) ....

comprobar (verbo irregular) ....

común ....

comunidad (la) ....

conducir (verbo irregular) ....

confuso, confusa ....

consecuencia (la) ....

conseguir (verbo irregular) ....

construcción (la) ....

contemporáneo, contemporánea ....

continuidad (la) ....

cooperación (la) ....

corresponder (verbo regular) ....

cortés ....

cruce (el) ....

cruzar (verbo irregular) ....

D

dar una vuelta (expresión) ....

defraudar (verbo regular) ....

dejar (verbo regular) ....

demostración (la) ....

desafiar (verbo regular) ....

desconfiar (verbo regular) ....

desconocer (verbo irregular) ....

desde (expresión) ....

desde hace (expresión) ....

desesperado, desesperada ....

desfilar (verbo regular) ....

despachar (verbo regular) ....

destino (el) ....

dificultad (la) ....

dificultoso, dificultosa ....

dimensión (la) ....

divertirse (verbo irregular reflexivo) ....

E

encuentro (el) ....

enfadado, enfadada ....

enseguida ....

enseñar (verbo regular) ....

entrar (verbo regular) ....

enviar (verbo regular) ....

envidia (la) ....

envolver (verbo irregular) ....

equipaje (el) ....

equivocación (la) ....

escaso, escasa ....

espía (el, la) ....

establecimiento (el) ....

estadio (el) ....

excitado, excitada ....

excitante ....

expectación (la) ....

expedición (la) ....

expedicionario, expedicionaria ....

expresar (verbo regular) ....

expresión (la) ....

F

fabuloso, fabulosa ....

facturar, despachar (verbos regulares) ....

feliz ....

formativo, formativa ....

frecuencia (la) ....

fresco, fresca ....

fructífero, fructífera ....

fruto (el) ....

G

gasolina, bencina, nafta (la) ....
geográfico, geográfica ....
guerra (la) ....
gusto (el) ....

H

habitual ....
hace (expresión) ....

I

hacer ilusión (expresión) ....
impacto (el) ....
impresionar (verbo regular) ....
impresiones (las) ....
impulso (el) ....
inicio (el) ....
inmenso, inmensa ....
interrumpido, interrumpida ....
interrupción (la) ....
invitar (verbo regular) ....

J

justo, justa ....
juventud (la) ....

L

ladrón, ladrona (el, la) ....
lanzar (verbo irregular) ....
llenar (verbo regular) ....
lleno, llena ....
localizar (verbo irregular) ....
lógico, lógica ....
luz (la) ....

M

madrugada (la) ....
maleta, valija, petaca (la) ....
manejar (verbo regular) ....
maravilla (la) ....
mayoría (la) ....
mestizaje (el) ....
meteorito (el) ....
minucioso, minuciosa ....
misterioso, misteriosa ....
mítico, mítica ....
mozo, moza (el, la) ....

N

narrar (verbo regular) ....

O

obsequioso, obsequiosa ....
ocultar (verbo regular) ....
ola (la) ....
olor (el) ....
orilla (la) ....

P

pagar (verbo irregular) ....
participante (el, la) ....
pasaje, tique, boleto, billete (el) ....
pasajero, pasajera (el, la) ....
permitir (verbo regular) ....
pobreza (la) ....
posibilidad (la) ....
posterior ....
posterioridad (la) ....
preocupado, preocupada ....
prismáticos (los) ....
profundo, profunda ....
prometer (verbo regular) ....
protagonista (el, la) ....
próximo, próxima ....

Q

quedar (verbo regular) ....

R

rato (el) ....
reciente ....
relato (el) ....
reportaje (el) ....
respiración (la) ....
retraso (el) ....
riqueza (la) ....
risa (la) ....
ruina (la) ....
ruta (la) ....

S

sabio, sabia ....
sensación (la) ....
simultáneo, simultánea ....
sin embargo (expresión) ....
situación (la) ....
subte, metro (el) ....

T

tachar (verbo regular) ....
tebeo (el) ....
todavía ....
tontería (la) ....
traer (verbo irregular) ....
tranquilo, tranquila ....
transporte (el) ....
tranvía (el) ....

U

usar (verbo regular) ....
útil ....

V

varios, varias ....
vecino, vecina (el, la) ....

UNIDAD 2

Conoce tu forma de aprender

Contenido y actividades

1. Entender un discurso de bienvenida.
2. Repasar las formas del presente de subjuntivo.
3. Expresar deseos.
4. Aconsejar.
5. Fortalecer los adjetivos para describir a los profesores.
6. Comprender un diálogo con consejos.
7. Relatar una historia pasada.
8. Reforzar las formas de verbos irregulares en subjuntivo.
9. Afianzar las expresiones de finalidad.

Expresa tus deseos para el nuevo curso

1 MENSAJE DE BIENVENIDA

Completa con los verbos en la forma correcta.

Bienvenidos y bienvenidas un año más. Este año también damos la bienvenida a tres nuevos profesores: el profesor Pepe Sánchez, que (estudiar) ......**estudió**...... en nuestro instituto y que se encarga de las clases de Inglés; la profesora Nuria Banderas, que junto con el profesor García, a quien todos (conocer) ......**conocéis**...... , da clases de Geografía; la profesora Marisol Gorris, que da clases de Español. A los tres les (desear, nosotros) ...**deseamos**... que (pasar) .....**pasen**...... un año rico de experiencias positivas, que (saber) .....**sepan**..... aprovechar las oportunidades que nuestro instituto da a sus colaboradores. ¡Ojalá (seguir) .....**sigan**...... con nosotros el año que viene!

Y a vosotros, queridos estudiantes, dejadme que os cuente una historia. Cuando (tener) ......**tenía**...... 13 años, no tenía ni idea de lo que iba a ser de mayor, pero (seguir) ......**seguí**...... estudiando. Hoy soy profesora y directora, y, además, en el mismo instituto que me ayudó en mi formación. A todos os digo: (estudiar) .....**estudiad**... con pasión y así espero que todos vuestros planes se (hacer) ......**hagan**.... realidad.

Como repito todos los años, deseo insistir en lo obligatorio del respeto de las normas del centro. Os recuerdo que (estar) ......**está**...... prohibido utilizar el móvil en cualquier lugar del instituto y que la puntualidad (ser) ......**es**........ fundamental. Os ruego que (cuidar) .....**cuidéis**.... vuestras aulas y el patio. Además, es para mí una satisfacción poder comunicaros que ya tenemos una nueva sala de informática situada en la tercera planta, entre la biblioteca y el laboratorio de Biología. Además, han instalado en cada aula una pizarra digital.

Nuestro objetivo es formaros como personas libres, con creatividad y responsabilidad y, para ello, necesitamos vuestra colaboración.

2 LAS FORMAS DEL SUBJUNTIVO

Localiza 15 formas del subjuntivo y clasifícalas según la persona gramatical.

Persona	Formas del subjuntivo
Yo o él/ella/usted	estudie, lea, cante, abra, salga
Tú/vos	escribas, bebas, bailes
Nosotros/as	vivamos, seamos
Vosotros/as	esperéis, tengáis
Ellos/ellas/ustedes	sean, compren, viajen, respondan

3 EXPRESAR DESEOS

A. Escucha e identifica a qué situación corresponde cada diálogo.

1. ④

2. ①

3. ③

4. ②

5. ⑤

B. Observa ahora las frases, complétalas con los verbos en subjuntivo y relaciónalas con las imágenes anteriores.

1. Espero que mis padres (llegar)　**lleguen**　a tiempo al tren.
2. ¡Que (aprovechar)　**aproveche**　!
3. ¡Que os (divertir)　**divirtáis**　y que os (gustar)　**guste**　la película!
4. ¡Que (descansar)　**descanses**　!
5. ¡Hasta mañana y que te (mejorar)　**mejores**　!

C. Relaciona las frases para formar diálogos y complétalos con la forma correcta del subjuntivo.

1. Juan ha perdido su reloj.
2. Achús, achús.
3. Bueno, me voy a clase, que tengo un examen.
4. Adiós, nos vemos a la vuelta.
5. Adiós, papá, nos vamos de fiesta.

1-d; 2-e; 3-a; 4-b; 5-c.

a. ¡Que (ser) **sea** fácil y que (aprobar) **apruebes** !
b. ¡Que (tener) **tengáis** buen viaje!
c. ¡Que lo (pasar) **paséis** bien!
d. Ojalá lo (encontrar) **encuentre** pronto.
e. Salud, que te (mejorar) **mejores** .

4 ACONSEJAR

A. Completa los consejos que estos padres le dan a su hija.

1. Queremos que (estudiar) **estudie** una carrera interesante.
2. No quiero que (escuchar) **escuche** ese tipo de música.
3. No quiero que (comer) **coma** tantos pasteles.
4. Queremos que (leer) **lea** más.
5. Quiero que (aprender) **aprenda** varios idiomas.
6. Quiero que (ayudar) **ayude** a tus amigas.
7. No queremos que (llegar) **llegue** tarde a casa.

B. Y tus padres, ¿qué consejos te dan? Escribe 5 consejos más.

1. ....
2. ....
3. ....
4. ....
5. ....

5 LOS ADJETIVOS PARA DESCRIBIR A LOS PROFESORES

Escribe el adjetivo contrario. Para ayudarte, te damos algunas letras.

1. Accesible — i**NA**c**C**e**S**i bl**E** o d**IST**a**NT**e
2. Alegre — **TR**I**ST**e
3. Atento — **FR**í**O** o **D**is**TANT**e
4. Creativo — **MO**n**ÓTO**no
5. Curioso — **A**p**ÁT**I**CO**
6. Difícil de entender — **CL**a**r**O
7. Exigente — **BEN**é**vOLO**
8. Flexible — i**NR**A**NS**I**GENT**e o rí**GIDO**
9. Pasivo — a**CT**I**v**o o p**A**r**TI**ci**PAT**I**v**O
10. Preparado — i**M**p**ROVI**s**ADO**
11. Puntual — **IMP**u**NTUAL**
12. Vago — **TRA**b**A**J**AD**Or

Una lengua, un mundo

1 ¡QUÉ DIFÍCIL!

A. Lee el diálogo de Carla y sus amigos y ponlo en orden.

2 Mario: Aprender un idioma extranjero puede ser más sencillo de lo que parece. Lo mejor es que practiques y leas mucho.

5 Nuria: Mira, lo mejor es que busques personas nativas con intereses similares a los tuyos y que te comuniques con ellos por chat, foros... Eso te ayuda a mejorar tu fluidez.

1 Carla: No me va muy bien en clase de Español, saco malas notas, es que me cuesta mucho estudiar la gramática y escribir textos. No sé qué hacer.

4 Mario: Sí, sí, pero ponte a estudiar en serio todos los días. No tienes por qué hacer siempre las mismas actividades. Puedes hacer los deberes, leer un poco, escribir textos, repasar vocabulario o gramática, escuchar audios o ver un vídeo divertido.

6 Mario: Sí, sí, y es muy importante que repases lo que te corrige tu profesor y que hagas muchos ejercicios.

3 Nuria: Sí, tienes razón, Mario, pero lo primero de todo es que confíes en ti misma, que no seas vergonzosa y que pierdas el miedo a cometer errores al hablarlo. Disfruta al conocer nuevas palabras, nuevas culturas y nuevas formas de expresarte.

7 Nuria: Recuerda que lo más importante es que te diviertas y que quieras seguir aprendiendo. Si no estás motivado, no vas a querer seguir.

B. ¿Con quién estás más de acuerdo, con Mario o con Nuria? ¿Por qué? Escribe un párrafo justificando tu opinión.

....
....
....
....
....
....

2 FORMAS IRREGULARES DEL SUBJUNTIVO

A. Completa la tabla con la primera persona del presente de indicativo y del subjuntivo de estos verbos irregulares. Luego, indica qué irregularidad tiene cada uno.

	ir	ser	sentir	medir	despedir
Presente de indicativo	voy	soy	siento	mido	despido
Presente de subjuntivo	vaya	sea	sienta	mida	despida
Irregularidad	v-y	-e-	-ie-	-i-	-i-

	querer	dormir	tener	venir	decir
Presente de indicativo	quiero	duermo	tengo	vengo	digo
Presente de subjuntivo	quiera	duerma	tenga	venga	diga
Irregularidad	-ie-	-ue-	-g-	-g-	-ig-

B. Completa con la forma correcta del presente de subjuntivo.

1. Sara quiere que sus amigos le (decir) **digan** siempre la verdad.
2. Jaime espera que su profesor de Español le (explicar) **explique** bien la gramática.
3. No pienso que (querer, ellos) **quieran** venir con nosotros mañana.
4. Quiero que (venir) **venga** Susana a mi casa.
5. Ojalá (volver, tú) **vuelvas** pronto de Argentina.
6. Su madre no quiere que (salir) **salga** todos los fines de semana.
7. No es cierto que Lola (estar) **esté** enferma.
8. Me alegro de que te (buscar) **busque** un buen amigo con quien estudiar.
9. Sus profesores le aconsejan que (dormir) **duerma** mucho antes de un examen.
10. Me alegro de que (medir, tú) **midas** tanto. Has crecido mucho.

C. Lee este manifiesto de la paz y complétalo con estos verbos en la forma del subjuntivo. Luego, escucha y comprueba.

> haber – impedir – negar – oír – pedir – poder – poner – querer – ser – tener – vivir

No queremos que **haya** más guerras. Que se **pongan** más bombas y se **oigan** más explosiones. Que nadie **niegue** su ayuda a los que la **pidan**. Que este mundo **sea** solo para los deshonestos. Que uno **tenga** lo que **quiera** sin pensar en los demás. Que nadie **impida** que algunos libros se **puedan** leer. Queremos que la gente **viva** libre y en armonía.

D. Ahora, escribe tu manifiesto para la paz según el modelo anterior.

....
....
....
....

E. Hoy no te apetece hacer todas estas cosas. Intenta que otra persona las haga. Formula frases como en el ejemplo.

Ej.: Regar las plantas.
- Quiero que riegues las plantas.
- Te ruego que riegues las plantas.

1. Hacer la comida para mañana.
2. Sacar a pasear al perro.
3. Bajar a comprar el periódico para tu padre.
4. Limpiar el baño.

5. Comer más pescado.
6. Pintar tu habitación.
7. Dejar de beber cola por las mañanas.
8. Ir a hacer la compra.

3 EXPRESAR LA FINALIDAD

A. Relaciona las imágenes con las frases. Luego, formula frases con *para que* como en el ejemplo.

> Dar un vaso de agua – Dejar un libro de cocina – Pasar mi móvil – Prestar dinero –
> Regalar mi bicicleta antigua – Regalar una gramática

1. Te doy un vaso de agua para que no pases sed/para que bebas...
2.
3.
4.
5.
6.

B. Completa los textos con *por* y *para*.

Una amiga

El viernes mis amigas y yo vamos **[1] para** Málaga **[2] para** visitar a nuestra amiga Lola (vamos **[3] para** descansar también). No tenemos mucho dinero. Nos gusta viajar en tren porque se paga menos **[4] por** el viaje. El precio es 20 euros **[5] por** cada persona. Pasaremos **[6] por** Sevilla también, **[7] para** ver a mis abuelos. Ahora, tengo que ir de compras **[8] para** comprarme un bañador.

Un viaje a Bilbao

Mañana, voy **[9] para** Bilbao. Voy en avión y el billete cuesta 100 euros **[10] por** persona. Fue necesario pagar **[11] por** adelantado. Voy con un grupo de estudiantes **[12] para** escuchar a mi grupo favorito de gira. Ellos cantarán **[13] para** denunciar los problemas de la guerra. La meta del concierto es reunir mucho dinero **[14] para** dárselo a las familias afectadas **[15] por** la guerra.

Tu biblioteca
de español

Gabriel Celaya

1 **Localiza en el poema las siguientes expresiones y relaciónalas, luego, con sus expresiones sinónimas.**

1. Es lo mismo   a. densa
2. Hay que   b. da ánimo, alegría
3. Poner en marcha   c. es igual
4. Llevar en el alma   d. hacer funcionar algo
5. Concentrada   e. lejano
6. Es consolador   f. llegar muy alto
7. Ir lejos   g. tener algo como muy querido
8. Distante   h. tienes que

1-c; 2-h; 3-d; 4-g; 5-a; 6-b; 7-f; 8-e.

2 **Identifica la imagen que corresponde a cada palabra.**

barca – barco – puerto

barca

puerto

barco

3 *Barca* y *barco*, parecidos, pero no iguales.
Escribe tres frases comparando un barco y una barca.

1. ....
....
2. ....
....
3. ....
....

Tu rincón hispano

1. Escucha la biografía de Juan Luis Guerra y completa la ficha.

Pista 29

Juan Luis Guerra, cantante

Lugar de origen:
Santo Domingo (República Dominicana)

Número de ejemplares de discos vendidos:
Más de veinte millones

Premios conseguidos: .... **18** .... Grammy.

Estilo de música: .... **Música popular**
latinoamericana con *rock*, *blues* y *gospel*.

2. Localiza estas palabras en la sopa de letras. Con las letras que queden sin marcar se lee el título de la canción y el apellido del autor.

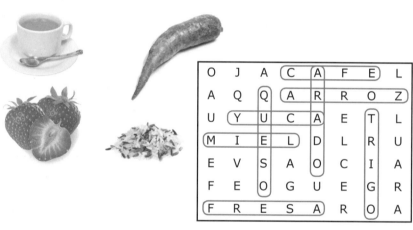

O	J	A	C	A	F	E	L
A	Q	Q	A	R	R	O	Z
U	Y	U	C	A	E	T	L
M	I	E	L	D	L	R	U
E	V	S	A	O	C	I	A
F	E	O	G	U	E	G	R
F	R	E	S	A	R	O	A

3. Une cada instrumento a su categoría y a su imagen.

1-percusión-g; 2-con cuerdas-c; 3-metal-a; 4-metal-e; 5-percusión-d; 6-percusión-i; 7-teclados-b; 8-metal-f; 9-con cuerdas-h.

1. Bongo
2. Bajo
3. Trompeta
4. Trombón
5. Batería
6. Conga
7. Piano
8. Saxofón
9. Guitarra

Metales
Percusiones
Teclados
Con cuerdas

a.

b.

c.

d.

e.

f.

g.

h.

i.

Autoevaluación

Portfolio: evalúa tus conocimientos de español.

> Después de hacer la unidad 2
> Fecha: ....

Nivel alcanzado

	Insuficiente	Suficiente	Bueno	Muy bueno

Comunicación

- Puedo expresar deseos e influencias.
Escribe las expresiones:

- Puedo contar las dificultades que tengo para aprender idiomas.
Escribe las expresiones:

- Puedo expresar recomendaciones.
Escribe las expresiones:

Gramática

- Sé formar el presente de subjuntivo.
Escribe algunos ejemplos:

- Sé usar el presente de subjuntivo.
Escribe algunos ejemplos:

- Sé distinguir las expresiones *para* y *para que*.
Escribe algunos ejemplos:

- Sé usar la expresión *me cuesta(n)*.
Escribe algunos ejemplos:

Vocabulario

- Conozco las palabras relacionadas con el aprendizaje de lenguas.
Escribe las palabras que recuerdas:

- Conozco los adjetivos para describir a mis profesores.
Escribe las palabras que recuerdas:

Código

Mi diccionario

Traduce las principales palabras de la unidad 2 a tu idioma.

A
abordar (verbo regular) ....
académico, académica ....
accesible ....
acertado, acertada ....
acierto (el) ....
aclarar (verbo regular) ....
agradecer (verbo irregular) ....
agriamente ....
aguacero (el) ....
alegre ....
alternativa (la) ....
antipático, antipática ....
apático, apática ....
apuntes (los) ....
arado (el) ....
atento, atenta ....

B
bandera (la) ....
básico, básica ....
batata (la) ....
benévolo, benévola ....
berro (el) ....
boca (la) ....

C
café (el) ....
calificación (la) ....
callar (verbo regular) ....
canto (el) ....
carácter (el) ....
carta (la) ....
celoso, celosa ....
cerro (el) ....
charla (la) ....
cielo (el) ....
clima (el) ....
colaboración (la) ....
colaborador, colaboradora ....
colina (la) ....
coloquial ....
comentario (el) ....
cometer (verbo regular) ....
competente ....
comportamiento (el) ....
comunicar (verbo regular) ....
confianza (la) ....
confiar (verbo regular) ....
correr (verbo regular) ....
cosecha (la) ....
costar mucho/poco algo (expresión) ....
creatividad (la) ....
culpable ....

D
dañar (verbo regular) ....
debate (el) ....
deletrear (verbo regular) ....
deletreo (el) ....
deportista ....
descortés ....
desinteresado, desinteresada ....
desorganizado, desorganizada ....
dictado (el) ....
dinámico, dinámica ....
director, directora (el, la) ....
discurso (el) ....
distante ....

E
enamorado, enamorada ....
encargar (verbo irregular) ....
encuesta (la) ....
enemigo, enemiga (el, la) ....
énfasis (el) ....
entusiasmo (el) ....
equivocarse (verbo regular reflexivo) ....
estrellado, estrellada ....
estropear (verbo regular) ....
estructura (la) ....
exigente ....

F
falta (la) ....
fijarse (verbo regular reflexivo) ....
finalidad (la) ....
finalizar (verbo irregular reflexivo) ....
flexible ....
fluidez (la) ....
fuerza (la) ....
fumar (verbo regular) ....
fundamental ....

G
geología (la) ....
gitano, gitana ....
gratuito, gratuita ....
grosero, grosera ....

H
habilidades (las) ....
hoja (la) ....
hoja seca (la) ....

I
improvisado, improvisada ....
impuntual ....
inaccesible ....

inauguración (la) ....

incompetente ....

independiente ....

ingenuo, ingenua ....

insistir (verbo regular) ....

intolerante ....

L

laboratorio (el) ....

lamentar (verbo regular) ....

léxico (el) ....

M

mejorar (verbo regular) ....

memorizar (verbo irregular) ....

mensaje (el) ....

molestia (la) ....

monótono, monótona ....

motivar (verbo regular) ....

motivo (el) ....

motocicleta (la) ....

N

nativo, nativa ....

norma (la) ....

novio, novia (el, la) ....

O

obligatorio, obligatoria ....

observar (verbo regular) ....

oferta (la) ....

ojalá ....

optar (verbo regular) ....

optativo, optativa ....

optimista ....

organizado, organizada ....

orientación (la) ....

P

pálido, pálida ....

pareja (la) ....

parte (la) ....

participativo, participativa ....

pasarlo bien/mal (expresión) ....

pasivo, pasiva ....

peculiar ....

permiso (el) ....

pesimista ....

piel (la) ....

planes (los) ....

positivo, positiva ....

preocupación (la) ....

preocupar (verbo regular especial) ....

previsión (la) ....

prohibido, prohibida ....

prohibir (verbo regular) ....

pronunciar (verbo regular) ....

puntual ....

puntualidad (la) ....

R

repasar (verbo irregular) ....

rígido, rígida ....

ruborizar (verbo irregular) ....

ruego (el) ....

S

sala (la) ....

salud (la) ....

satisfacción (la) ....

sencillo, sencilla ....

sensible ....

serio, seria ....

silbar (verbo regular) ....

silbido (el) ....

silencio (el) ....

simbolizar (verbo irregular) ....

similar ....

sonrisa (la) ....

T

traducir (verbo irregular) ....

trágico, trágica ....

trigo (el) ....

V

vergonzoso, vergonzosa ....

Y

yuca (la) ....

UNIDAD 3

Define qué es la amistad

Contenido y actividades

1. Hablar de quién te cae bien o mal.
2. Repasar los adjetivos de carácter.
3. Utilizar la expresión *caer bien* o *mal*.
4. Practicar las formas y usos del verbo *ser*.
5. Fortalecer los usos del indicativo o del subjuntivo con verbos de opinión.
6. Comprender mensajes de facebook.
7. Repasar los adjetivos de estados de ánimo.
8. Reforzar el contraste entre *ser* y *estar*.
9. Afianzar las expresiones de sentimientos.

Lección 5 — Describe cómo eres

1 ¡ME CAE FENOMENAL!

Escribe las siguientes frases en el lugar correcto para completar el diálogo con lógica.

- Pues a mí me cae fatal. Yo creo que es falsa. Simpático es Manolo.
- A mí no me cae bien, se enfada mucho.
- Pero tenemos el mismo carácter, somos abiertos, responsables y divertidos.
- Porque es tímido. Pero es muy bromista.
- ¿A ti quién te cae bien de clase?
- Me cae fenomenal Marta. Es muy divertida.

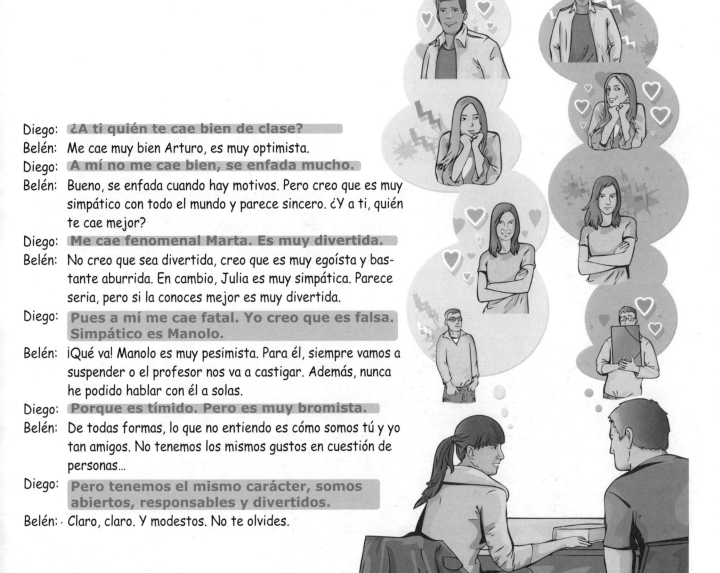

Diego: **¿A ti quién te cae bien de clase?**

Belén: Me cae muy bien Arturo, es muy optimista.

Diego: **A mí no me cae bien, se enfada mucho.**

Belén: Bueno, se enfada cuando hay motivos. Pero creo que es muy simpático con todo el mundo y parece sincero. ¿Y a ti, quién te cae mejor?

Diego: **Me cae fenomenal Marta. Es muy divertida.**

Belén: No creo que sea divertida, creo que es muy egoísta y bastante aburrida. En cambio, Julia es muy simpática. Parece seria, pero si la conoces mejor es muy divertida.

Diego: **Pues a mí me cae fatal. Yo creo que es falsa. Simpático es Manolo.**

Belén: ¡Qué va! Manolo es muy pesimista. Para él, siempre vamos a suspender o el profesor nos va a castigar. Además, nunca he podido hablar con él a solas.

Diego: **Porque es tímido. Pero es muy bromista.**

Belén: De todas formas, lo que no entiendo es cómo somos tú y yo tan amigos. No tenemos los mismos gustos en cuestión de personas...

Diego: **Pero tenemos el mismo carácter, somos abiertos, responsables y divertidos.**

Belén: Claro, claro. Y modestos. No te olvides.

2 LOS ADJETIVOS DE CARÁCTER

A. Relaciona cada adjetivo con su definición.

1. Egoísta	a. Que actúa con determinación ante situaciones arriesgadas o difíciles.
2. Generoso	b. Que da lo que tiene a los demás.
3. Pesimista	c. Que actúa de manera práctica.
4. Realista	d. Que piensa primero en su interés antes que en los demás, produciendo, a veces, daño a otros.
5. Tímido	e. Que se manifiesta con dificultad.
6. Valiente	f. Que tiende a ver las cosas en su aspecto más negativo.

1-d; 2-b; 3-f; 4-c; 5-e; 6-a.

B. Escucha e identifica el adjetivo que corresponde a cada frase.

1. 3 Abierto/a   2. 5 Miedoso/a   3. 1 Optimista   4. 2 Perezoso/a   5. 4 Soñador

C. ¿Cuáles son los contrarios?

Cerrado/a, valiente, pesimista, trabajador/-a, realista.

3 CAER BIEN O MAL

A. Completa las frases con una palabra.

1. Luis y Mario me **caen** muy mal, siempre hacen bromas pesadas a los más pequeños.
2. Pili me cae muy **bien**. La voy a invitar a mi fiesta.
3. Si te **caigo** mal, no hables conmigo, nadie te lo ha ordenado.
4. Julio no me cae **mal**, pero tampoco es mi mejor amigo.
5. Ese amigo tuyo me **cae** fatal, pero fatal. No sé cómo puedes ser su amigo.
6. Mauricio me **cae** muy bien, no tengo ningún problema con él.

B. Responde a las preguntas. Escribe tus respuestas.

1. ¿Quiénes te caen mejor, las personas sinceras o las divertidas?

2. ¿A quiénes caes bien, a las personas reservadas o a las personas abiertas?

3. ¿Quién te cae mejor, una persona bromista o una persona seria?

4. ¿Y quién te cae peor, una persona falsa o una persona egoísta?

5. ¿Cómo crees que eres?

6. ¿A qué tipo de personas caes mejor?

7. ¿Qué tipo de personas te caen mejor?

8. ¿Y peor?

4 **EL VERBO *SER***

Completa con la forma adecuada del verbo *ser*.

1. Yo creo que Lucas **es** muy poco generoso.
2. ¿Tú crees que Ana **es** divertida? A mí me parece muy aburrida.
3. Raquel piensa que Ángel y Juan **son** muy aburridos y no quiere invitarlos a su fiesta.
4. Creemos que **eres** muy tímido, por eso nunca hablas con nadie.
5. Creéis que **sois** muy simpáticos, ¿verdad? Pues a mí no me caéis bien.
6. Creen que **soy** muy egoísta, pero yo intento siempre repartir lo que tengo.

5 **USOS DEL INDICATIVO Y DEL SUBJUNTIVO**

A. Completa con la forma correcta de los verbos.

1. Creo que (tener, ellos) **tienen** pocos amigos en clase.
2. No pienso que (saber, tú) **sepas** nada de mis amigos.
3. Alberto cree que no te (acordar, tú) **acuerdas** de su nombre.
4. ¿No crees que tus hermanos (ir) **van** poco al cine?
5. No me parece que (haber) **haya** tanta gente.
6. Pensáis que todo (estar) **está** bien, pero os equivocáis.
7. Me parece que (leer) **leen** muy poco, no son grandes lectores, no.
8. No creo que (querer, vosotros) **queráis** venir conmigo a casa, ¿no?

B. Transforma estas frases en afirmativas o en negativas.

1. Me parece que es una persona muy divertida.
   No me parece que sea una persona muy divertida.
2. No creo que Antonio sea simpático.
   Creo que Antonio es simpático.
3. Creemos que Laura es muy valiente.
   No creemos que Laura sea muy valiente.
4. No piensa que tus primos sean tímidos.
   Piensa que tus primos son muy tímidos.
5. Creo que eres muy realista.
   No creo que seas muy realista.
6. No piensan que yo sea optimista.
   Piensan que yo soy optimista.

C. Forma frases con el verbo en la forma adecuada.

1. falso. – Francisco – Marisa – no – pensar – que – ser
   Marisa no piensa que Francisco sea falso.
2. abierto. – Alfredo – me – muy – No – parecer – que – ser
   No me parece que Alfredo sea abierto.
3. ellas – aburridas? – no – pensar – que – ser – ¿Vosotros
   ¿Vosotros no pensáis que ellas son aburridas?
4. creer – Juana – no – ellos – muy – que – ser – valientes.
   Juana no cree que ellos sean muy valientes.
5. creer – Ester – Mateo – no – que – Rosa – ser – sinceras. – y
   Mateo no cree que Rosa y Ester sean sinceras.

Lección 6 Indica tus relaciones con los demás

1 COMUNICACIÓN POR FACEBOOK

Completa los mensajes con las siguientes palabras.

amiga – amistad – cae – cansada – confiar – conmigo – contenta – egoísta – enfadada – entiende – estaba – nerviosa – sentía – sepa – traicionada

Hoy estoy fatal. Me siento ..**traicionada**.. . Primero, mi madre se ha enfadado ..**conmigo**.. porque no hago las cosas como ella quiere. No soy como ella y lo sabe, pero no lo quiere aceptar.

Luego, he buscado en el chat a Rosa, mi mejor ...**amiga**..., pensaba yo; me sentía ..**cansada**.. después de la discusión con mi madre y necesitaba hablar con alguien cercano a mí. Rosa estaba ..**nerviosa**.., fría, distante. Le he preguntado qué le pasaba y no quería responder. He insistido, le he dicho que me ....**sentía**.. mal y que necesitaba su amistad. Entonces me ha soltado la bomba: está saliendo con Miguel. ¡¡¡Con Miguel!!! Sabe perfectamente que me gusta, pero no le ha importado nuestra ..**amistad**.. . Es tremendamente ...**egoísta**.. y no sé cómo no me he dado cuenta hasta ahora. Me temo que nuestra amistad ha terminado y no es justo porque me ......**cae**...... muy bien, somos buenas amigas, me entiende. Me da pena que termine así, pero ya no puedo ...**confiar**... en ella. Estoy muy enfadada y cansada.

He discutido en el chat con Luisa, pero creo que todo ha salido bien. Estaba ..**enfadada**... porque se había peleado con su madre y yo no quería decirle lo de Miguel, pero yo ....**estaba**.. nerviosa y ella ha notado algo, así que se lo he dicho. No le ha gustado nada, pero creo que no me culpa y, en el fondo, me alegra que lo ...**sepa**..... porque ahora no tenemos que ocultar nada, así que estoy muy ...**contenta**.... . Me da pena que esté sola, pero seguro que me ...**entiende**... y está feliz por mí. Somos amigas y, aunque me pone nerviosa muchas veces con sus líos con su madre, la quiero mucho. Luisa, te quiero. Nos vemos el lunes en clase.

2 ADJETIVOS DE ESTADO DE ÁNIMO

A. Busca 12 adjetivos en la sopa de letras. Con las letras no marcadas, forma una frase. ¿Estás de acuerdo con ella?

M	E	S	F	R	I	O	I	E	N	C	T	O	M
U	Y	B	A	I	E	N	C	U	A	A	N	D	O
E	C	S	T	R	A	I	C	I	O	N	A	D	A
T	O	O	A	F	F	Y	C	O	N	S	G	E	N
T	N	E	L	E	E	Q	U	E	E	A	S	M	U
Y	T	A	L	L	N	E	N	F	A	D	A	D	O
N	E	R	V	I	O	S	A	E	G	A	R	E	Y
D	N	I	V	C	M	E	R	T	I	D	A	Y	M
E	T	A	B	E	E	U	R	R	O	S	I	E	S
T	A	O	Y	S	N	C	T	R	I	S	T	E	O
N	P	E	R	S	A	O	N	A	S	Q	U	E	S
O	N	T	R	I	L	S	E	N	F	E	R	M	O
P	R	E	O	C	U	P	A	D	O	S	T	E	S

Frase: .....Me siento muy bien cuando estoy con gente..
.....que es muy alegre y divertida y me aburro si estoy....
.....con personas que son tristes.......

B. Subraya el adjetivo correcto.

1. No he dormido en toda la noche, así que ahora estoy muy **cansada**/nerviosa.
2. Ricardo se ha enfadado conmigo, me siento fenomenal/**fatal**.
3. Mañana tenemos un examen importantísimo, así que estamos muy contentos/**nerviosos**.
4. Lorenzo está muy **enfadado**/nervioso porque su madre no le deja ir al concierto.
5. María se siente **traicionada**/cansada porque les he contado a todos que le gusta un compañero.
6. Elisa está feliz/**fatal** porque le han suspendido tres asignaturas.

3 ESTADOS DE ÁNIMO

Relaciona.

1. Me siento fatal	a. desde que sabe que será el protagonista.
2. Están tristes	b. cuando estamos con vosotros, nos gustáis mucho.
3. Estamos muy nerviosos	c. por no invitar a Marcos a mi cumpleaños.
4. Se siente traicionada	d. porque mañana representamos la obra en un teatro.
5. Está fenomenal	e. porque no pueden ir a la excursión.
6. Nos sentimos muy felices	f. porque no la han invitado.

1-c; 2-e; 3-d; 4-f; 5-a; 6-b.

4 **USOS DE LOS VERBOS *SER* Y *ESTAR***

Completa con uno de los dos verbos en la forma adecuada.

1. Mis primos __son__ muy simpáticos, te van a encantar.
2. Veo que __estás__ muy nervioso, tienes que calmarte.
3. Creo que __está__ contenta porque viene Laura.
4. ¿Creéis que __sois__ divertidos? A mí no me hace gracia.
5. Asunción y su hermana __están__ fatal porque no pueden irse de vacaciones.
6. ¿Que cómo __estoy__? Pues contentísimo, ¿no me ves?
7. No __soy__ falso como tú dices, me has entendido mal, eso es todo.
8. No __sois__ tan simpáticos, por lo menos a mí no me engañáis.

5 **EXPRESIONES DE SENTIMIENTO**

A. Completa con el verbo en la forma adecuada.

1. Me da pena que tus amigos no (venir) __vengan__ con nosotros.
2. Nos molesta que la gente no nos (hacer) __haga__ caso.
3. ¿Te alegra que (ir, él) __vaya__ a casa este verano?
4. Les da miedo que sus padres (descubrir) __descubran__ su secreto.
5. Nos hace feliz que (tener) __tengáis__ un sitio donde reunirnos.
6. Me da igual que (decir) __digas__ esas cosas de mí, no te considero un amigo.
7. Te preocupa que los profesores (pensar) __piensen__ mal de ti, es normal.
8. ¿Os parece bien que os (acompañar) __acompañe__ a casa? Necesito compañía.

B. Transforma las frases como en el ejemplo.

> Me da miedo si alguien se pone detrás de mí → Me da miedo que alguien se ponga detrás de mí.

1. Me da igual si vienes o no.
   __Me da igual que vengas o no.__
2. Nos molesta cuando os comportáis así de mal.
   __Nos molesta que os comportéis así de mal.__
3. Me da pena si os castiga vuestra madre.
   __Me da pena que os castigue vuestra madre.__
4. Nos alegra cuando tenéis buenos resultados.
   __Nos alegra que tengáis buenos resultados.__
5. Nos parece bien si traéis vuestros discos a la fiesta.
   __Nos parece bien que traigáis vuestros discos a la fiesta.__
6. Me hace feliz si apruebas todo.
   __Me hace feliz que apruebes todo.__
7. Me preocupa cuando llegas tarde.
   __Me preocupa que llegues tarde.__

C. ¿Qué te preocupa, molesta o da pena? ¿Qué te da miedo o qué te da igual? ¿Qué te hace feliz? Completa las frases expresando tus sentimientos.

1. _____ escuchar siempre las mismas cosas.
2. _____ estar con mis amigos.
3. _____ ir al cine los sábados.
4. _____ volver solo a casa cuando es tarde.
5. _____ examinarme cuando no he estudiado mucho.
6. _____ escuchar noticias tristes.

Tu biblioteca de español

Jorge Bucay

Forma frases lógicas con los tres elementos.

Vengo a
- pedirte ——— lo que sabes.
- verte ——— porque te echo de menos.
- decirte ——— la verdad.
- que me digas ——— ayuda.

Completa el texto con los verbos en la forma adecuada.

— Vengo a verle, maestro, porque me (decir) .... **dicen** .... que no sirvo, que no hago nada bien, que soy torpe y bastante tonto. ¿Qué puedo hacer para que me (valorar) .... **valoren** .... más?

El maestro, sin mirarlo, le dijo:

— Cuánto lo siento, muchacho, no puedo ayudarte, debo (resolver) .... **resolver** .... primero mi propio problema. Quizá después... —y, haciendo una pausa, agregó— Si primero me ayudas tú a mí, después, tal vez, te (poder) .... **pueda** .... ayudar.

— E... encantado, maestro —titubeó el joven.

El maestro se quitó un anillo del dedo y dijo:

— Bien, (ir) .... **ve** .... al mercado. Debo vender este anillo. Es necesario que (obtener) .... **obtengas** .... la mayor suma posible, pero no (aceptar) .... **aceptes** .... menos de una moneda de oro.

El joven tomó el anillo y ofreció el anillo a los mercaderes, pero, cuando mencionaba la moneda de oro, algunos (reír) .... **reían** ...., otros le (volver) .... **volvían** .... la cara y solo un anciano (ser) .... **fue** .... tan amable como para explicarle que una moneda de oro (ser) .... **era** .... demasiado para entregarla a cambio de un anillo como ese.

— No creo que yo (poder) .... **pueda** .... engañar a nadie respecto al valor del anillo, maestro —dijo—, lo siento, no se puede conseguir lo que me pediste.

— Qué importante lo que dijiste, joven —contestó sonriente el maestro.— Debemos saber primero el verdadero valor del anillo. Ve al joyero. ¿Quién mejor que él para saberlo? Dile que quieres (vender) .... **vender** .... el anillo y pregúntale cuánto te da por él. Pero no se lo vendas. Vuelve aquí con mi anillo.

El joyero examinó el anillo con su lupa, lo pesó y luego le dijo:

— Yo sé que con tiempo (poder) .... **podríamos** .... obtener por él cerca de 70 monedas, pero no sé. Si la venta es urgente, te daré 58.

El joven corrió emocionado a la casa del maestro a contarle lo sucedido.

— Siéntate —dijo el maestro después de escucharlo. — Tú eres como este anillo: Una joya, valiosa y única. Y como tal, solo puede evaluarte un verdadero experto. ¿Qué haces pretendiendo que cualquiera descubra tu verdadero valor? —y, diciendo esto, volvió a ponerse el anillo en el dedo pequeño.

"Todos somos como esta joya, valiosos y únicos, y andamos por los mercados de la vida pretendiendo que gente inexperta nos valore".

Tu rincón hispano

1. Localiza estas palabras en el texto y relaciónalas con su significado.

1. la deforestación	a. El que da lo necesario para algo.
2. la cuenca	b. El tamaño.
3. degradar	c. Grupos de animales o plantas del mismo tipo.
4. la selva	d. Hacer más pequeñas las cualidades de algo, empeorar.
5. la extensión	e. Hacer que un sistema funcione correctamente.
6. las especies	f. La corta de árboles.
7. registrar	g. La jungla.
8. regular	h. Notar, estudiar, conocer.
9. el suministrador	i. Quitar en una zona árboles y plantas.
10. la tala	j. Terreno por donde va un río.

1-i; 2-j; 3-d; 4-g; 5-b; 6-c; 7-h; 8-e; 9-a; 10-f.

2. Escribe los pies de fotos.

1. ....

2. ....

3. ....

3. Escucha y responde a las preguntas.

a. ¿Cuáles son las características más importantes de la cuenca del río Amazonas?

Es una de las más grandes del mundo y tiene gran diversidad.

b. ¿Por qué hay conflictos?   **Porque el río atraviesa varios países.**

c. ¿Cuál es el problema más relevante?   **La deforestación.**

Portfolio: evalúa tus conocimientos de español.

	Nivel alcanzado

Después de hacer la unidad 3
Fecha: ....

	Insuficiente	Suficiente	Bueno	Muy bueno

Comunicación
- Puedo expresar cómo es mi relación con otras personas.
Escribe las expresiones:

- Puedo opinar afirmativa y negativamente.
Escribe las expresiones:

- Puedo expresar mis estados de ánimo.
Escribe las expresiones:

Gramática
- Sé usar la expresión *caerle bien/mal a alguien*.
Escribe algunos ejemplos:

- Sé usar el indicativo o el subjuntivo con verbos de opinión.
Escribe algunos ejemplos:

- Sé usar el infinitivo o *que* + subjuntivo con expresiones de sentimiento.
Escribe algunos ejemplos:

Vocabulario
- Conozco los adjetivos de carácter.
Escribe las palabras que recuerdas:

- Conozco los adjetivos de estado de ánimo.
Escribe las palabras que recuerdas:

- Conozco los verbos referidos a la relación con los demás, como *enfadarse*.
Escribe las palabras que recuerdas:

Mi diccionario

Traduce las principales palabras de la unidad 3 a tu idioma.

A

adorno (el) ....

afrontar (verbo regular) ....

agente (el) ....

agregar (verbo irregular) ....

alegrarse (verbo reflexivo regular) ....

ambiental ....

ambulante ....

amenaza (la) ....

amistad (la) ....

anillo (el) ....

anotar (verbo regular) ....

antipatía (la) ....

aptitud (la) ....

asociar (verbo regular) ....

aumento (el) ....

autoestima (la) ....

autoritario, autoritaria ....

avanzar (verbo irregular) ....

B

broma (la) ....

bromista ....

C

caer (verbo irregular) ....

calificar (verbo irregular) ....

cansado, cansada ....

cantidad (la) ....

característica (la) ....

carrera (la) ....

ciencia (la) ....

claro, clara ....

coherente ....

concreto, concreta ....

conductor, conductora (el, la) ....

consecuencia (la) ....

constituir (verbo irregular) ....

contraste (el) ....

coordinador, coordinadora ....

correspondiente ....

cuestión (la) ....

culpa (la) ....

D

dar pena (expresión) ....

definir (verbo regular) ....

desanimado, desanimada ....

desastre (el) ....

desorden (el) ....

dificultad (la) ....

dióxido de carbono (el) ....

discusión (la) ....

disfraz (el) ....

E

eliminación (la) ....

emocionar (verbo regular) ....

enfadado, enfadada ....

enfermar (verbo regular) ....

enfermedad (la) ....

engañar (verbo regular) ....

especializar (verbo irregular) ....

estupendamente ....

evaluar (verbo regular) ....

exacto, exacta ....

examinar (verbo regular) ....

experto, experta ....

explicación (la) ....

extrañar (verbo regular) ....

F

fastidiar (verbo regular) ....

feliz ....

ficción (la) ....

finca (la) ....

G

gemelo, gemela ....

gigantesco, gigantesca ....

globo (el) ....

graduar (verbo regular) ....

gratificante ....

grave ....

guardia (el, la) ....

H

histérico, histérica ....

humedad (la) ....

I

incendio (el) ....

indiscriminado, indiscriminada ....

industria (la) ....

inexperto, inexperta ....

infantil ....

informe (el) ....

instrucción (la) ....

invitar (verbo regular) ....

J

joya (la) ....

joyero, joyera (el, la) ....

justificar (verbo regular) ....

L

lente (la) ....

lío (el) ....

loco, loca ....

lupa (la) ....

M

mágico, mágica ....
medida (la)..
meditar (verbo regular) ....
mencionar (verbo regular) ....
mentir (verbo irregular) ....
mentira (la) ....
mercader, mercadera (el, la) ....
merecer (verbo irregular) ....
método (el) ....
modesto, modesta ....
moverse (verbo reflexivo irregular) ....
muchacho, muchacha (el, la) ....

N

necesario, necesaria ....
notablemente ....

O

ocultar (verbo regular) ....
ofender (verbo regular) ....
oro (el) ....
oxígeno (el) ....

P

pelear (verbo regular) ....
peligro (el) ....
perezoso, perezosa ....
perfectamente ....
piedra preciosa (la) ....
plata (la) ....
política (la) ....
preferencia (la) ....
preservación (la) ....
pretender (verbo regular) ....
prioridad (la) ....
provocar (verbo regular) ....
pulmón (el) ....

R

raro, rara ....
rata (la) ....
reaccionar (verbo regular) ....
realista ....
reducir (verbo irregular).......................
referirse (verbo reflexivo irregular) ....
región (la) ....
registrar (verbo regular) ....
relación (la) ....
repartir (verbo regular) ....
reserva (la) ....
resolver (verbo irregular) ....
resumir (verbo regular) ....
riqueza (la) ....

rural ....

S

significado (el) ....
significar (verbo irregular) ....
simpatía (la) ....
sin embargo (locución) ....
sincero, sincera ....
situación (la) ....
sonriente ....
soñador, soñadora ....
sufrir (verbo regular) ....

T

terreno (el) ....
tesoro (el) ....
titubear (verbo regular) ....
tonto, tonta ....
torpe ....
traicionar (verbo regular) ....
tranquilo, tranquila ....
transformación (la) ....
transportar (verbo regular) ....

V

vacilar (verbo regular) ....
valioso, valiosa ....
valor (el) ....

UNIDAD 4

Vive de forma responsable

Contenido y actividades

1. Comprender un encuentro casual.
2. Repasar las formas y los usos del imperativo afirmativo y del negativo.
3. Practicar las formas y los usos del futuro simple.
4. Escuchar un programa de radio.
5. Afianzar las formas y los usos del condicional simple.
6. Utilizar la expresión *Yo que tú* + condicional simple.
7. Expresar deseos casi imposibles.
8. Ejercitar el contraste entre los usos del indicativo y del subjuntivo.
9. Formar frases con *A mí me gustaría* + infinitivo y con *Estoy dispuesto/a a...*

Prohibiciones y promesas

 1

JUNTO A UNA AUTOESCUELA
Lee el diálogo y subraya las opciones adecuadas.

Nuria: ¡Hola, Tomás! ¿Qué **haces/pases** por aquí?

Tomás: Estoy **estudiándome/sacándome** el carné de conducir motos. El mes que viene tengo mi examen.

Nuria: ¿De verdad? No me digas. Siempre **has dicho/ha dicho** que estabas en contra de las dos ruedas con motor. ¿Has abandonado tus patines?

Tomás: No, no, siguen siendo mis preferidos. **Los/Las** tengo siempre en mi mochila.

Nuria: De todas maneras, ¿**para/por** qué necesitas el carné?

Tomás: Hace algún tiempo respondí a un anuncio en **el/lo** que buscaban a un estudiante **aficionado/apasionado** a la historia para un trabajo al aire libre durante los fines de semana.

Nuria: Sí, hasta mi hermano envió una solicitud.

Tomás: Bien, yo me había olvidado por completo. Bueno, pues hace un mes **hice/hizo** una entrevista y la semana pasada me **dijeron/hicieron** que había pasado la selección. Pero tengo que disponer de un medio de transporte.

Nuria: ¿En qué consiste el trabajo?

Tomás: Voy a colaborar con un grupo de estudiantes de secundaria de la ciudad **para/por** una empresa que se ocupa de lugares arqueológicos.

Nuria: ¿De arqueología? ¡Venga ya! No me **tomes/tomas** el pelo.

Tomás: No, te lo digo en serio. **Tenemos/Debemos** que analizar una serie de restos directamente en el sitio arqueológico. **Por/Para** eso necesito un medio de transporte.

Nuria: ¡Qué suerte! Me parece que **es/sea** un trabajo muy original.

B. Relaciona y forma frases.

1. Estoy sacándome	a. de las motos.
2. Estás en contra	b. con un grupo de arqueólogos.
3. Hace algún tiempo	c. la semana pasada.
4. Hice una entrevista	d. de un medio de transporte.
5. Tengo que disponer	e. restos arqueológicos.
6. Voy a colaborar	f. el carné de conducir motos.
7. Tenemos que analizar	g. respondí a un anuncio.

1-f; 2-a; 3-g; 4-c; 5-d; 6-b; 7-e.

EL IMPERATIVO AFIRMATIVO Y NEGATIVO

A. Te toca ser profesor por un día y, como tus profesores, tienes que dar órdenes negativas. Transforma los infinitivos en imperativo negativo.

1. Llegar tarde a clase.
   No llegues tarde a clase.
2. Cerrar la puerta.
   No cierres la puerta.
3. Levantarse.
   No te levantes.
4. Irse si no has terminado tu examen.
   No te vayas si no has terminado tu examen.
5. Escribir con lápiz el examen.
   No escribas con lápiz el examen.
6. Hablar sin respetar a los demás.
   No hables sin respetar a los demás.
7. Cerrar los libros.
   No cierres los libros.
8. Abrir los cuadernos.
   No abras los cuadernos.
9. Escribir porque es una actividad oral.
   No escribas porque es una actividad oral.
10. Distraerse.
    No te distraigas.

B. Forma dos oraciones con cada una de estas frases, una en imperativo afirmativo y otra en negativo, como en el ejemplo.

Abrir la puerta.	Abre la puerta, por favor, quiero entrar. No abras la puerta, que tengo frío.
Subir el volumen de la radio.	**Sube el volumen de la radio, que no oigo.** **No subas el volumen de la radio, que está muy alto.**
Tirar el chicle a la basura.	**Tira el chicle a la basura.** **No tires el chicle a la basura.**
Cambiar el programa de la televisión.	**Cambia el programa de televisión, que no me gusta.** **No cambies el programa de televisión, que me gusta.**
Lavarse las manos ahora.	**Lávate las manos ahora.** **No te laves las manos ahora.**
Llamar a María.	**Llama a María.** **No llames a María.**
Ir a comprar un helado.	**Ve a comprar un helado, que me apetece.** **No vayas a comprar un helado, que tengo en casa.**

3 EL FUTURO SIMPLE

A. Transforma las formas del presente en futuro simple.

1. Sigo — seguiré
2. Recogéis — recogeréis
3. Vengo — vendré
4. Volamos — volaremos
5. Lee — leerá
6. Te vistes — te vestirás
7. Os levantáis — os levantaréis

8. Llevan — llevarán
9. Entiendo — entenderé
10. Conoce — conocerá
11. Cuenta — contará
12. Vives — vivirás
13. Escucho — escucharé
14. Pensamos — pensaremos

B. Completa con las formas de futuro lo que le dice Lola a su amigo. Escucha el audio y comprueba tus respuestas. (Pista 32)

Te explico cómo es el juego de la yincana que he pensado para la fiesta del instituto, lo he preparado todo y lo (hacer) **haremos** así:

El próximo jueves, después del gimnasio, primero (ir, yo) **iré** a ver el parque. Luego, (venir) **vendréis** Nacho y tú, y los tres (medir) **mediremos** el espacio. Nacho y tú (preparar) **prepararéis** las indicaciones y los mapas que (dar) **daremos** a todos los jugadores. Mi hermana, que sabe dibujar muy bien, te (ayudar) **ayudará**. Los carteles con las indicaciones para poder llegar al parque las (dibujar) **dibujará** más tarde. Yo los (pegar) **pegaré** en el instituto, en el parque y en todo el barrio. Mientras, Beatriz y yo (ir) **iremos** escondiendo papelitos con las pruebas que tienen que hacer los participantes. (Ser) **Serán** muchos, por lo que (formar) **formaremos** equipos de seis personas. (Ganar) **Ganará** el equipo que realice antes todas las actividades.

C. Completa las frases de estos chicos con los verbos en futuro.

1. Nacho: (Ir) **Irá** a Chile el próximo año.
2. Lola: María y yo (salir) **saldremos** para Perú en junio.
3. Jesús: Mis abuelos (venir) **vendrán** a vernos el mes que viene.
4. Elena: Mi hermana (tener) **tendrá** que estudiar todo el verano.
5. Carlos: Yo (tomar) **tomaré** algunas clases de Español.
6. Profesora Márquez: Ustedes no (tener) **tendrán** que hacer el examen.
7. Profesor Sánchez: Tú (viajar) **viajarás** por todo el mundo.
8. Nuria: Señora López, usted (pasar) **pasará** una semana en Lanzarote.
9. José: Ellos (ir) **irán** a casa de su abuela.
10. Mario: Yo (tener) **tendré** que estudiar español todos los días.

Lección 8 Pide y da consejos

 1 **UN PROGRAMA SOBRE EL FUTURO**

A. Lee el diálogo y complétalo con las siguientes palabras.

completaría – Deberías – Estoy – gustaría – harías – matricularía – sea – son – Tengo – tienes – va

Blas: Buenos días, y bienvenidos a «El futuro en una profesión» nuestra emisión de los fines de semana por la mañana en Radio Cero. Nuestras invitadas de este fin de semana **son**: Lola Castro, directora del museo de Ciencias Naturales de Lanzarote, y María, una estudiante de 3.º de la ESO que **va** a tener la suerte esta noche de expresar sus deseos y recibir consejos. María, **tienes** la palabra.

María: Buenos días, esta es mi pregunta: Estoy casi totalmente decidida a convertirme en directora de películas de animales... vamos, me **gustaría** rodar documentales. Sé que en todo el mundo hay solo dos mujeres que hacen este trabajo y me gustaría ser una más de ellas. ¿Tú qué **harías** en mi lugar?

Lola: ¿Por qué quieres seguir este camino?

María: **Tengo** unas ganas locas de sentirme libre y de vivir en medio de la naturaleza, ya **sea** en África o en Asia, me da igual. En las grandes ciudades me siento enjaulada como un león.

Lola: Pero, tú, ¿qué estás dispuesta a hacer?

María: ¿Sabía usted que en el momento actual miles de especies animales, grandes o pequeñas, están en peligro? Sobre todo lo que no quiero es que la lista de especies en vías de extinción se siga alargando. Ya he decidido que quiero rodar documentales de estas especies porque quiero ayudar a los animales como la ballena, el elefante... **Estoy** dispuesta a viajar, a estudiar, a remover cielo y tierra para lograrlo. ¿Qué me aconseja sobre los pasos que tengo que dar?

Lola: Yo que tú me **matricularía** primero en una carrera como Arte o en Sonido e Imagen y, después, **completaría** mi formación con un máster. **Deberías** apuntarte también a una de las numerosas asociaciones y fundaciones que trabajan para la protección de los animales salvajes.

B. Anota los tres deseos de María.

1. Quiere ser directora de películas de animales.

2. Quiere sentirse libre y vivir en medio de la naturaleza.

3. No quiere que la lista de animales en peligro de extinción se siga alargando.

2 EL CONDICIONAL

A. Completa la conjugación en condicional de estos verbos.

	Pensar	Temer	Dividir	Ponerse
(yo)	pensaría	temería	dividiría	me pondría
(tú, vos)	pensarías	temerías	dividirías	te pondrías
(él, ella, usted)	pensaría	temería	dividiría	se pondría
(nosotros, nosotras)	pensaríamos	temeríamos	dividiríamos	nos pondríamos
(vosotros, vosotras)	pensaríais	temeríais	dividiríais	os pondríais
(ellos, ellas, ustedes)	pensarían	temerían	dividirían	se pondrían

B. Pon en condicional y en la forma que se indica estos verbos irregulares.

1. Decir (yo)   **diría**
2. Haber (él)   **habría**
3. Hacer (nosotros)   **haríamos**
4. Poder (tú)   **podrías**
5. Poner (ellos)   **pondrían**

6. Querer (nosotros)   **querríamos**
7. Saber (ella)   **sabría**
8. Salir (vos)   **saldrías**
9. Tener (nosotras)   **tendríamos**
10. Venir (yo)   **vendría**

3 *YO QUE TÚ* + CONDICIONAL

Lee el siguiente texto, te da algunos consejos para escribir bien, y transforma los imperativos con la fórmula *Yo que tú... + condicional.*

1. Lee, lee, lee. Los mejores escritores son voraces lectores. No hay una mejor manera de mejorar tus habilidades de redacción que leyendo el trabajo de otros.
2. Escribe todo lo que puedas. La práctica hace al maestro.
3. Toma clases de escritura. La escritura no se aprende de forma autodidacta. Puedes apuntarte a un taller de escritura o a un curso más extenso con el fin de aprender las claves para escribir mejor.
4. Amplía tu vocabulario. Cuando te encuentres una palabra cuyo significado desconozcas, busca su significado e intenta usar esta nueva palabra cuando escribas.
5. Aprende a documentarte mejor. Detrás de un buen *post* hay siempre una buena documentación. Es mucho más fácil escribir un artículo o un texto cuando se dispone de una gran cantidad de información.
6. Redacta para un público. Una de las mejores formas para mejorar tu escritura es compartir lo que escribes con un público.
7. No te fíes del corrector ortográfico: revisa tus textos y hazlo dos veces.

1. **Yo que tú leería.**
2. **Yo que tú escribiría todo lo que pueda.**
3. **Yo que tú tomaría clases de escritura.**
4. **Yo que tú ampliaría mi vocabulario.**
5. **Yo que tú aprendería a documentarme mejor.**
6. **Yo que tú redactaría para un público.**
7. **Yo que tú no me fiaría del corrector ortográfico.**

4 DESEOS CASI IMPOSIBLES

¿Qué deseo expresarías si te regalaran una varita mágica? Este grupo de chicos ha contestado así, completa sus deseos.

1. Laura y María se (comprar) **comprarían** mucha ropa.
2. Yo le (regalar) **regalaría** un piso nuevo a mi madre.
3. Tú le (decir) **dirías** «adiós» a tus *profes*, que eres muy vago.
4. Mi novio y yo (salir) **saldríamos** de viaje.
5. Mi hermana y yo (ir) **iríamos** a Perú.
6. Mis padres (volar) **volarían** a Cuba.
7. Mi padre (dejar) **dejaría** su trabajo para siempre.
8. Tú te (comprar) **comprarías** muebles nuevos para la casa.

5 CONTRASTE INDICATIVO/SUBJUNTIVO

Completa las frases.

1. No me importa que mis amigos no
2. Me molesta que mis amigos
3. No me gusta que el profesor
4. Me importa si
5. A mi mejor amigo/a le molesta que su padre
6. Me encanta que mis amigos
7. A mis compañeros de clase no les gusta que
8. A mi profesor le pone nervioso que

6 LAS EXPRESIONES *A MÍ ME GUSTARÍA* Y *ESTOY DISPUESTO/A A*

Relaciona y crea una frase completa utilizando las expresiones *A mí me gustaría...* y *estoy dispuesto/a a...* como en el ejemplo.

A mí me gustaría comprarme una moto y estoy dispuesto a ahorrar mi paga todas las semanas.

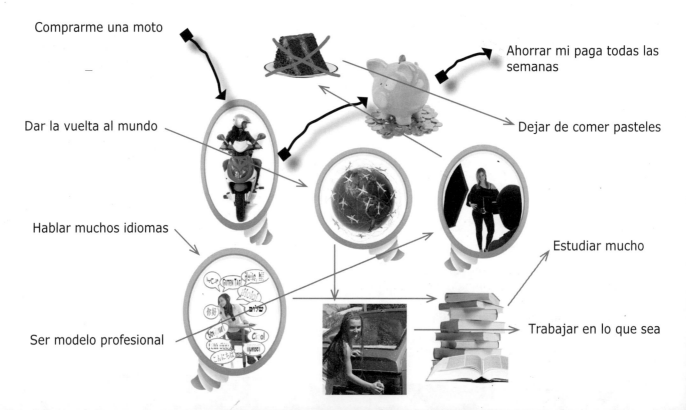

Comprarme una moto

Ahorrar mi paga todas las semanas

Dar la vuelta al mundo

Dejar de comer pasteles

Hablar muchos idiomas

Estudiar mucho

Ser modelo profesional

Trabajar en lo que sea

Tu biblioteca de español

Violeta Parra

Relaciona las estrofas con su significado y con el motivo por el que da gracias Violeta Parra.

Gracias a la vida, que me ha dado tanto.
Me dio dos luceros que, cuando los abro,
perfecto distingo lo negro del blanco
y en las multitudes, su fondo estrellado
y en el alto cielo, el hombre que yo amo.

Gracias a la vida, que me ha dado tanto.
Me ha dado el oído, que, en todo su ancho,
graba, noche y día, grillos y canarios,
martillos, turbinas, ladridos, chubascos
y la voz tan tierna, de mi bien amado.

Gracias a la vida, que me ha dado tanto.
Me ha dado el sonido y el abecedario.
Con él, las palabras que pienso y declaro:
madre, amigo, hermano y luz alumbrando
la ruta del alma del que estoy amando.

Gracias a la vida, que me ha dado tanto.
Me ha dado la marcha de mis pies cansados.
Con ellos anduve ciudades y charcos,
playas y desiertos, montañas y llanos,
y la casa tuya, tu calle y tu patio.

Gracias a la vida, que me ha dado tanto.
Me dio el corazón que agita su marco
cuando miro el fruto del cerebro humano,
cuando miro el bueno tan lejos del malo,
cuando miro el fondo de tus ojos claros.

Gracias a la vida, que me ha dado tanto.
Me ha dado la risa y me ha dado el llanto.
Así yo distingo dicha de quebranto,
los dos materiales que forman mi canto
y el canto de ustedes, que es el mismo canto,
y el canto de todos, que es mi propio canto.

1. Gracias a la vida por darme oídos para oír.

2. Gracias a la vida por darme ojos para ver.

3. Gracias a la vida que me ha dado el corazón y la inteligencia.

4. Gracias a la vida que me ha dado el lenguaje para pensar y hablar.

5. Gracias a la vida que me ha dado la posibilidad de moverme.

6. Gracias a la vida que me ha dado los sentimientos.

a. Así yo distingo lo bueno de lo malo.

b. Así yo distingo los colores y las formas.

c. Así yo percibo los sonidos buenos y malos.

d. Así yo puedo conocer lugares distintos e ir a donde quiero.

e. Así yo puedo escribir este poema para todos.

f. Así yo puedo expresarme.

Tu rincón hispano

1. Escribe debajo de cada foto la actividad a la que hace referencia.

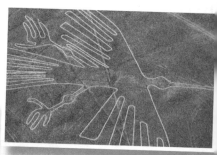

1. ....

2. ....

3. ....

2. ¡Vamos a comer! Vas a leer una receta de un plato típico peruano, clasifica sus ingredientes en la ficha.

ARROZ TAPADO

Ingredientes:
3 tazas de arroz cocido
1/2 kilo de carne de res picada muy chiquita
1 cebolla picada finamente
1 ajo molido
1 cucharadita de pimentón o páprika
Aceite
2 huevos duros picados
50 gramos de pasas
6 aceitunas de botija picadas
1 tomate pelado y picado
1 cucharadita de pimienta
2 cucharadas de perejil picado

Sal al gusto

Preparación:
Sabemos que el arroz es cocido; bueno, haremos el relleno de la siguiente manera. En una sartén, echar aceite, freír la carne hasta que esté dorada, echar la cebolla, el ajo, el pimentón o páprika, echar el tomate, la pimienta, la sal, al gusto. Una vez cocido, retirar del fuego y echar las pasas, el huevo duro picado y las aceitunas, también picadas moviendo para que se unan con el aderezo del relleno.

Modo de presentación:
Servir en moldes individuales, al molde se le unta un poquito de aceite o agua para que se desmolde con facilidad, se pone primero una capa de arroz aprisionando al molde, luego echar el relleno y nuevamente otra capa de arroz aprisionando para que no se desmorone, desmoldar sobre el plato y decorar espolvoreando el perejil picado sobre el arroz.

sazonadores	fruta	cereales	verduras	carne
Ajo, pimentón, pimiento, perejil, sal	Pasas, aceitunas	Arroz	Cebolla, tomate	Carne de res

3. Ahora que has leído la receta: ¿Por qué se llama *arroz tapado*?

Portfolio: evalúa tus conocimientos de español.

Después de hacer la unidad 4
Fecha: ....

	Nivel alcanzado		
Insuficiente	Suficiente	Bueno	Muy bueno

Comunicación
- Puedo hacer promesas.
Escribe las expresiones:

☐ ☐ ☐ ☐

- Puedo expresar prohibiciones.
Escribe las expresiones:

☐ ☐ ☐ ☐

- Puedo dar consejos.
Escribe las expresiones:

☐ ☐ ☐ ☐

Gramática
- Sé usar el imperativo negativo.
Escribe algunos ejemplos:

☐ ☐ ☐ ☐

- Sé usar el futuro simple.
Escribe algunos ejemplos:

☐ ☐ ☐ ☐

- Sé usar el condicional simple.
Escribe algunos ejemplos:

☐ ☐ ☐ ☐

Vocabulario
- Conozco las palabras para hablar de medios de transporte.
Escribe las palabras que recuerdas:

☐ ☐ ☐ ☐

- Conozco las palabras relacionadas con las indicaciones de las señales de tráfico.
Escribe las palabras que recuerdas:

☐ ☐ ☐ ☐

- Conozco verbos de movimiento.
Escribe las palabras que recuerdas:

☐ ☐ ☐ ☐

Mi diccionario

Traduce las principales palabras de la unidad 4 a tu idioma.

A

a propósito (expresión) ....
accidente (el) ....
aconsejar (verbo regular) ....
adelantar (verbo regular) ....
advertencia (la) ....
afición (la) ....
afirmar (verbo regular) ....
aguacate (el), palta (la) ....
aire (el) ....
albaricoque, damasco, chabacano (el) ....
alcachofa (la), alcaucil (el) ....
alimentar (verbo regular) ....
alubia (la), frijol, poroto (el) ....
amado, amada ....
amanecer (verbo irregular) ....
amigable ....
anónimo, anónima ....
antiguo, antigua ....
apuntarse (verbo reflexivo regular) ....
arqueología (la) ....
asegurar (verbo regular) ....
atardecer (verbo regular) ....
¡Atención! (expresión) ....
atender (verbo irregular) ....
autoescuela (la) ....
autopista (la) ....
autor, autora (el, la) ....
autorizar (verbo irregular) ....

C

cacahuete, maní (el) ....
calabacín, zapallito (el) ....
calabaza (la), zapallo, cayuco (el) ....
calendario (el) ....
carné (el) ....
carne asada (la), churrasco (el) ....
carne de vaca, carne de res (la) ....
carretera (la) ....
cerdo, chancho, puerco (el) ....
charco (el) ....
circulación (la) ....
colonial ....
componer (verbo irregular) ....
conferencia (la) ....
contratar (verbo regular) ....
convencer (verbo irregular) ....
convertirse (verbo reflexivo irregular) ....
convivir (verbo regular) ....
cortés ....
crucero (el) ....
cubierta (la) ....
cuenca (la) ....
¡Cuidado! (expresión) ....

D

dar ganas de (expresión) ....
dar igual (expresión) ....
dar un consejo (expresión) ....
devolver (verbo irregular) ....
dicha (la) ....
dios, diosa (el, la) ....
duna (la) ....

E

eliminar (verbo regular) ....
embutido (el), carne fría (la) ....
en el fondo (expresión) ....
entrevista (la) ....
entrevistado, entrevistada (el, la) ....
entrevistador, entrevistadora (el, la) ....
escaparate (el) ....
estar dispuesto/a a (expresión) ....
extensión (la) ....

F

flor (la) ....
folclore (el) ....
formar (verbo regular) ....
frecuencia (la) ....
fresa, frutilla (la) ....
frontera (la) ....
fruto (el) ....
función (la) ....

G

gamba (la), camarón (el) ....
gracias a/por (expresión) ....
guerra (la) ....
guerrero, guerrera (el, la) ....
guisante, chicharro (el), arveja (la) ....

H

histórico, histórica ....
hotel (el) ....

I

impedir (verbo irregular) ....
impresionante ....
incluir (verbo irregular) ....
indispensable ....
intención (la) ....
interés (el) ....
irresponsable ....
isla (la) ....

J

judías verde, chaucha (la) ....
jurar (verbo regular) ....

L

ladrar (verbo regular) ....
ladrido (el) ....
lago (el) ....
lavandería (la) ....
línea (la) ....
llano (el) ....
llanto (el) ....
luz (la) ....

M

maíz, abatí, canguil (el) ....
manera (la) ....
manifestación (la) ....
manualidad (la) ....
manzana (la), pero (el) ....
maravillarse (verbo reflexivo regular) ....
mayoría (la) ....
melocotón, durazno (el) ....
metrópoli (la) ....
miedo (el) ....
molestar (verbo regular) ....
moto (la) ....
multitud (la) ....

N

naranjada (la) ....
navegable ....
noroeste (el) ....
norte (el) ....
numeroso, numerosa ....

O

ocuparse de (expresión) ....
¡Ojo! (expresión) ....
orden (el) ....
órdenes (las) ....
original ....

P

párrafo (el) ....
partir (verbo regular) ....
pasado (el) ....
patata, papa (la) ....
patín (el) ....
patrimonio (el) ....
pedir perdón (expresión) ....
piña (la), ananá (el) ....
plan (el) ....
plátano (el), banana (la), banano (el) ....
poderoso, poderosa ....
premio (el) ....
presente (el) ....
prestar (verbo regular) ....
prohibición (la) ....
prometer (verbo regular) ....

propuesta (la) ....
protección (la) ....
próximo, próxima ....

Q

quebranto (el) ....
quedar (verbo regular) ....
quitar (verbo regular) ....

R

rascacielos (el) ....
reacción (la) ....
recortar (verbo regular) ....
red (la) ....
remover (verbo irregular) ....
retomar (verbo regular) ....
risa (la) ....
ruta (la) ....

S

sandía, patilla (la) ....
selección (la) ....
semestre (el) ....
sendero (el) ....
señal de tráfico (la) ....
señalización (la) ....
ser evidente (expresión) ....
ser posible (expresión) ....
ser sorprendente (expresión) ....
sobrevolar (verbo irregular) ....
solicitud (la) ....
sorprender (verbo regular) ....
sorpresa (la) ....
sostenible ....
sueldo (el) ....
sugerir (verbo irregular) ....

T

tener cuidado (expresión) ....
tener ganas de (expresión) ....
tierno, tierna ....
tipo (el) ....
transporte (el) ....
turístico, turística ....

V

vecindario (el) ....
verso (el) ....
vía (la) ....
vocación (la) ....
voluntad (la) ....

Z

zumo, jugo (el) ....

UNIDAD 5

Decide tu estilo de vida

Contenido y actividades

1. Comprender una conversación telefónica.
2. Repasar el léxico del tiempo libre.
3. Practicar el verbo *apetecer*.
4. Afianzar el contraste entre los usos del indicativo y del subjuntivo.
5. Utilizar los relativos.
6. Entender una conferencia sobre los hábitos sanos.
7. Ejercitar el léxico de la salud.
8. Formar frases de valoración.
9. Expresar condiciones.
10. Trabajar los usos de *cuando*.

Haz planes para el futuro

1 UNA CONVERSACIÓN POR TELÉFONO

Completa el diálogo con las palabras propuestas. Atención, hay palabras que no tienes que usar.

> acerque – acuerdo – apetece – claro – cumpleaños – discos – fiesta – grupo – hace – jugando – local – película – perros – prepare – que – quedado – quien – quiero – recuerdo – también – tocado – todavía – trabajando – viaje

Andrés: El sábado es mi fiesta de **cumpleaños**. Será muy divertido. Vendrá casi toda la clase y me **apetece** mucho que vengas.

Lucía: ¿El sábado? ¡Horror! Es que el sábado he **quedado** con mis primas. Como mis tíos se van de **viaje**, mis primas se quedan a dormir en casa.

Andrés: Bueno, pero eso no es un problema. Pueden venir ellas **también**.

Lucía: Se lo comento y, si les apetece, **claro** que vamos.

Andrés: Será una fiesta fantástica. Mis padres han alquilado un **local** y habrá mucha música, tendremos un grupo en directo y los compañeros que vengan traerán sus **discos** favoritos; pero antes quiero que hagamos algunos juegos.

Lucía: ¡Genial. ¿Qué **grupo**? ¿Dónde será? Cuéntamelo todo.

Andrés: Es el grupo del hermano de José, Los Astros. Creo que los conoces a todos, están en segundo de ESO y han **tocado** a veces en las fiestas de la escuela. Hacen versiones de Los Planetas, je, je, por eso se han puesto ese nombre... Ah, y será en el club que está junto al cine Emperador, no me **acuerdo** cómo se llama.

Lucía: Claro que los conozco. Soy muy amiga de Carlos, el chico **que** toca la batería. Oye, yo voy. Cuenta conmigo. Ahora tengo que ponerme a estudiar, mi madre está enfadada conmigo porque dice que me he pasado la tarde **jugando** con la videoconsola.

Andrés: Buff, ¡qué pesados son los padres! ¿Te apetece que me **acerque** a tu casa y te ayude con los deberes? Así estará más contenta.

Lucía: No, gracias. Me apetece que vengas, pero no me apetece hacer deberes.

2 EL LÉXICO DEL TIEMPO LIBRE

A. Resuelve el crucigrama y encuentra en las casillas marcadas en vertical un verbo relacionado con el tiempo libre.

1. D I S C O T E C A
2. C I N E
3. V Í D E O S
4. T E A T R O
5. G R U P O
6. F I E S T A
7. G I M N A S I O
8. R E S T A U R A N T E
9. S A L I R
10. C O M E R C I A L

1. Lugar con música grabada para bailar.
2. Lugar comercial para ver películas.
3. En las bibliotecas, los puedes tomar prestados además de los libros.
4. Lugar para ver una representación en vivo con actores.
5. Varias personas que tocan e interpretan canciones.
6. Reunión de amigos para celebrar algo.
7. Lugar para practicar varios deportes.
8. Lugar comercial para comer.
9. Ir con amigos.
10. Centro..., gran espacio con tiendas y locales comerciales.

B. Confecciona un crucigrama similar para que lo resuelva tu compañero.

C. ¿Qué actividades representan las imágenes? Explica en qué lugares se desarrollan y escribe una frase con cada uno.

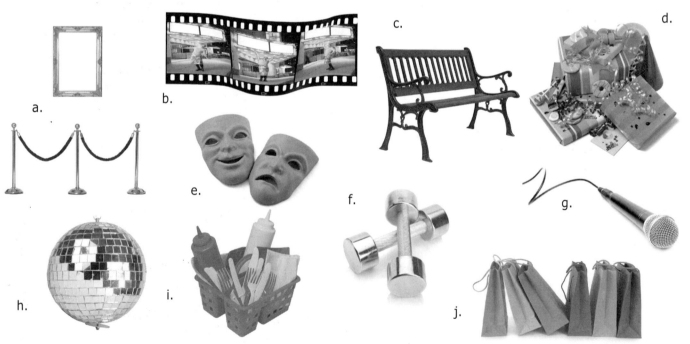

a.
b.
c.
d.
e.
f.
g.
h.
i.
j.

D. Completa las frases como creas conveniente.

1. ¿Te _____ **apetece** _____ que vayamos juntos al cine?
2. ¿Quieres que veamos juntos esta _____ **película** _____? Es de mi actor favorito.
3. Me apetece _____ **escuchar** _____ un poco de música, ¿tienes algo de Alejandro Sanz?
4. ¿_____ **Os** _____ apetece venir a mi fiesta? Podéis traer a vuestros amigos.
5. ¿Te apetece que _____ **salgamos** _____ juntos este fin de semana? Podemos ir donde tú quieras.
6. No quiero ir al _____ **gimnasio** _____ esta tarde porque no me apetece hacer deporte.

3 EL VERBO *APETECER*

A. Explica qué quieren hacer estas personas usando el verbo *apetecer*.

1. Quiero ver una película de vaqueros. Le apetece ver una película de vaqueros.
2. Queremos ir a la playa. Les apetece ir a la playa.
3. Mónica quiere salir esta tarde. Le apetece salir esta tarde.
4. Paco y Chema quieren comer tarta. Les apetece comer tarta.

B. Completa las frases conjugando los verbos.

1. Me apetece mucho que os (quedar) **quedéis** con nosotros este fin de semana, os vais a divertir.
2. No le apetece nada que (hablar, yo) **hable** contigo, no sé qué teme.
3. Nos apetece que (venir) **vengáis** al concierto, sois nuestros mejores amigos.
4. ¿Os apetece que os (leer) **lea** mi trabajo para la clase de ciencias? Yo creo que me ha quedado muy bien.
5. ¿Te apetece que (tocar) **toque** algo al piano? Sé algunas canciones que están muy bien.
6. No le apetece que (ir) **vayas** a su cumpleaños. Es que me parece que no le caes bien.
7. ¿Te apetece que (pasar) **pasemos** por la *pizzería* y (encargar) **encarguemos** unas *pizzas* para esta tarde? No nos cuesta trabajo, de verdad.
8. Me apetece que me (ayudar) **ayudéis** a preparar el examen y que me (explicar) **expliquéis** los problemas, pero si os tenéis que marchar no importa, ya lo hago yo solo.

4 CONTRASTE ENTRE EL INDICATIVO Y EL SUBJUNTIVO

Completa con la forma adecuada.

1. ¿Queréis que (jugar, nosotros) **juguemos** un partido de fútbol?
2. No creo que (tener) **tengas** posibilidad de ganarme, no eres muy bueno al baloncesto.
3. Pienso que me (conocer) **conocen** poco, no sé por qué dicen eso de mí.
4. Me apetece mucho que (traer) **traigas** a tus primos a la fiesta, no los veo desde hace siglos.
5. Me gusta que (saber, vosotros) **sepáis** lo que me gusta.
6. Siento que (salir) **salgan** solos esta tarde, pero yo no puedo acompañarlos.
7. Creemos que Lucas (poder) **puede** estar enfermo porque no viene a clase.
8. ¿No creéis que ese grupo (sonar) **suena** muy mal?

5 LOS RELATIVOS

A. Relaciona y forma frases.

1. Hemos encontrado los libros	a. que cuida a mi hermano pequeño.
2. El chico,	b. donde comimos aquella paella tan rica.
3. Hemos vuelto a ese restaurante	c. como me dijiste, con muchos colores y pocas líneas.
4. Esas son las compañeras	d. que nos habíais prestado para el trabajo de literatura.
5. He hecho los cuadros	e. a quien le preguntaste la hora, es primo de Marta.
6. Esta es la señora	f. con quienes estuvimos en la excursión.

1-d; 2-e; 3-b; 4-f; 5-c; 6-a.

B. Completa con *que, quien, quienes, como* o *donde*.

1. La chica a **quien** nos dirigimos no hablaba español.
2. Han cerrado el restaurante **donde** comemos los fines de semana.
3. Tengo un amigo **que** se llama como tú.
4. Tienes que jugar **como** tú sabes hacerlo, con técnica y visión de juego.

Habla de hábitos de comportamiento

1 **LOS HÁBITOS DE LOS JÓVENES**

Completa el texto con estas frases.

1. aprendamos las bases de una dieta sana
2. como el tabaco o el alcohol
3. hábitos de comportamiento cotidianos de una persona
4. mal aconsejados por «amigos» a los que no queremos decir que no
5. no tendremos que renunciar a nada
6. nuestro cuerpo nos lo agradecerá
7. plantea grandes problemas y pone en riesgo la salud de los adolescentes
8. podrán surgir problemas
9. que fumes o que bebas

Mente sana, cuerpo sano

El estilo de vida se define como el conjunto de los **hábitos de comportamiento cotidianos de una persona**. La alimentación, las horas de sueño o descanso, la actividad física, el ocio, la higiene, nuestras relaciones familiares y amistades o el consumo de sustancias nocivas para la salud, **como el tabaco o el alcohol**, caracterizan la forma de vida de cada individuo.

Hábitos alimenticios
Entre los más jóvenes, han adquirido popularidad recientemente las hamburgueserías y establecimientos de comida rápida. Este tipo de alimentación **plantea grandes problemas y pone en riesgo la salud de los adolescentes**. Frente a este tipo de comidas, es importante que **aprendamos las bases de una dieta sana**.

Actividad deportiva
El ejercicio físico constituye una actividad beneficiosa para la salud, ofreciendo también una excelente oportunidad para las relaciones sociales. Si practicamos deporte regularmente, **nuestro cuerpo nos lo agradecerá**. Los adolescentes suelen practicar deporte aunque con el paso del tiempo tienden a abandonarlo. Es bueno seguir con su práctica en la juventud y en la madurez.

El tiempo libre
Los chicos reparten su tiempo de ocio entre los amigos, escuchar música, leer, navegar por Internet o frecuentar las redes sociales, jugar a los videojuegos y ver la televisión. Si sabemos dosificar el tiempo, **no tendremos que renunciar a nada**, pero si abusamos de la televisión, Internet o los videojuegos, **podrán surgir problemas**.

Tabaquismo/Alcohol
Para llevar una vida saludable, tenemos que evitar estos hábitos. A menudo caemos en ellos **mal aconsejados por «amigos» a los que no queremos decir que no**. Tenemos que aprender a decidir por nosotros. Ante una situación de este tipo sé claro: «No, gracias. No me parece bien **que fumes o que bebas**, no es bueno para la salud. Yo que tú lo dejaría».

EL LÉXICO DE LA SALUD

**Busca en la sopa de letras las palabras que responden a estas defini-
ciones. Con las letras que queden libres, forma una recomendación y
responde a esta pregunta: ¿Qué haces tú en ese sentido?**

1. Control de lo que se come. **dieta**
2. Lo que se come. **alimentación**
3. Que es bueno para el cuerpo. **sano**
4. Algo peligroso, que es posible que ocurra algo malo. **riesgo**
5. Cuidado y limpieza del cuerpo. **higiene**
6. Que no es saludable, que es perjudicial. **nocivo**
7. Buen estado de las personas. **salud**
8. Actividad física sujeta a determinadas normas. **deporte**
9. Costumbres. **hábitos**
10. Relativos al cuerpo en oposición a los de la mente. **físicos**
11. Diario, habitual. **cotidiano**
12. Dormir y relajarse. **descanso**

```
P  H  A  R  R  A  T  E  N  E  R  U  N  A  M
E  A  L  I  M  E  N  T  A  C  I  O  N  N  T
E  B  D  E  E  D  S  P  I  O  E  R  T  A  E
S  I  M  S  D  E  P  O  R  T  E  U  Y  I  M
P  T  O  G  R  S  T  A  H  I  G  I  E  N  E
N  O  T  O  E  C  C  U  I  D  I  E  T  A  D
A  S  R  E  L  A  C  U  F  I  S  I  C  O  S
E  R  P  O  Y  N  P  R  A  A  C  T  I  C  A
S  A  L  U  D  S  R  A  L  N  G  U  N  D  E
N  O  C  I  V  O  S  A  N  O  P  O  R  T  E
```

Escribe tu respuesta: ....

 EXPRESIONES DE VALORACIÓN

A. Transforma las frases según el ejemplo.

Antonio, comer verdura es importante. **Es importante que comas verdura, Antonio.**

1. Ana, hacer ejercicio físico está muy bien. **Está muy bien que hagas ejercicio físico, Ana.**
2. Raúl, María, hablar así a las personas mayores no está bien. **Raúl, María, no está bien que habléis así a las personas mayores.**
3. Pepe, tener prisa cuando se come está mal. **Está mal que tengas prisa cuando comes, Pepe.**
4. Asunción, salir de fiesta el día antes del examen no es bueno. **Asunción, no es bueno que salgas
   de fiesta el día antes del examen.**
5. Luisa, Aurora, conocer las propiedades de los alimentos es importante. **Luisa, Aurora, es importante que conozcáis las propiedades de los alimentos.**
6. Tino, descansar poco no es bueno para la salud. **No es bueno para la salud que descanses poco,
   Tino.**

B. Completa las frases con estos verbos en la forma adecuada.

> ayudar – escuchar – ir – pedir – prohibir – tener

1. Me parece bien que **vayas** al cine el fin de semana con tu hermano.
2. Nos parece genial que **escuchéis** algo de música antes de acostaros.
3. Me parece fatal que **pidas** a Marcos que te haga los deberes.
4. Me parece mal que **tengas** tu habitación tan desordenada.
5. Nos parece estupendo que **ayudéis** a vuestros hermanos con los deberes.
6. Les parece muy mal que les **prohíban** usar el gimnasio después de las clases.

4 LA ORACIÓN CONDICIONAL

Relaciona.

1. Si me lleváis al polideportivo,
2. Si coméis mucho,
3. Si estudio los problemas de Matemáticas,
4. Si mañana llueve,
5. Si compran mucho,
6. Si podéis ayudarnos,
7. Si me dejáis vuestro libro,
8. Si habláis bien,

a. me resultará más fácil estudiar.
b. se quedarán sin dinero.
c. os lo agradeceremos mucho.
d. no tendré problemas para aprobar el examen.
e. le caeréis bien a la gente.
f. os enseñaré a jugar al baloncesto.
g. no podremos ir al campo.
h. no haréis una buena digestión.

1-f; 2-h; 3-d; 4-g; 5-b; 6-c; 7-a; 8-e.

5 USOS DE *CUANDO*

A. Completa las frases con los verbos en la forma adecuada.

1. Cuando (querer, yo) **quise** darme cuenta, ya era tarde.
2. Cuando (tener) **tengáis** mi edad, os daréis cuenta de la importancia de la alimentación.
3. Cuando (saber) **sepan** la fecha del examen, organizarán su calendario.
4. Cuando (ver) **veo** a la gente contenta, siempre me pongo contento yo también.
5. Cuando (aprender) **aprendas** la importancia de la higiene, me entenderás.
6. Cuando (ir) **fuimos** a su casa, nos enseñó su nuevo ordenador.
7. Cuando estábamos haciendo los deberes juntos, (conocer) **conocimos/conocí** al hermano de Javier.
8. Cuando vengas a mi casa, te (enseñar) **enseñaré** mi colección de sellos.
9. Cuando pienso en las vacaciones, (soñar) **sueño** con un lugar con mar y buen tiempo.
10. Cuando (conocer) **conozcas** a sus padres, entenderás por qué es así.

B. Responde a las preguntas usando en tus respuestas la forma *cuando* y el verbo entre paréntesis.

1. ¿Cuándo volverás a casa? (terminar)
2. ¿Cuándo verás a tus amigos? (salir)
3. ¿Cuándo dejarás de comer chucherías? (tener)
4. ¿Cuándo jugaréis el próximo partido? (empezar)
5. ¿Cuándo me prestarás el disco que te he pedido? (devolver)
6. ¿Cuándo se quedará a dormir en tu casa? (permitir)

Tu biblioteca de español

Cultura, fiestas y celebraciones

1 Completa el texto con las palabras que faltan.

Como número dos, aparece **en** la lista los Sanfermines, conocidos mundialmente por el escritor Hemingway. Durante los días que van **del** 7 **al** 14 de julio, Pamplona recibe a más de un millón y medio de turistas que acuden, **con** ganas de fiesta y de emociones fuertes. Las calles **de** la capital navarra se llenan de corredores vestidos **de/con** traje blanco y pañuelo rojo dispuestos a correr cada mañana **delante de** un grupo de toros bravos.

La sorpresa en esta lista se encuentra **en** este tercer puesto; se trata de la Tomatina de Buñol en la Comunidad Valenciana, una batalla **a** golpe de tomates que se repite cada 30 de agosto. El origen **de** la fiesta parece estar en una batalla real, con tomates, **entre** jóvenes del pueblo durante un desfile de gigantes y cabezudos. El año siguiente, los mismos jóvenes decidieron llevarse los tomates **de** su casa y repetir la batalla. **Tras** algunos años en los que la policía obstaculizó la batalla, esta se convirtió en tradición y hoy son miles los turistas que llegan de todo el mundo **para** asistir a tan peculiar combate.

El cuarto puesto recae **en** las Fallas de Valencia. Las Fallas son esculturas burlescas construidas **en/con** madera y cartón-piedra que se colocan **en** las calles y plazas de la ciudad **hasta** la noche del 19 de marzo, día de San José, cuando son quemadas **entre** ruidos de petardos.

2 Completa las frases con un adjetivo. No repitas ningún adjetivo.

En España hay muchas fiestas **populares** conocidas en todo el mundo.
En estas fiestas, los participantes suelen vestir con trajes **tradicionales** .
En la Semana Santa de Sevilla, los sevillanos sacan a pasear pasos **pesados** con imágenes religiosas.
Las personas que practican deportes de riesgo aman las emociones **fuertes** .
Los animales que se usan en las corridas son toros **bravos** .
Las Fallas de Valencia son esculturas **burlescas** .

3 Escribe una frase con estas palabras y expresiones.

desfilar:
tener lugar:
ganas:
peculiar:
trato:
por supuesto:

Tu rincón hispano

1. Asocia los nombres de los deportes a las imágenes. Cuatro aparecen en el texto y los otros cuatro no.

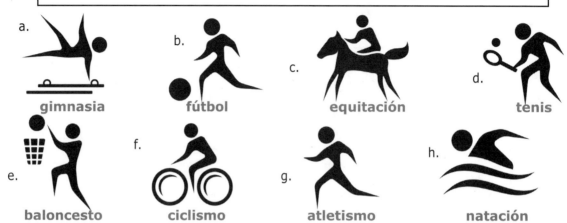

> tenis - baloncesto - atletismo - fútbol - natación - ciclismo - gimnasia - equitación

a. **gimnasia**

b. **fútbol**

c. **equitación**

d. **tenis**

e. **baloncesto**

f. **ciclismo**

g. **atletismo**

h. **natación**

Ahora fíjate en estas palabras. ¿Cuáles se asocian a cada deporte? Atención, alguna puede pertenecer a más de un deporte.

balón: baloncesto, fútbol; piscina: natación; bici: ciclismo; canasta: baloncesto; potro: gimnasia; pelota: tenis (fútbol, baloncesto); caballo: equitación (gimnasio: caballo con arcos); casco: ciclismo, equitación; raqueta: tenis; portería: fútbol; traje de baño: natación; botas: fútbol, equitación; zapatillas: tenis, baloncesto, atletismo (gimnasia); meta: ciclismo, atletismo; pelota: tenis.

> balón - piscina - bici - canasta - potro - pelota - caballo - casco - raqueta - portería
> traje de baño - botas - zapatillas - meta - pelota

2. Escribe una frase con cada deporte.

Decide cuál de las dos posibilidades refleja mejor el sentido de estas frases.

1. Su tío era futbolista y fue el mejor delantero español de todos los tiempos.
   a) Durante su etapa como futbolista siempre fue el mejor delantero.
   b) No ha habido otro delantero español mejor que él.

2. Por ahora no se entrenará con el equipo.
   a) A partir de ahora y en un periodo incierto, no se entrenará con los demás.
   b) Hoy no se entrenará con sus compañeros.

3. Ha ganado varios premios a título individual.
   a) Ha obtenido varios reconocimientos como jugador.
   b) Ha sido el responsable de los premios conseguidos por su equipo.

4. Hizo una gran carrera deportiva.
   a) Consiguió muchos reconocimientos a lo largo de su vida deportiva.
   b) Realizó una buena prueba de atletismo.

5. A nivel de clubs, no pudo obtener grandes resultados.
   a) Nunca estuvo a la misma altura que sus equipos.
   b) Con sus equipos no ganó demasiados premios.

Portfolio: evalúa tus conocimientos de español.

| Después de hacer la unidad 5 |
| Fecha: .... |

| | Insuficiente | Suficiente | Bueno | Muy bueno |

Comunicación
- Puedo hacer promesas.
Escribe las expresiones:

| | ☐ | ☐ | ☐ | ☐ |

- Puedo expresar prohibiciones.
Escribe las expresiones:

| | ☐ | ☐ | ☐ | ☐ |

- Puedo dar consejos.
Escribe las expresiones:

| | ☐ | ☐ | ☐ | ☐ |

Gramática
- Sé usar el imperativo negativo.
Escribe algunos ejemplos:

| | ☐ | ☐ | ☐ | ☐ |

- Sé usar el futuro simple.
Escribe algunos ejemplos:

| | ☐ | ☐ | ☐ | ☐ |

- Sé usar el condicional simple.
Escribe algunos ejemplos:

| | ☐ | ☐ | ☐ | ☐ |

Vocabulario
- Conozco las palabras para hablar de medios de transporte.
Escribe las palabras que recuerdas:

| | ☐ | ☐ | ☐ | ☐ |

- Conozco las palabras relacionadas con las indicaciones de las señales de tráfico.
Escribe las palabras que recuerdas:

| | ☐ | ☐ | ☐ | ☐ |

- Conozco verbos de movimiento.
Escribe las palabras que recuerdas:

| | ☐ | ☐ | ☐ | ☐ |

Mi diccionario

Traduce las principales palabras de la unidad 5 a tu idioma.

A

a menudo (expresión) ....
abusar (verbo regular) ....
acercar (verbo irregular) ....
acudir (verbo regular) ....
adicción (la) ....
adquisición (la) ....
afortunadamente ....
agrupar (verbo regular) ....
alimentación (la) ....
alimenticio, alimenticia ....
alquilar (verbo regular) ....
animado, animada ....
anunciar (verbo regular) ....
apetecer (verbo especial) ....
aportar (verbo regular) ....
argumentar (verbo regular) ....
aseo (el) ....
asistir (verbo regular) ....
automovilismo (el) ....

B

baile (el) ....
baloncesto, basquetbol, basket (el) ....
banco (el) ....
batalla (la) ....
batería (la) ....
batido (el) ....
béisbol (el) ....
beneficioso, beneficiosa ....
boxeo (el) ....

C

calidad (la) ....
caminar (verbo regular) ....
campeón, campeona (el, la) ....
campeonato (el) ....
campo de fútbol (el) ....
cancha de tenis (la) ....
cansarse (verbo reflexivo regular) ....
caracterizar (verbo irregular) ....
celebración (la) ....
cóctel (el) ....
colesterol (el) ....
columpio (el) ....
combate (el) ....
combinar (verbo regular) ....
comercial ....
competición, competencia (la) ....
comportarse (verbo reflexivo regular) ....
común ....
comunidad (la) ....
condición (la) ....

conducta (la) ....
consecución (la) ....
consumo (el) ....
contrastar (verbo regular) ....
contribuir (verbo irregular) ....
corredor, corredora (el, la) ....
creativo, creativa ....
crecimiento (el) ....
crónica (la) ....
cuadro, equipo (el) ....
cuidado (el) ....
cuidarse (verbo reflexivo regular) ....
cumbre (la) ....

D

dañar (verbo regular) ....
dañino, dañina ....
dar una vuelta (expresión) ....
debatir (verbo regular) ....
decisión (la) ....
desaprobar (verbo irregular) ....
descanso (el) ....
desfilar (verbo regular) ....
determinar (verbo regular) ....
disciplina (la) ....
disparar (verbo regular) ....
droga (la) ....
ducha (la) ....

E

echar una partida (expresión) ....
educar (verbo regular) ....
educativo, educativa ....
empobrecimiento (el) ....
entrenar (verbo regular) ....
entusiasmarse (verbo reflexivo regular) ....
escalón (el) ....
escolar ....
escultura (la) ....
estadio (el), cancha (la), campo (el) ....
excelente ....
explotar (verbo regular) ....

F

festejar (verbo regular) ....
fuegos artificiales (los) ....

G

goleador, goleadora ....
grasiento, grasienta ....

H

habitual ....

hacer cola (expresión) ....
hamburguesa (la) ....
higiene (la) ....
horror (el) ....
humor (el) ....

I

infección (la) ....
invencible ....
ir de rebajas (expresión) ....

J

juventud (la) ....

L

lucha (la) ....

M

madurez (la) ....
magnífico, magnífica ....
mantener (verbo irregular) ....
mediodía (el) ....
mito (el) ....
montar en bici, andar en bici (expresión) ....
mundial ....

N

negocio (el) ....
nivel (el) ....
nocivo, nociva ....
novela (la) ....
nutricional ....

O

ocio (el) ....
oponerse (verbo reflexivo irregular) ....

P

participación (la) ....
participante (el, la) ....
pasar páginas (expresión) ....
pasatiempo (el) ....
perder el tiempo (expresión) ....
perder o ganar un partido (expresión) ....
petardo (el) ....
popularidad (la) ....
por supuesto (expresión) ....
portarse (verbo reflexivo regular) ....
portería (la), arco (el) ....
portero, arquero, golero, guardameta (el) ....
procesión (la) ....
prueba (la) ....

Q

quemar (verbo regular) ....

R

reírse (verbo reflexivo irregular) ....
religioso, religiosa ....
renunciar (verbo regular) ....
representación (la) ....
requerir (verbo irregular) ....
resultado (el) ....

S

secreto (el) ....
senderismo (el), caminata (la), *trekking* (el) ....
ser un manitas (expresión) ....
severo, severa ....
solemne ....
suspender (verbo regular) ....

T

tabaco (el) ....
tabaquismo (el) ....
típico, típica ....
título (el) ....
todavía ....
torneo (el) ....
toro bravo (el) ....
tradición (la) ....
traje (el) ....
trastorno (el) ....
trato (el) ....
trofeo (el) ....

V

vacío, vacía ....
vaquero, vaquera ....
variado, variada ....
vencedor, vencedora ....
vencer (verbo irregular) ....
voleibol, balonvolea, vóley, volibol, voleyball (el)
....

UNIDAD 6

Prepárate para el futuro

Contenido y actividades

1. Conversar por teléfono.
2. Repasar el léxico de las nuevas tecnologías.
3. Practicar la expresión *pensar* + infinitivo.
4. Reforzar la expresión de la probabilidad.
5. Comprender una conferencia sobre el medio ambiente.
6. Afianzar el vocabulario de la ciencia.
7. Fortalecer las oraciones temporales con *antes* y con *después*.
8. Ejercitar el uso del indicativo y del subjuntivo en oraciones temporales.

Habla del mundo virtual

 1 **CHARLANDO VÍA SKYPE**

Completa el diálogo con los verbos en la forma adecuada.

Verónica: Miguel, soy Verónica. Mira, he estado hablando con algunos compañeros sobre el próximo año y parece que muchos se (cambiar) **cambian** de instituto, así que he pensado crear un sitio en Internet para que todos (seguir, nosotros) **sigamos** en contacto. Y, bueno, como a ti se te dan muy bien los ordenadores, he pensado que quizá (poder) **puedas** ayudarme. Podrás hacerlo, ¿verdad?

Miguel: Claro que sí. Pero, oye, ¿no será mejor que (abrir, nosotros) **abramos** una página en tuenti?

Verónica: No sé, ya lo (pensar) **había pensado**, pero no me convence, algunos estamos en tuenti, otros en facebook... Se lo he dicho a Lourdes y ella también cree que (ser) **es** mejor una página web o un blog.

Miguel: Sí, un blog es lo mejor. Cada uno puede subir sus fotos o escribir y subir sus entradas cuando (querer) **quiera**.

Verónica: Tú podrás venir mañana, ¿verdad?

Miguel: ¿Después de las clases? No lo sé... Pero quizá (poder, nosotros) **podamos** hacerlo en el recreo. Pedimos permiso para usar el aula de informática y lo (hacer, nosotros) **hacemos** allí. Montar el blog es muy rápido, depende de cuánto tardemos en elegir el estilo y las fotos del blog.

Verónica: Por mí, estupendo. Para los estilos, ya lo hablamos cuando (ver, nosotros) **veáis** las plantillas. Para la foto de la cabecera, (tener, yo) **tengo** una que está muy bien de todo el grupo en la excursión del año pasado; o a lo mejor (poder, nosotros) **podemos** poner una foto de la escuela, que es muy bonita.

Miguel: Pues será muy bonita, pero creo que no (tener) **tiene** mucho sentido el año próximo, o sea que mejor la foto de la excursión. Tráela el jueves a clase. Supongo que (preparar, tú) **prepararás** también un texto, ¿no? ¿O prefieres que lo (hacer) **hagamos** juntos?

Verónica: Bueno, se lo he pedido a Julio, que escribe muy bien, y para el jueves seguramente ya (estar) **estará**.

Miguel: Vale. Como yo ahora estoy haciendo aplicaciones para la tableta y el teléfono inteligente, quizá (conseguir) **consiga** hacer una para el grupo, con el blog y otras cosas, como un chat o un mapa para localizarnos, no sé, voy a pensarlo y a ver qué sale.

Verónica: ¡Genial!

LOS NOMBRES DE LAS NUEVAS TECNOLOGÍAS

A. Completa con las letras que faltan para formar frases relacionadas con las nuevas tecnologías.

1. Pepe c.u.. ..e.l.g. a sus v..í.d.e..os en el b...l..o.g.. .
2. Ayer no se podía ..c.on..e.. ..c.tar a ..I..n...t.e..r..n..e.t .
3. No puedo hacer la vi..d.eo..c.on..f.. ..e.re..n.ci..a. porque no funciona mi we..b.. c..a.. m.. .
4. Tengo pocas ap..l..i..c.aci..o.. ..n.es instaladas en mi ..m.ó.v.. ..i..l.
5. Está a..c.tua..l..i..z. ...a.ndo su ..p..er...f..il de facebook con mi po...r.. ..t..áti..l.. .
6. Prefiero las ta.b.. ...l.et..a.s a los le.c... ...t.ores de libros ele.c.. ..t.. ...r.óni..c.os.

B. Completa las frases con las palabras del recuadro. Si se trata de un verbo, conjúgalo si es necesario.

> activar – A lo mejor – aplicaciones – así que – colgar – entradas – hacer – inteligentes – Quizá – tener

1. Tu blog tiene poquísimas **entradas** nuevas, no has escrito mucho últimamente.
2. A lo mejor **cuelgo** unas fotos de Marisa de la fiesta del otro día. ¿Qué te parece? ¿Se enfadará?
3. Trabajando en la sección de informática, tu padre estará harto de ver teléfonos **inteligentes** como el mío.
4. Seguramente **tendrá** problemas con su conexión, no se conecta desde hace dos días.
5. **A lo mejor** quieres que te ayude a diseñar tu blog personal.
6. **Quizá** tú sepas decirme quién me ha enviado este mensaje.
7. ¿Cuántas **aplicaciones** tienes instaladas en el móvil?
8. No me manda correos desde hace un año, **así que** no sé decirte nada sobre él.
9. No piensa **activar** su cuenta hasta que le expliquen cómo funciona.
10. Quizá **haga** un curso de diseño por ordenador el próximo verano.

PENSAR + INFINITIVO

Forma frases con la expresión *pensar* + infinitivo, haciendo las transfor-maciones necesarias, como en el ejemplo.

Mañana, probablemente, iré al cine. Pienso ir mañana al cine.

1. La próxima semana nos compraremos la tableta.
2. Si puede, Eva te pondrá mañana un correo electrónico.
3. Entonces, ¿a lo mejor mañana vais a su casa?
4. No leeremos ese libro, te lo aseguro.
5. No diré nada, lo prometo.
6. Creo que llevaré mi música a la fiesta.

LA EXPRESIÓN DE LA PROBABILIDAD

A. Completa con estos verbos en la forma adecuada.

> colgar – devolver – haber – ir – poner – quedar – recordar – saber – venir

1. Quizá **vengan** mis primos a casa a ver el partido de fútbol del domingo.
2. A lo mejor Marisa **cuelga** las fotos de la fiesta en su blog.
3. Seguramente **pondremos** la música que nos gusta, para eso es nuestra fiesta.

4. Los primos de Matilde quizá **vayan** a Francia este verano, no cuentes con ellos.
5. No te enfades, a lo mejor no te **han visto**, ya sabes que son muy despistados.
6. Al final, seguramente nos **quedaremos** en casa el fin de semana. No tenemos ganas de ir a esquiar.
7. Pues seguramente **habrá** mucha gente, ese sitio siempre está lleno.
8. Quizá tú **sepas** dónde vive Mauricio. ¿Es así?
9. A lo mejor **devuelvo** el jersey que me has regalado, en realidad no me gusta mucho. Lo siento.

Pista 33

B. Escucha las intenciones de estos chicos y completa las frases expresando probabilidad.

1. Quizá no **vaya** a clase esta mañana, estoy un poco cansado.
2. A lo mejor **estudio** el próximo semestre en Londres.
3. Seguramente **propondrán** a Marta para responsable del grupo.
4. A lo mejor no **hago** nada este fin de semana.
5. Seguramente tus hermanas **contarán** todo a tus padres.
6. Quizá **vengáis** de vacaciones con nosotros.

C. Haz hipótesis ante estas situaciones.

1. Tu profesor va a ir a la tienda de móviles mañana por la mañana. A lo mejor
2. Dos compañeros de clase llevan una cámara de fotos en la mano. Quizá
3. Te ha llamado un amigo a primera hora de la mañana, por si querías ir con él a algún lugar, pero todavía no estabas despierto. Seguramente
4. Te ha pedido que le dibujes algo bonito, pero tú dibujas fatal. Quizá
5. No sabes qué pasa, pero no consigues conectarte a Internet. Seguramente
6. Has mandado un privado por facebook a tu mejor amigo, pero no te ha contestado. A lo mejor

5 **USOS DEL FUTURO PARA EXPRESAR HIPÓTESIS**
Relaciona las frases con las fotos.

1. Vivirá en una buena casa y tendrá una vida cómoda.
2. Serán hermanas y tendrán 16 y 18 años.
3. Comerá poco y hará mucho ejercicio.
4. Leerá muchos libros.
5. Será griega.
6. Ganará poco.

a. 4

b. 5

c. 2

d. 3

e. 1

f. 6

Imagina el futuro

1 LA CONFERENCIA DEL CIENTÍFICO LEOCADIO FUERTES

Relaciona por lógica.

1. Los alumnos de la clase de Ciencias de la Naturaleza de tercero de ESO asisten
2. Las ciencias son importantes porque nos dan respuestas
3. Cuando vosotros tengáis 30 o 40 años, cuando seáis científicos, profesores, abogados o simples ciudadanos,
4. Cuando lleguemos a Marte,
5. pero, después de que exploremos el planeta rojo, emprenderemos otros viajes por el firmamento y, mientras viajemos,
6. En ese futuro, no tan lejano, desaparecerán algunas enfermedades que hoy
7. Gracias a los avances de la medicina, viviremos más, esto es seguro,
8. Los retos son infinitos, pero antes de que ese momento llegue, las personas que nos dedicamos a la ciencia
9. Todos sabéis que la temperatura mundial está
10. Al cortar árboles, al contaminar, al generar basura, estamos contribuyendo
11. Los expertos dicen que el efecto invernadero, producido por la acción del sol y los gases de las fuentes de energía tradicionales, provocará
12. Pero la energía es fundamental y, como no podemos prescindir de ella, necesitamos
13. Hasta que no seamos capaces de reducir la contaminación,
14. Se lo debemos a todas las personas que

a. a la conferencia del famoso científico Leocadio Fuertes.
b. al cambio de temperatura.
c. aparecerán organismos vivos, microorganismos que nos abrirán nuevas perspectivas.
d. aumentando muy rápidamente por culpa del hombre. De nosotros mismos.
e. confirmaremos que no hay marcianos esperándonos,
f. han creído en la ciencia. Os lo debemos a todos vosotros.
g. no descansaremos. Este es el gran reto que los científicos tenemos ahora por delante.
h. nos tenemos que enfrentar a los problemas del presente: el cambio climático, por ejemplo.
i. para afrontar los problemas del mundo.
j. pero quizá vivamos peor.
k. producir otro tipo de energía, energía limpia, no contaminante. Energía renovable.
l. se cobran miles de vidas.
m. tendréis que afrontar nuevos retos, nuevos problemas que todavía no conocemos.
n. un aumento del nivel del mar y la desaparición de muchas ciudades.

1-a; 2-i; 3-m; 4-e; 5-c; 6-l; 7-j; 8-h; 9-d; 10-b; 11-n; 12-k; 13-g; 14-f.

2 EL VOCABULARIO DE LA CIENCIA
Completa las frases con las palabras que faltan.

1. La producción de **energías** no contaminantes es una prioridad de los países desarrollados.
2. Los avances **científicos** hacen que nuestra vida sea mejor.
3. En un **futuro** no muy lejano, viajaremos como turistas al espacio exterior.
4. Aunque solucionan muchos problemas, los científicos siempre se enfrentan a nuevos **retos**.
5. No podemos cerrar los ojos ante el importante **cambio** climático de los últimos tiempos.
6. La **contaminación** atmosférica es causa de muchas enfermedades actuales.
7. Tenemos que aprender a reciclar nuestras **basuras**, para contribuir a un mejor futuro.
8. Los coches alimentados por energía tradicional producen **gases** contaminantes que contribuyen al efecto invernadero.

3 LAS ORACIONES TEMPORALES CON *ANTES* O *DESPUÉS*
A. Completa las frases con estos verbos en la forma adecuada.

> decir – entrar – hacer – llegar – ser – terminar

1. Vale, lo he entendido, tenéis que ir a la fiesta. Pero después de que **termine** la fiesta, podéis venir a mi casa, ¿no?
2. Antes de que **digas** nada, déjame contarte lo que pasó.
3. Podréis iros de vacaciones después de que **hagáis** el examen.
4. Iremos a veros después de que **lleguéis** a la ciudad.
5. Te lo explicaré mañana por la mañana, antes de que **entremos** en clase.
6. Mis padres dicen que se van a comprar un coche eléctrico antes de que **sea** demasiado tarde.

B. Subraya *antes* o *después* y completa con los verbos en la forma adecuada.

1. **Antes/Después** de que (ir) **vayas** a clase, tienes que desayunar.
2. Hablaremos del tema **antes/después** de que (terminar) **termine** el curso; así podréis preparar mejor vuestros exámenes.
3. **Antes/Después** de que lo (ver) **vean** lo entenderán, es que contarlo es difícil.
4. **Antes/Después** de que lo (hacer) **hagas**, te explicaré para qué lo necesito. Si te lo cuento ya, no saldrá bien.
5. Os aviso **antes/después** de que (venir) **vengáis** a mi casa, hoy no tengo galletas de chocolate.
6. **Antes/Después** de que (cometer) **cometamos** una estupidez, tenemos que pensarlo bien.

C. Subraya la opción adecuada en cada frase.

1. Hoy, **antes/después** de desayunar, me he lavado los dientes, como todos los días.
2. Anoche leí un poco **antes/después** de dormirme.
3. Esta mañana he discutido con mi madre **antes/después** de ir a clase.
4. **Antes/Después** de hacer deporte, hay que ducharse siempre.
5. **Antes/Después** de los exámenes, me pongo muy nerviosa.
6. **Antes/Después** de pedir su ayuda, intenta resolverlo tú solo.
7. Nos fuimos al cine **antes/después** de terminar los deberes. Tendremos que trabajar esta noche.

D. Completa las frases con *después, antes de, hasta* o *al*.

1. Hace un tiempo visité Asturias, **hasta** ese momento no sabía lo verde que era.
2. Primero montamos la tienda, **después** nos fuimos de excursión.
3. Perdimos el autobús, pero **al** poco tiempo salía otro y llegamos a tiempo.
4. **Antes de** comer visitamos el museo, pero estábamos hambrientos y lo hicimos muy rápido.
5. No han vuelto de su viaje **hasta** esta semana.

4 **ORACIONES TEMPORALES CON INDICATIVO O CON SUBJUNTIVO**

A. ¿Indicativo o subjuntivo con *mientras*? Completa con los verbos en la forma adecuada.

1. Mientras (estar) **estemos** de viaje, tendremos que mandar nuestras investigaciones al blog de Ciencias.
2. Mientras (decir) **digas** siempre la verdad, yo estaré de tu parte.
3. Mientras (llegar) **llegas**, preparo algo para merendar. ¿Te gustan los bocadillos de jamón y queso?
4. Mientras (visitar) **visitéis** el museo, os acordaréis de mis explicaciones, veréis.
5. Mientras (leer) **leías**, te observaba y me daba cuenta de que no te gusta el libro.
6. Mientras (observar) **observamos** las estrellas, nos damos cuenta de lo pequeño que es nuestro planeta.
7. Mientras (asistir) **asistáis** a las conferencias, conoceréis a mucha gente interesante.
8. Mientras (volver) **volvía** a mi casa, he visto a Roberto.

B. ¿Indicativo o subjuntivo con *hasta*? Completa con los verbos en la forma adecuada.

1. No empezaremos a comer hasta que tú (poner) **pongas** la mesa. Así que ponla ya, que tenemos hambre.
2. No hicimos nada hasta que nos lo (decir) **dijo** el profesor.
3. Hacemos experimentos hasta que nos (cansar) **cansamos**. Es que son clases abiertas y muy divertidas.
4. No supieron la noticia hasta que (llegar) **llegaron** a su casa y (poner) **pusieron** el telediario.
5. Estoy usando el portátil de mi hermano hasta que mis padres me (comprar) **compren** el nuevo ordenador.
6. Hasta que (hacer) **hagas** tus deberes y (ordenar) **ordenes** tu cuarto, no puedes salir.

5 **LOS USOS DE LOS PRONOMBRES COMPLEMENTO**

Responde a las preguntas usando los pronombres, como en el ejemplo.

¿Has comprado ese libro para Augusto?
Sí, ya se lo he comprado .

1. • ¿Te has llevado las películas al laboratorio?
   • Sí, ya **me las he llevado.**

2. • ¿Me has traído la caja con los colores?
   • No, todavía **no te la he traído.**

3. • ¿Has abierto la puerta a Miranda?
   • Sí, ya **se la he abierto.**

4. • ¿Has comprado las flores para tu madre?
   • No, **todavía no se las he comprado.**

5. • ¿Os habéis comprado el ordenador que os gustaba?
   • No, **no nos lo hemos comprado.**

6. • ¿Le doy tu recado a Daniela?
   • Sí, **dáselo, por favor.**

7. • ¿Le dejo tus juegos a mi primo Ismael?
   • No, **no se los dejes.**

Tu biblioteca de español

Belén Gopegui

 1 **Completa este fragmento del texto con estas palabras.**

> algo – aunque – Entonces – Luego – misma – nadie – ningún – otro – para – por – todavía – Todo

No tenía el ánimo como para concentrarme en **ningún** libro, así que me fui a los ordenadores. Aunque **todavía** no eran las cuatro de la tarde, estaban los seis ocupados. Por lo menos, esperando no había **nadie**; el primero debía quedar libre en cinco minutos, me dijeron. Me quedé de pie y de repente apareció Alex, el hermano de Vera. Impresiona bastante, ¿sabes? Es que tiene exactamente la **misma** cara que su padre, **aunque** con treinta años menos o por ahí.

También tiene su voz, más aguda. Le reconocí **por** ella, yo miraba hacia **otro** lado, pero le oí preguntar:

—¿Cuánto falta **para** que quede uno libre?

—Quince minutos —le contestaron. **Entonces** me di la vuelta.

—Hola, Alex. ¿Tienes mucha prisa? Puedo cederte mi turno.

—¡Hola, Martina! Sí, quería mandar un correo. Tardo un minuto.

—Vale.

Luego esperamos callados. Los dos nos llevamos bien, no estábamos incómodos. Cuando se levantó la chica del ordenador, le dije a Alex:

— **Todo** tuyo.

Yo me quedé en el mismo sitio, y le vi abrir el correo desde lejos y escribir **algo**. Luego me llamó con la mano. Me acerqué.

—Ya está. Ponte tú. Yo ya espero mi turno.

 2 **Revisa estos verbos en el texto y escribe con cada uno una frase en pasado.**

1. Concentrarse
2. Darse la vuelta
3. Quedar
4. Ceder

 3 **Responde a las preguntas.**

1. ¿Qué es lo que más te ha impresionado de todo lo que has visto en tu vida?
2. ¿En qué lugares tenemos que estar callados?
3. ¿Cuánto se tarda en llegar a tu casa desde la escuela?
4. ¿Conoces algún sinónimo de la palabra *sitio*?
5. ¿Qué es lo contrario de una voz aguda?

Tu rincón hispano

1. Completa el texto con los verbos en los tiempos y las formas adecuadas.

Cuando los españoles (llegar) ....**llegaron**........ a América, se quedaron maravillados con las grandes ciudades que encontraron. Eran el fruto de las civilizaciones que se (desarrollar) ...**habían desarrollado**... o se estaban desarrollando en el continente, entre las que destacan, por el elevado nivel alcanzado, las culturas inca (Perú y otros países andinos), maya (México y otros países centroamericanos) y azteca (México).

El alto grado de desarrollo de estas civilizaciones alcanzó también el ámbito científico. Los incas (desarrollar) ....**desarrollaron**... la astronomía, la arquitectura y las técnicas agrícolas. Pero sobre todo (sobresalir) ....**sobresalieron**... en medicina (llegaron a realizar intervenciones quirúrgicas) y en matemáticas. Los mayas, por su parte, destacaron también por su arquitectura, por la astronomía (a ellos se (deber) ....**debe**.......... el calendario de 365 días) y las matemáticas ((utilizar) ....**utilizaron**...... el cero ya en el 40 A.C.). Pero sobre todo, los mayas desarrollaron el sistema de escritura más completo de todos los pueblos indígenas americanos. Con este sistema, (escribir) ......**escribieron**...... textos de medicina, botánica, matemáticas, historia, astronomía... Los aztecas, por su parte, (recoger) ....**recogieron**...... y desarrollaron la herencia de los mayas y brillaron con luz propia en medicina (los sacrificios humanos (favorecer) .....**favorecieron**...... un buen conocimiento de anatomía; sabían curar fracturas o mordeduras de serpiente y se ocupaban también del cuidado de los dientes) y en astronomía.

2. Ahora completa con las preposiciones adecuadas.

- La astronomía azteca no se puede entender sin mencionar su relación ......**con**...... la arquitectura. Este pueblo construyó grandes edificaciones, especialmente pirámides, en honor al sol, la luna y otros astros. Muchos de estos espacios eran también observatorios ......**desde**..... donde seguir el movimiento celeste.
- Usando como guía el horizonte, construían los planos ......**para**..... sus ciudades y edificios más importantes. Las líneas equinocciales les servían de orientación. El Templo Mayor, por ejemplo, está alineado de tal forma que durante el equinoccio de primavera el sol pasa ......**entre**...... dos de sus construcciones.
- La observación de los cielos permitió que los aztecas descubrieran la duración ......**del**....... año solar, el mes lunar y las revoluciones de Venus. Desarrollaron calendarios y predijeron eclipses lunares y solares, así como el paso ......**de**....... cometas y estrellas fugaces.
- El más famoso es la Piedra del Sol, una gran piedra redonda de más de 20 toneladas de peso. Este calendario se construyó ......**entre**..... 1427 y 1479 y en su centro se encuentra una imagen del dios Sol rodeado ......**por**...... seres vivos y elementos naturales que representan las estaciones y los días del mes azteca.

Autoevaluación

Portfolio: evalúa tus conocimientos de español.

Después de hacer la unidad 6
Fecha: ....

Comunicación
- Puedo expresar la probabilidad.
Escribe las expresiones:

- Puedo expresar la intención de hacer algo.
Escribe las expresiones:

- Puedo hablar del tiempo futuro.
Escribe las expresiones:

Gramática
- Sé usar los pronombres de complemento directo e indirecto.
Escribe algunos ejemplos:

- Sé usar el subjuntivo con expresiones de tiempo.
Escribe algunos ejemplos:

- Sé usar *antes* y *después de*.
Escribe algunos ejemplos:

- Sé usar las expresiones de hipótesis.
Escribe algunos ejemplos:

Vocabulario
- Conozco las palabras para hablar de las nuevas tecnologías.
Escribe las palabras que recuerdas:

- Conozco las palabras relacionadas con las actividades de Internet.
Escribe las palabras que recuerdas:

Mi diccionario

Traduce las principales palabras de la unidad 6 a tu idioma.

A

acceder (verbo regular) ....
acceso (el) ....
actualizar (verbo irregular) ....
adaptar (verbo regular) ....
aeronáutica (la) ....
ajeno, ajena ....
al final (expresión) ....
alarma (la) ....
aliado, aliada ....
alinear (verbo regular) ....
almacenar (verbo regular) ....
altavoces (los) ....
anatomía (la) ....
animar (verbo regular) ....
asqueroso, asquerosa ....
astro (el) ....
astronomía (la) ....
atmósfera (la) ....
atravesar (verbo regular) ....
auricular (el) ....

B

bocina (la) ....
botánica (la) ....
brillar (verbo regular) ....
buzón (el) ....

C

callado, callada ....
cambio climático (el) ....
carrete (el) ....
ceder (verbo regular) ....
celular, móvil (el) ....
chaqueta (la) ....
charlar (verbo regular) ....
civilización (la) ....
cobrar (verbo regular) ....
coleccionar (verbo regular) ....
colgar (verbo irregular) ....
complicado, complicada ....
concentrarse (verbo reflexivo regular)........
conectarse (verbo reflexivo regular) ....
conexión (la) ....
confirmar (verbo regular) ....
conquista (la) ....
contaminar ....
controlador, controladora ....
controlar (verbo regular) ....

D

darse prisa (expresión) ....
decisivo, decisiva ....
demostrar (verbo irregular) ....
depender de (expresión) ....
deprimirse (verbo reflexivo regular) ....

desaparecer (verbo regular) ....
desaparición (la) ....
dirección electrónica (la) ....
dispositivo (el) ....
diverso, diversa ....

E

eclipse (el) ....
edificación (la) ....
efecto invernadero (el) ....
elevar (verbo regular) ....
emprender (verbo regular) ....
encender (verbo irregular) ....
enfrentar (verbo regular) ....
ensayo (el) ....
enumerar (verbo regular) ....
escala (la) ....
escenario (el) ....
espacio (el) ....
especializarse (verbo reflexivo irregular) ....
esquina (la) ....
estadística (la) ....
estar en contacto (expresión) ....
estrella fugaz (la) ....
evidente ....
excepto ....

F

facilidad (la) ....
firmamento (el) ....
fractura (la) ....
frenar (verbo regular) ....

G

gas (el) ....
generación (la) ....

H

habitar (verbo regular) ....
herencia (la) ....
horizonte (el) ....

I

imposible ....
impresora (la) ....
inagotable ....
incómodo, incómoda ....
inconformismo (el) ....
indicar (verbo irregular) ....
indiferente ....
indígena (el, la) ....
infinito (el) ....
ingeniería (la) ....
iniciar (verbo regular) ....

inmortal ....

innato, innata ....

instante (el) ....

intentar (verbo regular) ....

intercambiar (verbo regular) ....

interesar (verbo especial) ....

intuitivo, intuitiva ....

L

lealtad (la) ....

lector, lectora ....

M

memoria (la) ....

micrófono (el) ....

minimizar (verbo irregular) ....

N

ne**g**ar (verbo irregular) ....

noticiero (el) ....

novedad (la) ....

O

obrero, obrera (el, la) ....

observatorio (el) ....

obligatorio, obligatoria ....

P

paisaje (el) ....

peligroso, peligrosa ....

perspectiva (la) ....

polifacético, polifacética ....

portátil (el) ....

pred**ec**ir (verbo irregular) ....

R

rebajar (verbo regular) ....

recurso (el) ....

renovable ....

reto (el) ....

retratar (verbo regular) ....

revisar (verbo regular) ....

revolución (la) ....

S

sacrificio (el) ....

selectivo, selectiva ....

separarse (verbo reflexivo regular) .....

siglo (el) ....

sinónimo (el) ....

sitio (el) ....

sobresal**i**r (verbo irregular) ....

sobrino, sobrina (el, la) ....

subconsciente (el) ....

suposición (la) ....

sustit**ui**r (verbo irregular) ....

T

tableta (la) ....

tablón (el) ....

tardar (verbo regular) ....

técnica (la) ....

tecnología (la) ....

telediario (el) ....

temor (el) ....

templo (el) ....

tener prisa (expresión) ....

tener sentido (expresión) ....

terremoto (el) ....

tonelada (la) ....

transformar (verbo regular) ....

tripulación (la) ....

Pista 26

Juan estuvo un fin de semana en la playa hace un mes.

Marta estudia idiomas desde hace dos años, inglés y alemán.

Hacía tres meses que Enrique no veía a sus abuelos y ayer comió con ellos.

En 2010 Ana voló por primera vez, fue a Barcelona, a casa de sus primos.

El 3 de septiembre Carlos cumplió trece años.

Hace dos semanas que Belén no viene al instituto, está enferma, la pobre.

Desde febrero Sara y yo no nos hablamos, estamos enfadados.

Luis no iba al cine desde hacía dos años, por eso le hemos invitado.

Pista 27

1. Espero que mis padres lleguen a tiempo al tren.
2. ¡Que aproveche!
3. ¡Que os divirtáis y que os guste la película!
4. ¡Que descanses!
5. ¡Hasta mañana y que te mejores!

Pista 28

No queremos que haya más guerras. Que se pongan más bombas y se oigan más explosiones. Que nadie niegue su ayuda a los que la pidan. Que este mundo sea solo para los deshonestos. Que uno tenga lo que quiera sin pensar en los demás. Que nadie impida que algunos libros se puedan leer. Queremos que la gente viva libre y en armonía.

Pista 29

Juan Luis Guerra nació el 7 de junio de 1957 en Santo Domingo, la capital de la República Dominicana. Es hoy uno de los cantantes, compositores y músicos hispanos de mayor popularidad, pues ha vendido hasta el momento más de veinte millones de copias en todo el mundo, lo que lo convierte en uno de los artistas latinos más vendidos, y ha ganado 18 Premios Grammy.

Está considerado uno de los compositores más famosos y relevantes de la música popular latinoamericana, ya que ha llevado la música de su tierra a un público muy diverso gracias a las fusiones exitosas que ha hecho con el *rock*, el *blues* y el *gospel*.

Pista 30

1. María siempre ve las cosas de modo positivo, me cae muy bien.
2. Raúl es muy listo, pero no se esfuerza nada, le cuesta hacer cualquier cosa.
3. Lucía es muy sociable, habla con todo el mundo y con todos se lleva bien.
4. Marta vive en las nubes, se cree que todo es perfecto.
5. Jaime nunca se atreve a hacer nada, cuando oye un ruido se asusta.

Pista 31

La cuenca del río Amazonas es una de las más grandes del mundo y la selva que se desarrolla en esa zona es una de las más ricas en biodiversidad. Esta cuenca atraviesa varias fronteras, hecho que genera frecuentes conflictos a causa de las decisiones de los países sobre el uso de los recursos naturales que se hallan en sus respectivos territorios. Por estas características, los estados nacionales de la cuenca del Amazonas tienen la responsabilidad de regular las diferentes actividades económicas que allí se realizan para evitar problemas y conflictos ambientales. Sin embargo, este objetivo aún no ha sido alcanzado: en la actualidad, la deforestación es uno de los problemas ambientales más graves que se registran en la zona.

Una de las actividades económicas que se llevan a cabo en la Amazonia y que tiene un gran impacto ambiental es la producción forestal. En amplios sectores del espacio amazónico, la sociedad aprovecha la selva virgen y tala árboles sin reponerlos, es decir, sin hacer reforestación. En los terrenos despojados de árboles se registra la deforestación.

Pista 32

Te explico cómo es el juego de la yincana que he pensado para la fiesta del instituto, lo he preparado todo y lo haremos así:

El próximo jueves, después del gimnasio, primero iré a ver el parque. Luego, vendréis Nacho y tú, y los tres mediremos el espacio. Nacho y tú prepararéis las indicaciones y los mapas que daremos a todos los jugadores. Mi hermana, que sabe dibujar muy bien, te ayudará. Los carteles con las indicaciones para poder llegar al parque las dibujará más tarde. Yo los pegaré en el instituto, en el parque y en todo el barrio. Mientras, Beatriz y yo iremos escondiendo papelitos con las pruebas que tienen que hacer los participantes. Serán muchos, por lo que formaremos equipos de seis personas. Ganará el equipo que realice antes todas las actividades.

Pista 33

1. Esta mañana me siento un poco cansado, no pienso ir a clase.
2. Raquel piensa estudiar el próximo semestre en Londres.
3. Los profesores piensan proponer a Marta para responsable del grupo.
4. No pienso hacer nada este fin de semana.
5. Tus hermanas piensan contárselo todo a tus padres, ten cuidado.
6. Dicen tus padres que pensáis venir de vacaciones con nosotros.

GUÍA

DIDÁCTICA

Nivel 3

Alicia Jiménez
Juan Manuel Fernández
Rosa Basiricó

edelsa
GRUPO DIDASCALIA, S.A.

El libro que tiene entre sus manos es el libro del profesor del manual *Código ELE 3*, un libro redactado expresamente para satisfacer las necesidades de los estudiantes adolescentes del tercer año de español y, por lo tanto, también de sus profesores. Para ello, al redactarlo y confeccionarlo, hemos tenido en cuenta las recomendaciones que tanto autoridades educativas (responsables del área de español de los ministerios de educación nacionales, representantes de entidades educativas internacionales, consejerías de educación, directores y jefes de estudios de institutos, etc.) como los profesores nos han ido proporcionando. Todo esto se traduce en esta versión mixta que significa que podrá disponer en su clase de dos formatos (en papel y digital) para que usted elija cuándo usar cada uno, dentro del equipamiento de la escuela, de la disponibilidad en su aula y de los gustos y preferencias, tanto de sus alumnos como de usted mismo, de todos los materiales de que consta el método.

Pero también le proporcionan a usted una gran ayuda, ya que en un solo soporte dispone de una gran diversidad de materiales con los que dar, enriquecer, diversificar y completar todas sus clases, sin necesidad de transportar aparatos, materiales y soportes diversos. Además, interactuando con distintos soportes, sorprenderá a sus estudiantes y hará que cada clase sea una sorpresa.

Pero *Código ELE* no solo es una herramienta de enorme utilidad didáctica por el desarrollo tecnológico que lo acompaña, sino también y sobre todo porque presenta una madurez didáctica en cuanto a la enseñanza para adolescentes:

– Cada una de las seis unidades de que se compone el manual está constituida en dos lecciones ligeras y ágiles, lo que permite que los estudiantes tengan la sensación de progresar rápidamente.

– Cada lección arranca con una muestra de lengua. Le sugerimos que centre los primeros pasos en la comprensión global de la información y no en la percepción de fenómenos lingüísticos. Aunque en las muestras de lengua se presentan los principales contenidos objeto de estudio de la lección, es fundamental que, en el primer acercamiento, fije la atención en el qué se dice y no en el cómo se dice. Ponga las audiciones dos veces y, tras cada audición, haga preguntas de control de la comprensión cada vez más exigentes. Permita que la lectura sea, en primera instancia, individual, pues cada persona tiene su propio ritmo de lectura, y

luego hágala plenaria y en voz alta. Apóyese en los elementos iconográficos y en las ilustraciones para ayudar a la comprensión.

– Cada texto presenta unas actividades de comprensión que guían al estudiante hacia la actividad de lectura o audición comprensiva y, al mismo tiempo, le ayudan a superar las dificultades, ya que se centran en los aspectos más generales de la información textual.

– Una vez leído y/o escuchado el texto, proceda a actividades más de corte gramatical o lingüístico, ya que los textos permiten que sus estudiantes se hagan una idea global y, al mismo tiempo, descubran los contenidos léxicos y gramaticales dentro de un contexto comunicativo con sentido. En los diálogos, le sugerimos que pida voluntarios para que los interpreten en clase como si se tratara de actores profesionales. Estimular la memorización de algunas muestras de lengua favorece el aprendizaje; eso sí, evite que sean siempre los mismos alumnos los que se presenten como voluntarios para las interpretaciones. Deje, a lo mejor, que las primeras las hagan voluntarios, que suelen ser más desinhibidos, pero progresivamente vaya invitando a otros más tímidos también a participar en el juego de dramatizar teatralmente los diálogos.

– La sección *Practico y amplío* desarrolla, presenta, ejemplifica y permite la ejercitación de los contenidos léxicos, gramaticales y funcionales de la lección, presentados o esbozados en los textos de entrada. Estos ejercicios y actividades están creados teniendo en cuenta la realidad de aulas para numerosos adolescentes, donde es importante garantizar no solo que los alumnos trabajan en español y participan activamente sino también que las actividades son realizables sin crear problemas de disciplina o de dispersión. Le recomendamos que deje siempre a sus estudiantes que intenten encontrar las soluciones solos y luego comparen sus respuestas con las de su compañero de pupitre o con las del compañero que se sienta más cerca, antes de revisarlo en una fase plenaria; así se asegurará de que tanto introvertidos como extrovertidos tienen las mismas oportunidades de hablar español y de que toda la clase está trabajando. Es conveniente que, en estos momentos, se mueva por el aula, no para controlar o imponer disciplina, sino para ofrecerse como ayuda en lo que pueda necesitar cada alumno individualmente (una explicación adicional, una aclaración de una palabra, un término que desconocen, etc.). Dirija también esas fases plenarias de control de los resultados para que no sean siempre los mismos alumnos quienes contesten. Responder con éxito delante de toda la clase y recibiendo la aprobación explícita y pública del profesor es un premio y un estimulante a la motivación y a la autoestima tan altos que no debe privar a ningún estudiante de ese motor del éxito.

– Las actividades están organizadas de forma progresiva de tal forma que el alumno, finalmente, realice una actividad más significativa utilizando los contenidos que va adquiriendo. Algunas de estas actividades significativas le sugerimos al alumno que las publique en el blog. Para ello, una vez escritas por sus estudiantes, revíselas con ellos y corríjalas para que finalmente ellos mismos publiquen sus entradas en el blog sin errores. Le recordamos los pasos: visite la web de Edelsa > *Zona Estudiante* > *Código* ELE y pulse el nivel de la clase. Allí encontrará el enlace a los blog.

– Se cierran las lecciones con *Actúo*: mediante la consecución de unos pasos o actividades posibilitadoras, le dirigimos a que realice una producción global o final, a la que llamamos *Código*, como si de una clave se tratara, en la que sus alumnos se sentirán ya más libres para crear con la lengua, aunque de forma pautada.

– Intente, en la realización de toda esta secuencia, modificar, en tanto le sea posible, la dinámica so-

cial de la clase, es decir, combine las explicaciones frontales con actividades plenarias, el trabajo individual con la formación de pequeños grupos. No le recomendamos que forme grupos muy grandes, pues en ellos los alumnos más vagos o los tímidos tienden a esconderse.

– Una vez trabajadas las dos lecciones, se presentan dos secciones que son una novedad con respecto a los niveles anteriores: la primera es *Tu biblioteca de español*, una selección de distintos tipos de textos, en general de carácter literario, que permitirán al estudiante desarrollar su capacidad de comprensión lectora, su análisis crítico y su producción escrita. La segunda, *Tu rincón hispano*, es una aproximación a la realidad hispanoamericana, mediante la lectura de textos y la presentación de algunas variantes del español.

– Como forma de asegurarse una autoevaluación activa y eficiente, proponemos en *Ahora ya sé* que reflejen en dos páginas los contenidos fundamentales de la unidad. Dado que se trata de hacerlo de forma autónoma, le ofrecemos la posibilidad de que lo realicen sus estudiantes en soporte digital autónomo, esto es, que entren en la sección *Código* de la página de Edelsa (visite la web de Edelsa > *Zona Estudiante* > *Código ELE* > *Nivel 3*) y que accedan también a las mismas páginas en formato digital. En ellas, los campos están abiertos, esto es, los alumnos pueden escribir con su ordenador directamente en el documento PDF, hacer un pantallazo y enviárselo a su correo electrónico para que comprueben que, efectivamente, han hecho las actividades e, incluso, comprobar qué tal lo han hecho para poder tomar después las decisiones oportunas sobre su clase siguiente.

– Las unidades se cierran con un examen que sigue los patrones de los modelos de exámenes oficiales, con lo que estaremos preparando a los estudiantes a superar con éxito los futuros exámenes, ya que está demostrado que un entrenamiento en cómo realizar estas pruebas ayuda notablemente a su éxito. Observará que estos exámenes están siempre organizados en cuatro actividades (*leo, escucho, escribo* y *hablo*) que responden a las cuatro actividades de la lengua o destrezas primordiales. Realice estas pruebas con la máxima formalidad, pidiéndoles que, en un determinado tiempo que usted fija de antemano, realicen cada actividad, en silencio y sin copiar, etc.

– Como broche de oro, proponemos una actividad más relajada a través de la observación y la descripción crítica de una obra de arte pictórica. Con una selección de distintos estilos de arte, proponemos que el alumno aprenda a mirar un cuadro.

Como le indicábamos al principio, son muchos los materiales complementarios de que consta este manual: la *Carpeta de recursos* que tiene el alumno en su libro, los enlaces de los que usted dispone en su versión digital, el *cuaderno de ejercicios*, los recursos en la red o los blogs. Todos ellos están a su disposición para que los utilice si los considera necesarios y cuando los precise. La progresión del curso no depende de estos materiales complementarios. Simplemente se los ofrecemos como ayuda, pero nos permitimos insistirle en que, cuanta más exposición a la lengua y cuanta más diversidad de información reciban sus alumnos, más les estaremos ayudando en su proceso de adquisición de la lengua.

En la web de Edelsa > Sala de profesores le ofreceremos distintos juegos para reforzar el aprendizaje del léxico como los que hemos llamado *Pasapalabra*, como un popular juego de televisión. En esta versión, le proponemos que dé diferentes definiciones de palabras de un mismo campo semántico y el concurso consiste en adivinarlas. Se juega de dos en dos y gana el alumno que adivina antes más palabras.

En esta guía didáctica, a continuación, le ofrecemos unas sugerencias para cada una de sus clases. Para que le sea más fácil identificar la información y poder disponer de todos los elementos en un golpe de vista, le presentamos una reproducción pequeña de la página correspondiente del libro de sus alumnos (atención, verá marcado un icono de una mano, quiere decir que en su versión digital –solo para usted, profesor– le hemos proporcionado allí un enlace a un sitio web o a un texto con el que enriquecer su clase), las sugerencias para llevar las actividades a la clase de forma más efectiva, la transcripción del audio para que no tenga que molestarse en buscarla y sepa en todo momento el contenido de lo que van a escuchar, y de nuevo las soluciones con algunas orientaciones, para que no tenga que comprobar los ejercicios y los tenga a mano, para que, como decíamos antes, todo lo tenga disponible en la misma página. Así mismo, le proporcionamos algunas sugerencias adicionales de uso y aprovechamiento de las nuevas tecnologías

En esta guía didáctica encontrará:

La unidad 0 propone una secuencia de actividades que, por un lado, les permita a sus estudiantes ponerse en marcha, es decir, activar sus conocimientos previos y refrescarlos después de la vacaciones de verano; y, por otro, le posibiliten a usted hacer un diagnóstico de sus conocimientos. Por ello, una parte importante va dirigida hacia los conocimientos gramaticales y léxicos básicos de los dos niveles anteriores; la otra parte está destinada a que reactiven su capacidad de expresión (tanto oral como escrita) presentándose a sus compañeros o redactando un pequeño texto.

Le sugerimos que, si dispone de un ordenador y un proyector, realice algunas actividades con la versión digital del libro, ya que eso le dará más dinamismo a la clase y despertará la motivación de sus estudiantes.

Si dispone de la versión digital, proyecte la nube de palabras y pida voluntarios que marquen en ella las formas verbales y que las escriban en el cuadro de abajo. Después, con el marcador, marque en color la terminación de las formas y pida que identifiquen entre todos las personas verbales.

Respuestas: **Presente:** puedes (tú), tienen (ellos), sigo (yo), estoy (yo), sirve (él), quiero (yo), eres (tú), duelen (ellos), salgo (yo); **Pretérito perfecto simple:** comió (él), pusimos (nosotros), fuisteis (vosotros), estuvimos (nosotros), hablé (yo), hizo (él), dio (él), pudo (él), nació (él), tuve (yo), vivieron (ellos); **Pretérito imperfecto:** vivíais (vosotros), hablaba (yo/él), ibais (vosotros), éramos (nosotros), veían (ellos); **Imperativo:** vaya (usted), venga (usted), salid (vosotros), haz (tú), ponga (usted), sed (vosotros), di (tú).

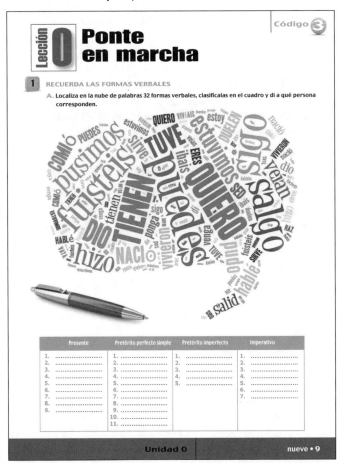

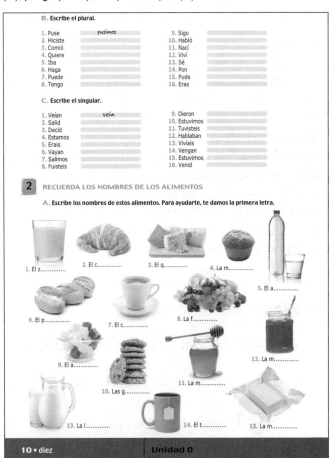

Actividad 1A

En forma de nube de palabras, se presentan 32 formas verbales de los tiempos aprendidos en los niveles anteriores (presente de indicativo, pretérito perfecto simple, pretérito imperfecto e imperativo). Pida a sus estudiantes que se tomen unos minutos y que, con el compañero de pupitre, marquen y clasifiquen las formas verbales. Para darle más dinamismo a la actividad, puede plantearlo como un concurso: gana la pareja que en tres minutos encuentre y clasifique correctamente más formas verbales.

Actividad 1B

El objetivo de la actividad es que recuerden cómo se forman los verbos y la importancia de la persona gramatical. Escriba en la pizarra *puse* y pídales que identifiquen de qué forma verbal se trata (pretérito perfecto simple del verbo irregular *poner* en la persona *yo*). A continuación, escriba la forma plural (*nosotros*). De esta forma, les habrá explicado la dinámica de la actividad. Recuérdeles que, en el pretérito imperfecto, las formas para la primera y para la tercera persona singulares son iguales. Forme parejas para que resuelvan la actividad. Como forma de corrección, pida que un voluntario escriba en la pizarra las formas que sus compañeros le vayan dictando y pida que cada estudiante dicte una de las 15 formas.

Respuestas: 2. hicisteis; **3.** comieron; **4.** quieren; **5.** íbamos/iban; **6.** hagamos/hagan; **7.** pueden; **8.** tenemos; **9.** seguimos; **10.** hablaron; **11.** nacimos; **12.** vivimos; **13.** sed; **14.** poned; **15.** pudimos; **16.** erais.

Actividad 1C

Proceda como en la actividad anterior, pero a la inversa: ahora formando el singular.

Respuestas: 2. sal; **3.** di; **4.** estoy; **5.** eras; **6.** vaya; **7.** salgo; **8.** fuiste; **9.** dio; **10.** estuve; **11.** tuviste; **12.** hablaba; **13.** vivías; **14.** venga; **15.** estuve; **16.** ven.

Actividad 2A

Una vez trabajadas las formas verbales, pasamos a las actividades de léxico. En este caso es un repaso y una ampliación del léxico de la comida (el desayuno en concreto). Si le es posible, proyecte la actividad. Pida a sus estudiantes que, todos juntos y de manera improvisada, diga cada uno las palabras que conozca. Anótelas en le pizarra (digital o tradicional). Complete las palabras que no conozcan. Aproveche las palabras *cruasán*, *café*, *té* o *azúcar* para recordarles la acentuación prosódica y las tildes.

Respuestas: 1. El zumo; **2.** El cruasán; **3.** El queso; **4.** La magdalena; **5.** El agua; **6.** El pan; **7.** El café; **8.** La fruta; **9.** El azúcar; **10.** Las galletas; **11.** La miel; **12.** La mermelada; **13.** La leche; **14.** El té; **15.** La mantequilla.

Actividad 2B y C

Le sugerimos que forme grupos y pida que hablen entre ellos y encuentren, al menos, dos cosas que desayunen todos. A continuación, pídales que realicen la actividad C de forma individual.

Respuestas: libres.

Actividad 3A

Realice la sopa de letras como un concurso: forme parejas y proponga que la pareja que termine antes gana un premio (lleve dos caramelos o una pequeña cosa como obsequio). Para corregirlo, si le es posible, proyecte la sopa de letras y pida que un voluntario marque las respuestas.

Respuestas: Horizontales: bufanda, falda, zapatillas, marrón, bolso, rosa, pantalones, jersey, verde, gorra; **Verticales:** naranja, calcetines, camisa, rojo, camiseta, cazadora, zapatos, azul, botas, negro, blanco, violeta, amarillo, gris, guantes, vestido.

Actividad 3B

Escriba unas frases en la pizarra como ejemplos en las que se vea reflejado el cambio de la terminación de los adjetivos (los colores) según sea el género y el número de los sustantivos (nombres de la ropa). Luego, deje que individualmente formen sus frases y pida voluntarios para que las lean en el pleno como forma de corrección.

Respuestas: 1. La bufanda gris; **2.** La falda rosa; **3.** Las zapatillas grises y blancas; **4.** El bolso azul; **5.** Los pantalones rosas; **6.** El jersey azul; **7.** La gorra naranja; **8.** Los calcetines grises; **9.** La camisa marrón; **10.** La cazadora blanca y negra; **11.** Los zapatos verdes; **12.** Las botas rojas; **13.** Los guantes violetas; **14.** El vestido violeta; **15.** La camiseta amarilla.

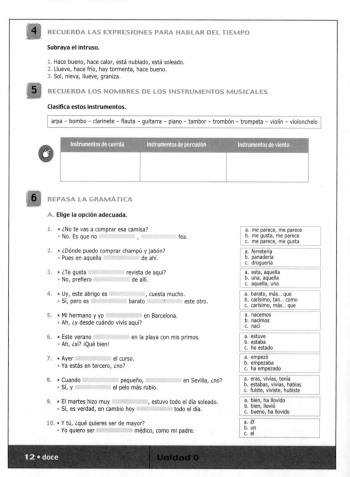

Actividad 4

La actividad se centra en recordar las expresiones para hablar del clima. Forme grupos pequeños para que resuelvan la actividad. Después, pida voluntarios para que describan el día que hace.

Respuestas: 1. Está nublado; **2.** Hace bueno; **3.** Sol.

Actividad 5

Le sugerimos que, si tiene posibilidad, utilice el libro digitalizado y enriquecido y que proyecte el póster de los instrumentos musicales. Junto con sus estudiantes, repáselo. Luego, forme grupos o parejas para que clasifiquen los instrumentos. Pídales que anoten otros instrumentos que conozcan.

Respuestas: Instrumentos de cuerda: arpa, guitarra, violín, violonchelo; **Instrumentos de percusión:** bombo, piano (en realidad es un instrumento de cuerda percutida), tambor; **Instrumentos de viento:** clarinete, flauta, trombón.

Actividad 6A

Esta actividad funciona casi a modo de test de conocimientos pues recoge, en un ejercicio de respuesta cerrada, los contenidos básicos de los niveles A. Pida que sus estudiantes lo resuelvan individualmente. Luego, solicite que uno o varios voluntarios lean sus respuestas. Aproveche, en caso de que comentan algunos errores, para dar las respuestas y las explicaciones oportunas.

Respuestas: 1-b; 2-c; 3-a; 4-c; 5-b; 6-c; 7-a; 8-a; 9-c; 10.a.

Actividad 6B

La continuación de la actividad anterior es un paso hacia la producción aunque, de momento, muy dirigida. Deje que realicen la doble actividad individualmente y vaya de mesa en mesa ayudando.

Respuestas: 1-f; 2-e; 3-b; 4-c; 5-a; 6-d. Respuestas libres.

Actividad 7A

Y entramos ya en la primera actividad comunicativa y productiva. Se trata de que cada alumno se presente a sus compañeros. Para evitar que alguno se bloquee (por falta de conocimientos lingüísticos) o que se sienta mal (por cuestiones de timidez), le proponemos que primero preparen una ficha con los datos que van a contar. De esta forma se sentirán más seguros a la hora de participar en el pleno. Además, es probable que haya alumnos nuevos, por lo que se requiere un trato especial. Deje que los alumnos se tomen unos minutos para prepararse y vaya de mesa en mesa colaborando.

Respuestas: Respuestas libres.

Actividad 7B

Es una actividad de producción escrita. Le recomendamos que la mande como deberes para casa. Pídales que escriban un texto respondiendo a las preguntas que se formulan en el cuadro (léalas en el aula y aclare su significado si fuera necesario) y corríjalas usted fuera del aula. Estas redacciones le servirán para evaluar los conocimientos y, sobre todo, las habilidades lingüísticas de sus estudiantes.

Respuestas: Respuestas libres.

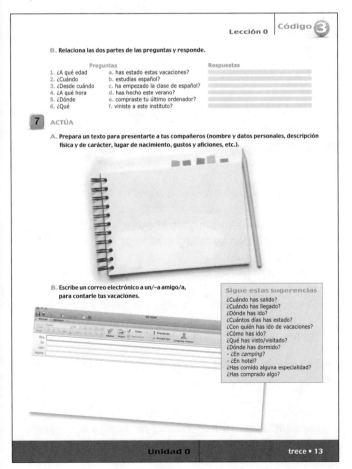

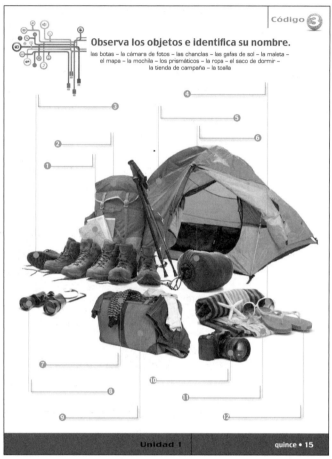

UNIDAD 1 — Cuenta tus acontecimientos vividos

Código ③

Observa los objetos e identifica su nombre.

las botas – la cámara de fotos – las chanclas – las gafas de sol – la maleta – el mapa – la mochila – los prismáticos – la ropa – el saco de dormir – la tienda de campaña – la toalla

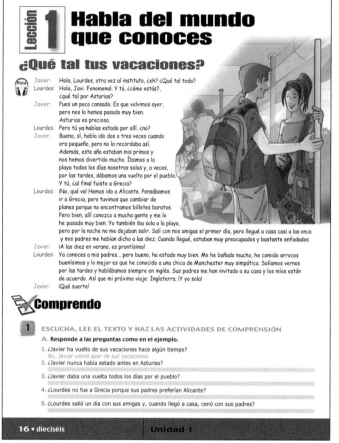

Lección 1 — Habla del mundo que conoces

¿Qué tal tus vacaciones?

Pista

Javier: Hola, Lourdes, otra vez al instituto, ¿eh? ¿Qué tal todo?
Lourdes: Hola, Javi. Fenomenal. Y tú, ¿cómo estás?, ¿qué tal por Asturias?
Javier: Pues un poco cansado. Es que volvimos ayer, pero no lo hemos pasado muy bien. Asturias es preciosa.
Lourdes: Pero tú ya habías estado por allí, ¿no?
Javier: Bueno, sí, había ido dos o tres veces cuando era pequeño, pero no la recordaba así. Además, este año estaban mis primos y nos hemos divertido mucho. Íbamos a la playa todos los días nosotros solos y, a veces, por las tardes, dábamos una vuelta por el pueblo. Y tú, ¿al final fuiste a Grecia?
Lourdes: ¡No, qué va! Hemos ido a Alicante. Pensábamos ir a Grecia, pero tuvimos que cambiar de planes porque no encontramos billetes baratos. Pero bien, allí conozco a mucha gente y me lo he pasado muy bien. Yo también iba sola a la playa, pero por la noche no me dejaban salir. Salí con mis amigas el primer día, pero llegué a casa casi a las once y mis padres me habían dicho a las diez. Cuando llegué, estaban muy preocupados y bastante enfadados.
Javier: ¡A las diez en verano, es prontísimo!
Lourdes: Ya conoces a mis padres... pero bueno, ha estado muy bien. Me he bañado mucho, he comido arroces buenísimos y lo mejor es que he conocido a una chica de Manchester muy simpática. Solíamos vernos por las tardes y hablábamos siempre en inglés. Sus padres me han invitado a su casa y los míos están de acuerdo. Así que mi próximo viaje: Inglaterra. ¡Y yo sola!
Javier: ¡Qué suerte!

Comprendo

1 ESCUCHA, LEE EL TEXTO Y HAZ LAS ACTIVIDADES DE COMPRENSIÓN

A. Responde a las preguntas como en el ejemplo.

1. ¿Javier ha vuelto de sus vacaciones hace algún tiempo?
   No, Javier volvió ayer de sus vacaciones.
2. ¿Javier nunca había estado antes en Asturias?

3. ¿Javier daba una vuelta todos los días por el pueblo?

4. ¿Lourdes no fue a Grecia porque sus padres preferían Alicante?

5. ¿Lourdes salió un día con sus amigas y, cuando llegó a casa, cenó con sus padres?

En este tercer nivel, como novedad, todas las unidades arrancan con una actividad de repaso y ampliación del léxico. Si le es posible, proyecte la página. Pida que un voluntario lea en voz alta los nombres de los objetos. Luego, deje unos minutos para que escriban cada nombre al lado del objeto adecuado. Para corregirlo, si le es posible, proyecte la imagen de nuevo y pida que un voluntario escriba, con ayuda de sus compañeros y de la herramienta rotuladores, las palabras en las casillas correctas.

Como complemento, para practicar el vocabulario, pregunte dónde está un determinado objeto y el alumno tiene que explicarlo situándolo en la imagen. Ejemplo: *¿Dónde está el saco de dormir? Delante de la tienda de campaña.*

Pueden probar también a describir los objetos y a compararlos con los suyos. Ejemplo: *El saco de dormir es verde, pero el mío es rojo y es más pequeño.*

Respuestas: 1. el mapa; **2.** la mochila; **3.** las botas; **4.** las gafas de sol; **5.** la tienda de campaña; **6.** el saco de dormir; **7.** la ropa; **8.** los prismáticos; **9.** la maleta; **10.** la cámara de fotos; **11.** la toalla; **12.** las chanclas.

Actividad 1A

Los textos con audio admiten varios modos de explotación:

1. Los alumnos pueden escucharlo sin tener el texto delante y anotar datos de lo que hayan entendido. Luego, en una actividad plenaria, cuentan lo que han anotado y entre todos reconstruyen el contenido global.
2. Pueden leerlo para practicar la pronunciación, la entonación y el dramatismo, y más tarde escuchar la grabación y comentar las diferencias. Algún fragmento especialmente difícil se puede leer de nuevo tras escuchar la grabación.
3. También pueden escucharlo teniéndolo delante.

Cada vez puede afrontarse de modo distinto, para hacer la explotación del texto más variada y amena.

Una vez escuchada (y/o leída la transcripción de) la audición, pida que sus estudiantes respondan en parejas y por escrito a las preguntas de comprensión. Pida que un voluntario lea sus respuestas en voz alta para corregir.

Respuestas: 2. Sí, Javier había estado dos o tres veces antes en Asturias, cuando era pequeño; **3.** Todos los días no, solo a veces daba una vuelta por el pueblo; **4.** No, Lourdes no fue a Grecia porque sus padres no encontraron billetes baratos; **5.** No, sus padres la castigaron por llegar tarde el primer día.

Como complemento, es muy útil que refuerce el aprendizaje, bien en clase o bien en casa, realizando la actividad 1 de la página 7 del cuaderno de ejercicios.

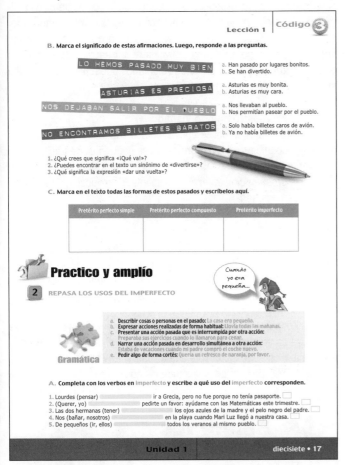

Actividad 1B
Después de contestar a las preguntas de comprensión, comente y explique los términos poco claros. Si dispone del libro digital, proyecte el diálogo y pida que unos voluntarios, con el marcador, destaquen las cuatro expresiones. Luego, deles unos minutos para que encuentren el significado correcto y respondan a las tres preguntas.

Respuestas: b, a, b, a. **1.** Significa *no*; **2.** Pasarlo bien; **3.** Pasear, salir a dar un paseo sin un rumbo fijo.

Por si le sirve de utilidad, Asturias es una comunidad autónoma al norte de España. Es muy verde y montañosa y se encuentra al lado del mar Cantábrico. Alicante es una de las tres provincias de la Comunidad Valenciana y es uno de los destinos más populares para pasar las vacaciones de verano en familia junto al mar Mediterráneo. Es famosa por sus playas y por sus paellas o arroces.

Actividad 1C
Para realizar este ejercicio, la lectura debe ser individual y debe estar dirigida a encontrar las formas verbales del pasado. Si le es posible, proyecte de nuevo el diálogo y, con distintos colores del marcador, pida que algunos voluntarios marquen las formas verbales. Una vez clasificadas las formas, pida a sus estudiantes que digan el infinitivo de cada uno de esos verbos.

Respuestas: Pretérito perfecto simple: volvimos, fuiste, tuvimos, encontramos, salí, llegué, llegué; **Pretérito perfecto compuesto:** hemos pasado, hemos divertido, Hemos ido, he pasado, ha estado, he bañado, he comido, he conocido, han invitado; **Pretérito imperfecto:** era, recordaba, estaban, Íbamos, dábamos, pensábamos, iba, dejaban, estaban, solíamos, hablábamos.

Actividad 2A
Como preparación y repaso de las formas del imperfecto, es muy útil que realice en clase la actividad 2A de la página 8 del cuaderno de ejercicios y que mande para casa la actividad 2B.

Lea con sus estudiantes el cuadro de gramática con los usos del imperfecto y añada más ejemplos. Pida a sus estudiantes que también propongan más ejemplos. A continuación, deles unos minutos para completar el ejercicio. Para corregir, convierta el ejercicio puramente gramatical en una actividad de producción oral: establezca pequeños microdiálogos con sus estudiantes. Ejemplo: *Lourdes pensaba ir a Grecia... ¿Y tú? ¿Adónde pensabas ir este verano?*

Respuestas: 1. pensaba-c; **2.** Quería-e; **3.** tenían-a; **4.** bañábamos-d; **5.** iban-b.

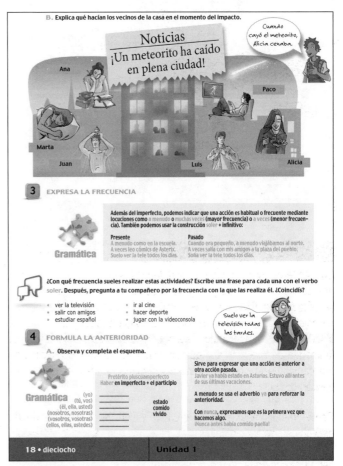

Actividad 2B
Lea el titular y aclare las dudas. A continuación, pida que sus estudiantes improvisen las frases. Si lo desea, puede ampliar este ejercicio usando la estructura ESTAR en imperfecto + gerundio. Ejemplo: *Cuando cayó el meteorito, Alicia estaba cenando.*

Respuestas: Ana estudiaba (preparaba sus exámenes), Marta dormía (descansaba), Juan se duchaba, Paco veía la tele(visión), Luis se vestía (se preparaba para salir), Alicia cenaba.

Actividad 3

Observe con sus alumnos el cuadro y añada ejemplos. Permita que ellos den también más. Después, realice el ejercicio, bien en parejas por turnos o todos a la vez.

Respuestas: Libres.

Como complemento, refuerce el aprendizaje, realizando las actividades 5 y 6 de la página 9 del cuaderno de ejercicios.

Actividad 4A

Pida que un voluntario, con ayuda de sus compañeros, complete la conjugación. A continuación, lea los usos del pretérito pluscuamperfecto y ponga más ejemplos. Pídales que añadan otros.

Respuestas: había, habías, había, habíamos, habíais, habían.

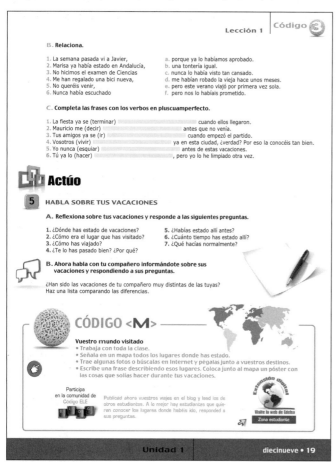

Actividad 4B

Forme parejas para que relacionen las frases por el sentido. Para corregir, pida que seis voluntarios lean las seis frases completas. Como complemento, puede pedirles que identifiquen los usos del pluscuamperfecto en las seis frases.

Respuestas: 1-c; 2-e; 3-a; 4-d; 5-f; 6-b.

Actividad 4C

Pida que completen el ejercicio de forma individual y corrija pidiendo a seis voluntarios que lea cada uno una frase. Para reforzar el aprendizaje de este tiempo verbal, pida a los alumnos que escriban alguna frase inventada siguiendo el modelo del ejercicio.

Respuestas: **1.** había terminado; **2.** había dicho; **3.** habían ido; **4.** habíais vivido; **5.** había esquiado; **6.** habías hecho.

Como complemento, refuerce el aprendizaje, realizando la actividad 3 de la página 8 del cuaderno de ejercicios.

Actividad 5A y B

Como preparación, es muy útil que realice en clase la actividad 4 de la página 9 del cuaderno de ejercicios.

Cada alumno, como preparación a la interacción, contesta individualmente a las siete preguntas. Puede hacerlo mentalmente o, mejor, por escrito. A continuación, en parejas, interactúan oralmente sobre las vacaciones y, luego, de forma individual y por escrito, comparan las dos vacaciones. Algunos alumnos voluntarios pueden leer en voz alta sus listas de diferencias y comentarlas.

Código <M> Vuestro mundo visitado

Para realizar el mapa, utilice aplicaciones como Google Earth u otras que hay disponibles en red. Forme grupos pequeños, de tres o cuatro estudiantes, para que se intercambien la información y, luego, hagan una breve presentación en el aula mediante la proyección de su mapa de lugares comunes.

Blog

Para publicarlo en el blog, recopilen la información e todos los grupos y hagan una entrada única al blog. La participación en el blog es voluntaria, pero muy recomendable, ya que supone un trabajo extra entretenido que ayuda a reforzar los contenidos de cada unidad. Una vez confeccionado y corregido el texto entre todos, entren en la web de Edelsa, vayan a Zona Estudiante, pulsen en Código, introduzcan la clave que se encuentra en el interior de la portada, busquen el nivel 3 y localicen la entrada al blog correspondiente a la unidad 1. Envíen allí su texto para que sea publicado con todas la imágenes que deseen.

Actividad 1A

Lea el texto en voz alta al mismo tiempo que sus estudiantes siguen la lectura con los libros abiertos. A continuación, déjeles que, individualmente y en silencio, lo relean y subrayen los términos que no entiendan. Luego, aclare las dudas. Para ello, es mejor proporcionarles explicaciones, definiciones o ejemplos de uso, y no traducírselo a su propia lengua. Si otro alumno conoce el término, puede probar a explicarlo él a los demás sin traducirlo. Por último, forme parejas para responder si las frases son verdaderas o falsas y corríjalo en el pleno.

Respuestas: son falsas la 1, la 2 y la 4, y son verdaderas las demás.

Como complemento, refuerce el aprendizaje realizando la actividad 1 de la página 10 del cuaderno de ejercicios.

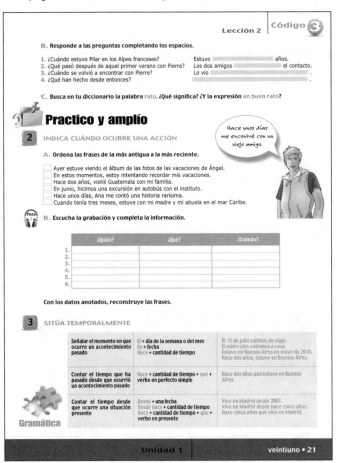

Actividad 1B y C

Lea las preguntas en voz alta y deje que sus estudiantes las respondan oral e improvisadamente. Luego, deles unos minutos para que copien las respuestas por escrito. Además de estas preguntas sobre el texto, haga otras más generales como *¿Qué le ocurrió a Pilar durante las vacaciones? Explícalo con tus palabras.*

Respuestas: B. 1. Estuvo hace un par de años; **2.** Los dos amigos perdieron el contacto; **3.** Lo vio este verano; **4.** No han dejado de estar en contacto. **C.** *Rato* significa *tiempo breve, espacio de tiempo corto* y *un buen rato* puede significar *un momento placentero*, pero también (y aquí tiene ese significado) *un espacio de tiempo largo*.

Actividad 2A

Pida unos voluntarios (lo ideal son seis) para que cada uno lea una de las frases en voz alta. Aclare dudas si fuera necesario y deje que sus estudiantes, durante unos minutos, piensen en las respuestas. Como

complemento, también pueden practicar el uso de los marcadores temporales creando frases parecidas. Ayúdeles con preguntas como: *¿Qué haces en estos momentos? ¿Qué hiciste ayer?*

Respuestas: 5-6-2-3-4-1.

Actividad 2B

Proponga escuchar la grabación una primera vez sin anotar nada, para comprenderla globalmente. Después, pueden escucharla las veces que sean necesarias para poder completar el cuadro. Forme parejas para completar el cuadro. Luego, pida voluntarios para que reconstruyan oralmente las frases.

Respuestas: 1. María, Un curso de inglés, En verano; **2.** Pepa, Estuvo de *camping*, Hace tiempo; **3.** Antonio, Viajó en tren, Cuando tenía tres años; **4.** Marcos, No fue de vacaciones, El año pasado; **5.** Elisa, Ha vuelto de vacaciones, Esta semana; **6.** Julián y Raquel, Estuvieron esquiando, En enero.

Actividad 3

Observe con sus estudiantes el esquema y añada más ejemplos. Pídales que creen también ellos más frases.

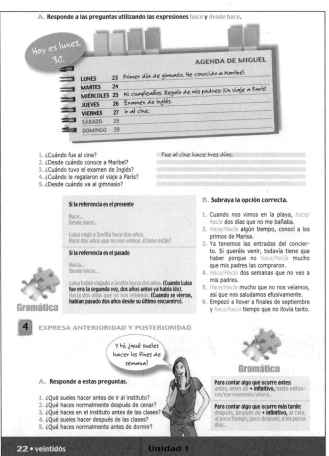

Actividad 3A

Proyecte las imagen de la agenda y responda usted a la primera pregunta, la que sirve de modelo, para que sus estudiantes entiendan el procedimiento. Insista en que todas las respuestas las tienen que formular con *hace*. Deje que respondan en parejas y por escrito a las cuatro preguntas. Para corregir, pida que unos voluntarios lean las frases. A continuación, proponga que cada estudiante confeccione su agenda de la semana (o mes) anterior y que, luego, en parejas, creen diálogos entre ellos de preguntas-respuestas dialogando sobre ellas.

Respuestas: 2. Conoce a Maribel desde hace una semana/siete días; **3.** Tuvo el examen de Inglés hace cuatro días; **4.** Le regalaron el viaje a París hace cinco días; **5.** Va al gimnasio desde hace una semana/siete días.

Actividad 3B
Vaya poniendo ejemplos y reproduciendo el cuadro en la pizarra. Añada más ejemplos y aclare dudas. A continuación, forme parejas para que resuelvan el ejercicio y pida que unos voluntarios lean las frases para corregir. Aclare o añada explicaciones si fuera necesario y pídales que creen más ejemplos en los que se vea claramente el contraste entre *hace* y *hacía* o *desde hace* y *desde hacía*.

Respuestas: 1. hacía; **2.** Hace; **3.** hace; **4.** Hace; **5.** Hacía; **6.** hacía.

Como complemento, es muy útil que refuerce el aprendizaje, bien en clase o bien en casa, realizando las actividades 2 y 3 de la página 11 del cuaderno de ejercicios.

Actividad 4A
Observe con sus estudiantes el esquema. A continuación, pueden contestar a las preguntas por escrito o practicar con el compañero en forma dialogada. Pueden escribir también un pequeño texto basándose en todas las preguntas.

Respuestas: Libres.

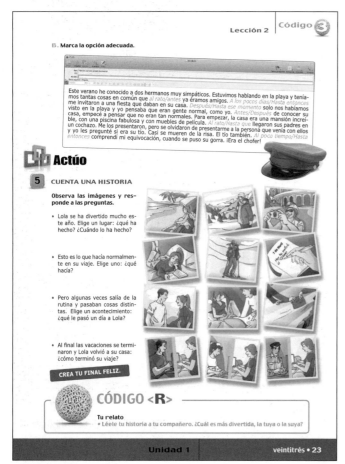

Actividad 4B
Deles unos minutos para que individualmente lean el texto y marquen las respuestas adecuadas. Luego, déjeles que comparen sus respuestas con las de su compañero de pupitre. Finalmente, pida que un voluntario lea en voz alta el texto.

Como complemento puede pedirles que intenten escribir una pequeña historia como esa, usando los marcadores temporales que aparecen en el texto.

Respuestas: al rato; A los pocos días; Hasta ese momento; Después; Al rato; Al poco tiempo.

Como complemento, es muy útil que refuerce el aprendizaje, bien en clase o bien en casa, realizando la actividad 4 de la página 12 del cuaderno de ejercicios.

Actividad 5
Los estudiantes deben escribir una pequeña historia sobre Lola siguiendo los pasos indicados. Si realiza la actividad en clase, forme grupos para que realicen una escritura colaborativa. Presente de una en una las viñetas (utilice para ello la cortinilla) y pida que sus estudiantes las vayan describiendo. Luego, deje que los grupos trabajen solos. Vaya de mesa en mesa ayudando y controlando la actividad. Una vez terminada la redacción y corregida por usted, pida que un voluntario de cada grupo lea su texto en voz alta al resto de la clase.

Otra opción es que cada alumno, en su casa, redacte su historia y se la entreguen a usted para que pueda realizar una corrección personalizada. Si opta por esta idea, le recordamos que a la hora de corregir, no marque los errores y sobrescriba las soluciones, sino que cree un sistema de signos, que los marque y que se lo devuelva a dos estudiantes para que se autocorrijan.

Respuestas: Libres.

Como complemento, es muy útil que refuerce el aprendizaje, bien en clase o bien en casa, realizando las actividades de la página 13 del cuaderno de ejercicios.

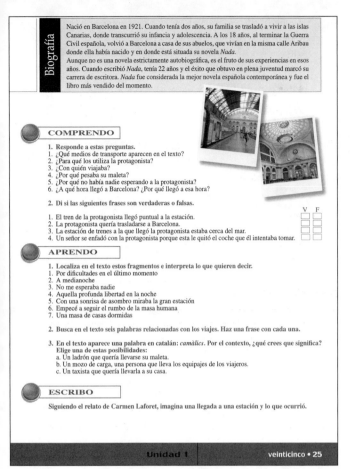

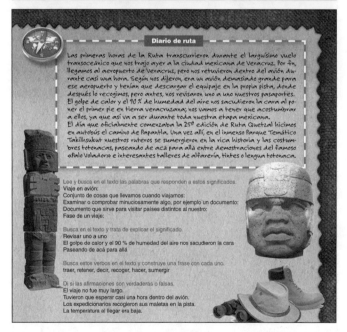

Como tienen que releer el texto y realizar varios ejercicios, deben disponer de un cuarto de hora para hacerlo individualmente o bien pueden hacerlo en casa. Luego, se realiza la puesta en común de los resultados. Al final, en casa, deben realizar un texto escrito sobre una llegada a una estación. Algunos trabajos podrían leerse en clase. Asegúrese que durante el curso todos los alumnos expondrán sus textos.

Respuestas: Comprendo: 1. 1. Tren, expreso, taxis, tranvía, coche de caballos; 2. Para llegar a Barcelona utiliza el tren. El coche de caballos lo utiliza para ir desde la estación de trenes hasta la casa donde se alojará. Las personas que salen de los trenes toman taxis y tranvías para volver a sus casas; 3. Viajaba sola; 4. Porque llevaba muchos libros; 5. Porque nadie sabía cuándo llegaba; 6. Llegó a Barcelona a las 12 de la noche (medianoche) porque había tenido problemas para encontrar billetes. 2. Son falsas la 1 y la 4 y son verdaderas la 2 y la 3. Aprendo: 1. Posibles soluciones 1. Cuando parecía que iba a sacar un billete, se produjo algún problema poco antes de la salida del tren; 2. A las doce de la noche; 3. No había nadie en la estación para recoger a la protagonista; 4. La protagonista no estaba acostumbrada a viajar sola y, cuando salió del tren, la noche le produjo una sensación de libertad; 5. La protagonista estaba contenta por su llegada a Barcelona, era de un pueblo y la visión de la gran estación confirmó su idea de haber llegado a un gran ciudad que es precisamente lo que deseaba; 6. La protagonista siguió a las numerosas personas que se dirigían hacia la salida; 7. La visión de la ciudad se expresa con las casas. La protagonista está acostumbrada a las pocas casas de su pueblo y se sorprende ante la masa de casas, ante el número abundante de casas que duermen porque es de noche. 2. Posibles palabras: billetes, tren, viajar, aventura, viaje, estación, expreso, maletas, equipaje, maletón, taxis, tranvía, coches de caballos. 3. b.

Primero, lean juntos el primer texto y hagan las tres primeras actividades. Una vez corregidas, lean el segundo texto.

Después de leer los textos y realizar las actividades, pregunte a los alumnos qué opinan sobre lo que han leído, si les gustaría realizar un viaje aventurero como ese y por qué. Pídales que expliquen cuáles creen que pueden ser las dificultades que se pueden llegar a afrontar en un viaje de ese tipo.

Respuestas: **Primera actividad: 1.** La Ruta se organiza desde hace más de 31 años; **2.** La Ruta se destina a jóvenes de 16 y 17 años; **3.** Los participantes viajan y conocen la cultura iberoamericana; **4.** La Ruta promueve valores como el conocimiento, la cooperación, la importancia de las diferencias culturales y la solidaridad. **Segunda actividad:** 1-d; 2-a; 3-c; 4-b; 5-f; 6-e. **Tercera actividad:** vuelo, equipaje, revisión, pasaporte, etapa. **Cuarta actividad:** Controlar detenidamente algo; El contraste entre la temperatura del avión y la de la calle era grande y, por eso, al salir recibieron un golpe de calor; Dar una vuelta, vagar sin rumbo fijo, pasear mirando cosas sin seguir un plan establecido. **Sexta actividad:** Son falsas la primera y la última y verdaderas la segunda y la tercera.

Como complemento, es muy útil que refuerce el aprendizaje, bien en clase o bien en casa, realizando las actividades de la página 14 del cuaderno de ejercicios.

Variantes del español

Relaciona estas variantes con su significado.
1. Terminal (Argentina), central camionera (México)
2. Colectivo (Argentina), camión (México), guagua (Cuba)
3. Subte (Argentina)
4. Pasaje, ticket (Argentina), pasaje (Chile, Uruguay), boleto (México)
5. Despachar (Argentina), chequear (Chile), checar/registrar (México)
6. Valija (Argentina), petaca (México), bolso (Venezuela)
7. Auto (Argentina, Chile), carro (México, Venezuela)
8. Nafta (Argentina), bencina (Chile)
9. Manejar (Argentina, Chile, México, Venezuela)

a. Metro
b. Autobús
c. Billete
d. Coche
e. Maleta
f. Conducir
g. Estación de autobuses
h. Facturar
i. Gasolina

Con respecto a las variantes del español, se pueden comentar otras palabras de uso común que usted o sus alumnos conozcan, que cambien de país a país.

Respuestas: 1-g; 2-b; 3-a; 4-c; 5-h; 6-e; 7-d; 8-i; 9-f.

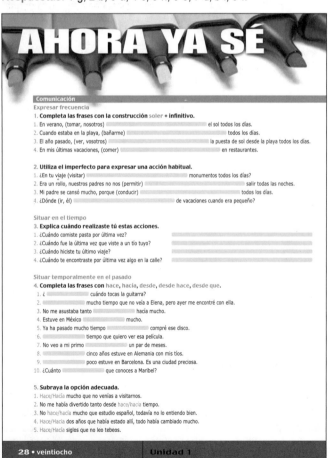

Actividad 1 Respuestas: **1.** solemos tomar; **2.** me solía bañar/solía bañarme; **3.** solíais ver; **4.** solía comer.

Actividad 2 Respuestas: **1.** visitabas; **2.** permitían; **3.** conducía; **4.** iba.

Actividad 3 Respuestas libres.

Actividad 4 Respuestas: **1.** Desde; **2.** Hacía; **3.** desde; **4.** hace; **5.** desde que; **6.** Hace; **7.** desde hace; **8.** Hace; **9.** Hace; **10.** hace.

Actividad 5 Respuestas: **1.** Hacía; **2.** hacía; **3.** hace; **4.** Hacía; **5.** Hace.

Actividad 6 Respuestas: había llegado, era, llenaba, recorrían, vi, habían muerto, Fotografié, habían desfilado, asomé, habían canjeado, era, oía, crucé, vi, impresionó.

Actividad 7 Respuestas: **2.** Cuando fue a despedirme, ya había salido de casa; **3.** Cuando entré en el restaurante, ya habían empezado a comer; **4.** Cuando me compré un paraguas, ya había terminado de llover; **5.** Cuando le llamé, ya le habían dicho la noticia.

Actividad 8 Respuestas: **1.** El billete de tren; **2.** El pasaporte y la tarjeta de embarque; **3.** El billete de metro y autobús; **4.** La entrada del museo; **5.** El mapa; **6.** La agenda; **7.** El álbum (de fotos).

Si tiene tiempo, use algunas de las frases de los ejercicios para conversar más sobre esos temas, usando las estructuras estudiadas.
Ejemplo: 1.1. *En verano tomábamos el sol todos los días. Y tú, ¿tomabas el sol?, ¿qué hacías en verano?*

LEO: estuve, visité, barrio, edificios, terraza, turistas, monedas, buenísima, descansar, metro, hotel, siesta, dejaron, entrada, salida, cerca, rato, agotados.

ESCUCHO: Utilizó el tren, autobús y coche. Se alojó en un *camping*. Hizo *rafting*, montó a caballo, organizó una obra de teatro, escaló, hizo orientación en el bosque y paseó.

ESCRIBO: Respuestas libres.

HABLO: Respuestas libres.

Si le es posible, proyecte el cuadro y deje que sus estudiantes lo describan. Luego, proponga que hagan las actividades en grupos pequeños.

Como verá, en su versión digital le ofrecemos un enlace para ampliar la información sobre Dalí.

Respuestas: Libres.

UNIDAD 2 Conoce tu forma de aprender

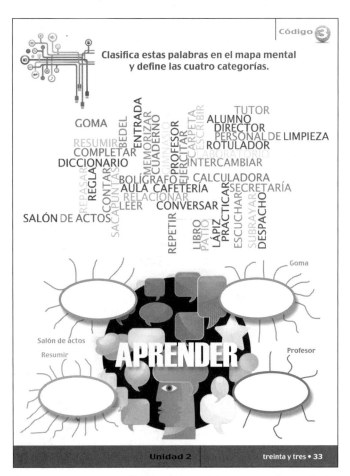

Código 3

Clasifica estas palabras en el mapa mental y define las cuatro categorías.

GOMA · BEDEL · ENTRADA · TUTOR · ALUMNO · DIRECTOR · PERSONAL DE LIMPIEZA · RESUMIR · MEMORIZAR · CUADERNO · ROTULADOR · COMPLETAR · PROFESOR · EJERCITAR · CARPETA · ESCRIBIR · DICCIONARIO · INTERCAMBIAR · REPASAR · GIMNASIO · RELACIONAR · CALCULADORA · REGLA · CONTAR · BOLÍGRAFO · LABORATORIO · SACAPUNTAS · AULA · CAFETERÍA · SECRETARÍA · RELACIONAR · LEER · CONVERSAR · DESPACHO · SALÓN DE ACTOS · REPETIR · LIBRO · LÁPIZ · PRACTICAR · ESCUCHAR · SUBRAYAR

Goma

Salón de actos

Resumir

APRENDER

Profesor

Unidad 2   treinta y tres • 33

Lección 3 — Expresa tus deseos para el nuevo curso
Mensaje de bienvenida

Bienvenidos y bienvenidas un año más. Este año también damos la bienvenida a tres nuevos profesores: el profesor Pepe Sánchez, que estudió en nuestro instituto y que se encarga de las clases de Inglés; la profesora Nuria Banderas, que junto con el profesor García, a quien todos conocéis, da clases de Geografía; y la profesora Marisol Gorris, que da clases de Español. A los tres les deseamos que pasen un año rico de experiencias positivas, que sepan aprovechar las oportunidades que nuestro instituto da a sus colaboradores. ¡Ojalá sigan con nosotros el año que viene!

Y a vosotros, queridos estudiantes, dejadme que os cuente una historia. Cuando tenía 13 años, no tenía ni idea de lo que iba a ser de mayor, pero seguí estudiando. Hoy soy profesora y directora, y, además, en el mismo instituto que me ayudó en mi formación. A todos os digo: estudiad con pasión y así espero que todos vuestros planes se hagan realidad.

Como repito todos los años, deseo insistir en lo obligatorio del respeto de las normas del centro. Os recuerdo que está prohibido utilizar el móvil en cualquier lugar del instituto y que la puntualidad es fundamental. Os ruego que cuidéis vuestras aulas y el patio. Además, es para mí una satisfacción poder comunicaros que ya tenemos una nueva sala de informática situada en la tercera planta, entre la biblioteca y el laboratorio de Biología. Además, han instalado en cada aula una pizarra digital. Nuestro objetivo es formaros como personas libres, con creatividad y responsabilidad y, para ello, necesitamos vuestra colaboración.

Comprendo

1 LEE EL TEXTO Y HAZ LAS ACTIVIDADES DE COMPRENSIÓN

A. Señala de cuáles de estos temas se habla.

	Sí	No
1. Puntualidad		
2. Instalación de pizarra digital		
3. Limpieza del instituto		
4. Nuevo profesor de Español		
5. Presentación de nuevos profesores		
6. Nueva biblioteca		

34 • treinta y cuatro   Unidad 2

Forme grupos para que clasifiquen las palabras con un tiempo límite. A continuación, proyecte la nube de palabras y pida que un voluntario, siguiendo las instrucciones de sus compañeros, marque en cuatro colores distintos las palabras y las escriba en el lugar oportuno. Por último, pida que otro voluntario u otros voluntarios lean las palabras en voz alta y, si quiere, amplíen entre todos la lista de palabras, clasificándolas en su lugar adecuado. Para practicar el vocabulario puede preguntar: ¿*Para qué sirve?* O, en el caso de las acciones, ¿*Cuándo lo haces?*

Respuestas: Lugares: salón de actos, entrada, aula, cafetería, laboratorio, patio, despacho, secretaría, gimnasio; **Material escolar:** goma, diccionario, regla, sacapuntas, bolígrafo, cuaderno, libro, carpeta, rotulador, calculadora, lápiz; **Personal:** bedel, profesor, tutor, alumno, director, personal de limpieza; **Acciones:** resumir, completar, repasar, contar, memorizar, ejercitar, escribir, relacionar, leer, conversar, repetir, intercambiar, practicar, escuchar, subrayar.

Como complemento, pídales que vayan a la aplicación http://www.tagxedo.com y que creen otras nubes de palabras.

Actividad 1A

Pida a sus estudiantes que lean en voz baja e individualmente el texto. Recuerde que cada persona tiene su ritmo de lectura. A continuación, lea usted el texto en voz alta y pídales que sigan la lectura. Solicite uno o varios voluntarios para que lean, de forma expresiva, fragmentos del texto. Luego, pida que hagan el ejercicio de comprensión.

Pida a uno o más estudiantes distintos a los anteriores que vuelvan a leer el texto en voz alta y que los demás comprueben sus respuestas. Después de contestar a las preguntas de comprensión, se pueden comentar y explicar los términos poco claros. Pregúnteles de qué se habló en el acto de inauguración del curso del instituto, si es que hubo un discurso de bienvenida por parte del director.

Respuestas: Hablan de todos los temas, excepto del 6.

Como complemento, es muy útil que refuerce el aprendizaje, bien en clase o bien en casa, realizando la actividad de la página 19 del cuaderno de ejercicios.

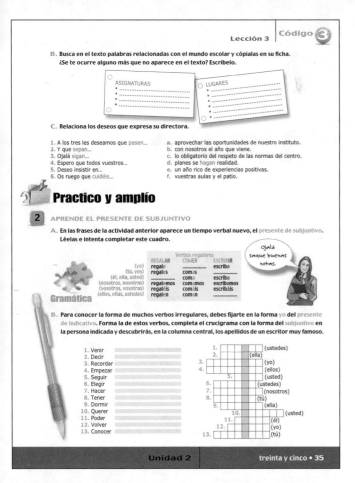

Actividad 1B

Proponga la actividad en parejas y corríjala pidiendo que dos voluntarios salgan a la pizarra, uno lee las respuestas y el otro las escribe.

Respuestas: Asignaturas: Inglés, Geografía, Español y Biología; Lugares: aulas, patio, sala de informática, biblioteca, laboratorio y centro.

Actividad 1C

Esta es una actividad individual. Pida a seis voluntarios que cada uno lea una de las seis frases. Al terminar la corrección, pregúnteles qué novedad han encontrado en el texto. ¿Qué forma verbal es la que aparece en rojo en el texto y en las frases? ¿Cuál es la idea que se quiere transmitir? ¿Reconocen los infinitivos de los verbos en rojo?

Respuestas: 1-e; 2-a; 3-b; 4-d; 5-c; 6-f.

Actividad 2A

Pida que intenten descubrir ellos mismos las formas que faltan. Aclare el cambio vocálico entre presente de indicativo y el de subjuntivo. Sugiera más verbos con los que practicar la conjugación. A partir del bocadillo de la derecha, anímeles a que creen frases con *Ojalá*. Sugiera que copien en su cuaderno la conjugación de un verbo por cada grupo para que les sirva de modelo.

Respuestas: regale, coma, escribas, escriban.

Actividad 2B y C

Le aconsejamos que realice esta actividad primero de forma individual, para que cada uno reflexione, tomándose su tiempo, en la formación del subjuntivo y, luego, que comparen sus resultados con su compañero de pupitre antes de presentarlos al pleno. Para corregirlo

de forma plenaria, proyecte el crucigrama y pida que un voluntario lo complete. Luego, realice en parejas el ejercicio C. Pase entre las mesas para comprobar que conjugan correctamente.

Respuestas: 1. vengo, vengan; **2.** digo, diga; **3.** recuerdo, recuerde; **4.** empiezo, empiecen; **5.** sigo, siga; **6.** elijo, elijan; **7.** hago, hagamos; **8.** tengo, tengas; **9.** duermo, duerma; **10.** quiero, quiera; **11.** puedo, pueda; **12.** vuelvo, vuelva; **13.** conozco, conozcas. **Solución:** García Márquez.

Como complemento, refuerce el aprendizaje en clase, realizando la actividad 2 de la página 20 del cuaderno de ejercicios.

Actividad 3A

Comente la ficha gramatical y anímeles a que creen más ejemplos a partir de los del cuadro gramatical. Proponga, antes de la audición, que lean en voz baja los textos por completar. Ponga la audición una primera vez para que entiendan y completen el texto. Puede animarles a que describan las imágenes.

Respuestas: a. estén, apruebes, saques; **b.** consiga, utilices, consigamos; **c.** toque, busque.

Como complemento, refuerce el aprendizaje en clase, realizando la actividad 3 de la página 20 del cuaderno de ejercicios.

Actividad 3B

Lea en voz alta los cinco deseos y aclare las dudas. Forme grupos pequeños y déjeles que realicen la actividad entre ellos. Compruebe lo que vayan escribiendo en sus cuadernos. Cuando hayan terminado, pida a un voluntario que escriba en la pizarra la lista competa (sin repetir deseos) de toda la clase.

Respuestas: Libres.

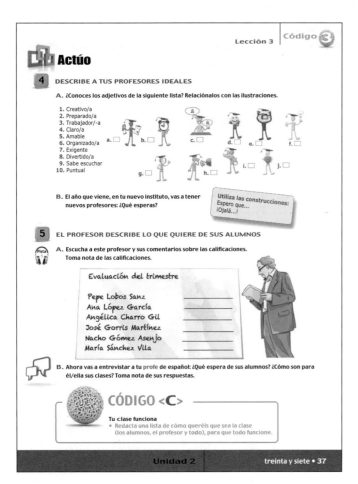

Actividad 4A y B

Deles unos minutos para que, individualmente, asocien los adjetivos con los iconos. Vaya entre las mesas ayudando y aclarando, mediante ejemplos, los adjetivos conflictivos. Proyecte en la pizarra los iconos y vaya señalándolos para que sus alumnos digan los adjetivos correspondientes. Como complemento, puede pedirles que improvisen frases oralmente utilizando cada uno de los adjetivos. A continuación, realice la actividad B en el pleno y de forma oral.

Respuestas: 1-f; 2-a; 3-i; 4-c; 5-j; 6-e; 7-g; 8-d; 9-h; 10-b.

Como complemento, refuerce el aprendizaje realizando la actividad 5 de la página 21 del cuaderno de ejercicios.

Actividad 5A

Antes de poner el audio, recuérdeles a sus estudiantes el sistema de notas español: del 0 al 4, suspendido, mal; el 5, aprobado, suficiente; el 6, bien; del 7 al 8, notable: del 9 al 10, sobresaliente, muy bien. Luego, ponga el audio y pida que cada alumno tome notas y que las compare con su compañero de mesa. Corrija en el pleno. Como complemento, si le parece oportuno, pídales que cuenten algunas notas que tienen utilizando el sistema de calificaciones español, así repasarán al mismo tiempo los nombres de las asignaturas.

Respuestas: Aprobado, Suspenso, Aprobado, Suspenso, Sobresaliente, Notable.

Actividad 5B

Realice la actividad en el pleno. Aproveche este momento para que pidan más de lo aconsejado en el texto. Se puede llevar a cabo en parejas por turnos o todos a la vez.

Actividad 1A

Después de escuchar y leer el texto, pídales inmediatamente que contesten a las preguntas en el pleno, sin darles la oportunidad de fijarse en lo que no entiendan, sino que hagan una comprensión global. Una vez contestadas las preguntas, se les puede dejar unos minutos para que lo relean y subrayen los términos que no entiendan. Como complemento, puede pedir a tres alumnos que lean en voz alta y de forma expresiva el diálogo.

Respuestas: 1-g; 2-e; 3-f; 4-d; 5-c; 6-a; 7-b.

Como complemento, es muy útil que refuerce el aprendizaje, bien en clase o bien en casa, realizando las actividades de la página 22 del cuaderno de ejercicios.

Actividad 1B y C

Pida que cierren los libros y ponga de nuevo la audición. Después, lea, de uno en uno, los diez consejos y pídales que identifiquen quién los ha dicho, si Mario o Nuria. Por último, de forma plenaria, pregúnteles qué consejos les parecen más adecuados y por qué. Si el grupo lo permite, organice una pequeña tertulia que tendrá como objetivo, además del lingüístico, que sus alumnos reflexionen sobre cómo se adquiere mejor una lengua.

Respuestas: Mario da los consejos 1, 5, 6, 7 y 9; María, los consejos 2, 3, 4, 8 y 10.

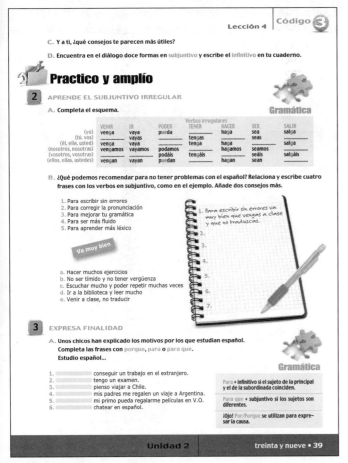

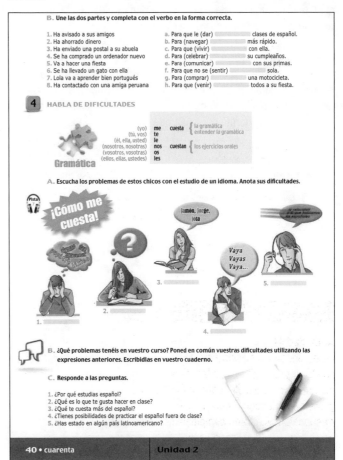

Actividad 1D

Deles unos minutos para que individualmente localicen las formas del presente de subjuntivo en el texto y deje que comparen sus resultados con su compañero de pupitre. Para corregirlo, pida a un voluntario que salga a la pizarra y escriba las formas que le dicten sus compañeros. Pida a sus alumnos que escriban alguna frase inventada.

Respuestas: practiques, practicar; leas, leer; confíes, confiar; seas, ser; pierdas, perder; cambies, cambiar; busques, buscar; comuniques, comunicar; repases, repasar; hagas, hacer; diviertas, divertirse; quieras, querer.

Actividad 2A

Retome las formas verbales encontradas en la actividad anterior y pídales que conjuguen alguno de los verbos. A continuación, abran los libros y completen la conjugación. Anote usted en la pizarra las formas correctas.

Respuestas: vengas, vengáis, vayáis, puedas, pueda, tenga, tengamos, tengan, hagas, hagáis, sea, salgas, salgamos, salgan.

Como complemento, refuerce el aprendizaje, realizando las actividades de la página 23 del cuaderno de ejercicios.

Actividad 2B

Explique la estructura poniendo algunos ejemplos. A continuación, haga la actividad primero de forma oral y, en seguida, de forma escrita.

Respuestas: 1-e; 2-c; 3-a; 4-b; 5-d. Para corregir la pronunciación va muy bien que escuches mucho y repitas muchas veces; Para mejorar tu gramática va muy bien que hagas muchos ejercicios; Para ser más fluido va muy bien que no seas tímido y que no tengas vergüenza; Para aprender más léxico va muy bien que vayas a la biblioteca y leas mucho.

Actividad 3A

Primero, copie en la pizarra la ficha gramatical y ofrezca más ejemplos. Luego, deles unos minutos para que completen el ejercicio individualmente. Corrija pidiendo que seis voluntarios lean cada uno una frase.

Respuestas: 1. Para; **2.** Porque; **3.** Porque; **4.** Para que; **5.** Para que; **6.** Para.

Actividad 3B

Se trata de una actividad individual de reflexión sobre el tema. Proponga que los alumnos se tomen unos minutos para pensar solos y, a continuación, realicen una primera corrección en parejas. Corrija en el pleno solicitando a ocho voluntarios que lea cada uno una frase.

Respuestas: 1-h, vengan; 2-g, comprar; 3-f, sienta; 4-b, navegar; 5-d, celebrar; 6-c, viva; 7-e, comunicar; 8-a, dé.

Como complemento, es muy útil que refuerce el aprendizaje, bien en clase o bien en casa, realizando la actividad 3 de la página 24 del cuaderno de ejercicios.

Actividad 4A

Con los libros cerrados, ponga ejemplos (y escríbalos en la pizarra) utilizando la expresión *costarle*. Marque con colores la terminación del verbo. Pida que sus estudiantes hagan más ejemplos. A continuación, si tiene posibilidad, proyecte las cinco imágenes o, si no, pida que abran los libros y observen las imágenes y que sus estudiantes imaginen cuáles son las dificultades de los cinco chicos. Ponga el audio una vez y deje que sus estudiantes tomen notas y las comparen con las de su compañero de pupitre. Vuelva a poner el audio y corrija.

Respuestas: 1. Le cuesta recordar las palabras; **2.** Le cuesta entender los textos; **3.** Le cuesta pronunciar la jota; **4.** Le cuestan los verbos; **5.** Le cuesta escuchar a los españoles.

Actividad 4B

Le recomendamos que, en primer lugar, proponga que la actividad se realice de forma escrita e individualmente. Antes de empezar, puede contestar usted sobre sí mismo para que sigan el modelo. A continuación, realicen una puesta en común plenaria y pida que alguien tome nota de todas las opiniones de la clase.

Actividad 4C

Como se trata de una actividad escrita de respuesta libre y personal, deje que lo hagan en casa: que contesten a las cinco preguntas y con las cinco respuestas confeccionen un texto que le entregan a usted para corregirlo de forma personalizada.

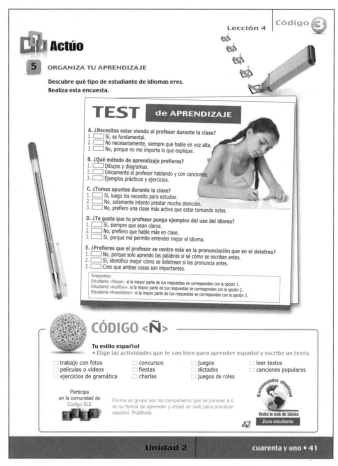

Actividad 5

Deje que sus estudiantes lean individualmente y en silencio el test y aclare las dudas que surjan. Deles entonces tiempo para responder al test. Esta actividad les preparará para hacer la siguiente.

Código <ñ>

Una vez terminados los test, los alumnos presentan sus perfiles de aprendizaje en el pleno. Forme tres grupos de trabajo según las preferencias de aprendizaje. Cada grupo seleccionará las actividades de aprendizaje que mejor se ajustan a sus estilos.

Blog: Con la información recopilada, cada grupo tiene que preparar textos breves con imágenes de sus viajes para ponerlos en el blog. Corrija los textos. Entren en la web de Edelsa, vayan a Zona Estudiante, pulsen en *Código*, introduzcan la clave que se encuentra en el interior de la cubierta, busquen el nivel 3 y localicen la entrada al blog correspondiente a la unidad 2. Envíen allí sus textos y las imágenes para que sean publicados.

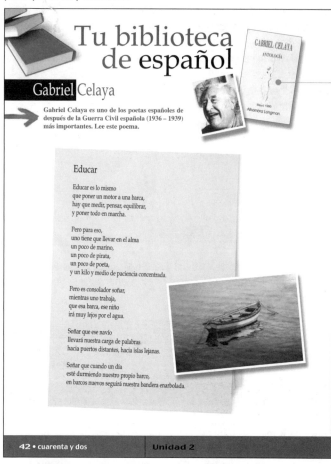

Haga preguntas orales sobre la imagen antes de leer el poema. Escriba en la pizarra sus expectativas (de sus estudiantes) sobre el poema. Lea usted en voz alta el poema. Si fuera posible, acompañe la lectura con algo de música. Después de leer el texto, los estudiantes deben trabajar en él siguiendo las actividades. Como tienen que releer el texto y realizar varios ejercicios, deben disponer de diez minutos o un cuarto de hora para hacerlo o bien pueden hacerlo en casa. Luego, se realiza la puesta en común de los resultados. Realice otras preguntas de carácter más general, como qué les ha gustado del texto, qué les ha llamado la atención, si les recuerda a algo que han leído o vivido o qué sensaciones transmite. Luego, pida que escriban sus poemas siguiendo la pauta (es un truco, los poemas siempre salen bonitos, con ritmo) y proponga un premio al mejor poema.

Respuestas: 1.1. Educar es como conducir un barco; El poeta se dirige al profesor; **2.** Líneas 3 y 4. **2.** 1-b; 2-e; 3-d; 4-a; 5-c. **1. a.** ir lejos; **b.** por el agua; **c.** barca; **d.** carga de palabras; **e.** puertos distantes; **f.** islas lejanas; **g.** bandera enarbolada.

Como complemento, es muy útil que refuerce el aprendizaje, bien en clase o bien en casa, realizando las actividades de la página 25 del cuaderno de ejercicios.

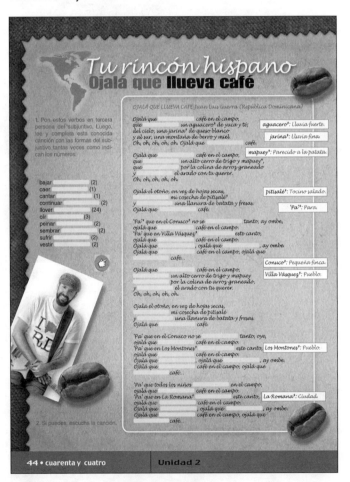

Por si le sirve de utilidad, Grabiel Celaya (1911-1991) es uno de los grandes poetas de la llamada *Generación de la posguerra o de la poesía social,* pero, además, sus poemas son muy útiles en la clase porque son accesibles para los alumnos. Si está interesado en ampliar la información, en utilizar más poemas o en ver otros aspectos de su vida o de su obra, les recomendamos que vaya a http://www.gabrielcolaya.com/ donde encontrará imágenes, poemas y textos de gran utilidad.

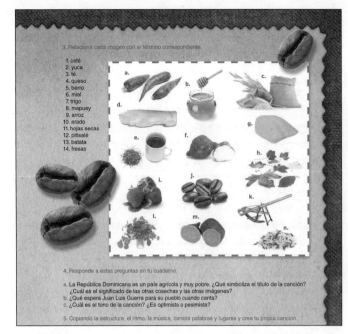

De forma oral y plenaria, haga que formen los subjuntivos de los diez verbos propuestos. A continuación, deje que los escriban en su libro. Luego, individualmente, deje que lean y completen la canción. Si tiene la posibilidad, ponga la canción, en Internet hay muchas versiones gratuitas. Puede ir a http://www.colby.edu/~bknelson/SLC/ojala/ y pulsar en el título de la canción o buscalo en youtube. Deje que lean, comprueben y escuchen al mismo tiempo. Anímeles a cantar. Realice las actividades de comprensión y mándeles para casa la confección de sus propias canciones. Anímeles a presentar sus versiones en clase.

Respuestas: 1. baje, caiga, cante, continúe, llueva, oiga, peine, siembre, sufra, vista. **2.** llueva, caiga, llueva, llueva, peine, baje, continúe, vista, siembre, llueva, sufra, llueva, oigan, llueva, llueva, llueva, llueva, llueva, llueva, peine, baje, continúe, vista, siembre, llueva, sufra, llueva, oigan, llueva, llueva, llueva, llueva, llueva, llueva, canten, llueva, oigan, llueva, llueva, llueva, llueva, llueva, llueva. **3.** 1-j; 2-a; 3-e; 4-g; 5-l; 6-b; 7-c; 8-f; 9-n; 10-k; 11-h; 12-a; 13-m; 14-i. **4. a.** El título de la canción y las demás cosechas simbolizan la esperanza en la abundancia; **b.** Juan Luis Guerra espera que todo salga mejor, que algo cambie en positivo; **c.** El tono de la canción es optimista.

Como complemento, es muy útil que refuerce el aprendizaje, bien en clase o bien en casa, realizando las actividades de la página 26 del cuaderno de ejercicios.

Para practicar las variantes, puede proponerles que un alumno escriba un texto con las palabras del cuadro en una variante y se lo pase a su compañero de pupitre para que lo reescriba en otra variante.

Respuestas de las variantes: 1-c; 2-f; 3-a; 4-g; 5-e; 6-b; 7-d.

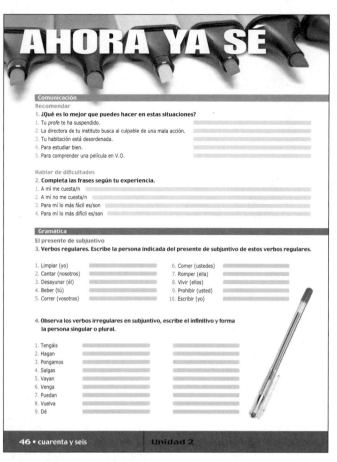

AHORA YA SÉ

Comunicación

Recomendar

1. ¿Qué es lo mejor que puedes hacer en estas situaciones?

1. Tu *profe* te ha suspendido.
2. La directora de tu instituto busca al culpable de una mala acción.
3. Tu habitación está desordenada.
4. Para estudiar bien.
5. Para comprender una película en V.O.

Hablar de dificultades

2. Completa las frases según tu experiencia.

1. A mí me cuesta/n
2. A mí no me cuesta/n
3. Para mí lo más fácil es/son
4. Para mí lo más difícil es/son

Gramática

El presente de subjuntivo

3. Verbos regulares. Escribe la persona indicada del presente de subjuntivo de estos verbos regulares.

1. Limpiar (yo)
2. Cantar (nosotros)
3. Desayunar (él)
4. Beber (tú)
5. Correr (vosotras)

6. Comer (ustedes)
7. Romper (ella)
8. Vivir (ellos)
9. Prohibir (usted)
10. Escribir (yo)

4. Observa los verbos irregulares en subjuntivo, escribe el infinitivo y forma la persona singular o plural.

1. Tengáis
2. Hagan
3. Pongamos
4. Salgas
5. Vayan
6. Venga
7. Puedan
8. Vuelva
9. Dé

46 • cuarenta y seis   Unidad 2

Código 3

Expresar deseos

5. Formula un deseo, como en el modelo.

1. ¡Que paséis un buen fin de semana!
2.
3.
4.
5.
6.
7.
8.

Léxico

6. Relaciona los contrarios.

1. Accesible
2. Alegre
3. Amable, atento/a
4. Claro/a
5. Competente
6. Creativo/a
7. Curioso/a
8. Dinámico/a
9. Divertido/a
10. Exigente
11. Flexible
12. Organizado/a
13. Preparado/a
14. Puntual
15. Trabajador/-a

a. aburrido/a
b. antipático/a, frío/a
c. apático/a, inactivo/a
d. benévolo/a
e. desorganizado/a
f. difícil de entender
g. improvisado/a
h. impuntual
i. inaccesible, distante
j. incompetente
k. intolerante, rígido/a
l. monótono/a
m. pasivo/a
n. triste
ñ. vago/a

7. Ahora elige cinco adjetivos y crea una frase con cada uno que aclare su significado.

1.
2.
3.
4.
5.

Unidad 2   cuarenta y siete • 47

Actividades 1 y 2 Respuestas libres.

Actividad 3 Respuestas: **1.** limpie; **2.** cantemos; **3.** desayune; **4.** bebas; **5.** corráis; **6.** coman; **7.** rompa; **8.** vivan; **9.** prohíba; **10.** escriba.

Actividad 4 Respuestas: **1.** tener, tengas; **2.** hacer, haga; **3.** poner, ponga; **4.** salir, salgáis; **5.** ir, vaya; **6.** venir, vengamos; **7.** poder, pueda; **8.** volver, vuelvan; **9.** dar, demos.

Actividad 5 Respuestas libres. Subraye la importancia de las imágenes a la hora de pensar en las respuestas.

Actividad 6 Respuestas: 1-i; 2-n; 3-b; 4-f; 5-j; 6-l; 7-c; 8-m; 9-a; 10-d; 11-k; 12-e; 13-g; 14-h; 15-ñ.

Actividad 7 Respuestas libres.

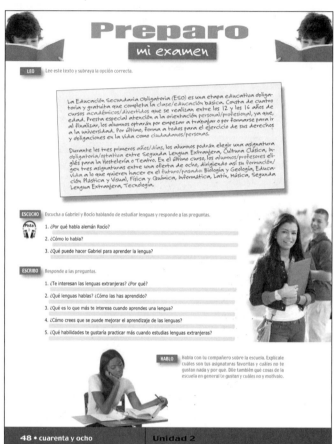

Preparo mi examen

LEO Lee este texto y subraya la opción correcta.

La Educación Secundaria Obligatoria (ESO) es una etapa educativa obligatoria y gratuita que completa la clase/educación básica. Consta de cuatro cursos académicos/divertidos que se realizan entre los 12 y los 16 años de edad. Presta especial atención a la orientación personal/profesional, ya que, al finalizar, los alumnos optarán por empezar a trabajar o por formarse para ir a la universidad. Por último, forma a todos para el ejercicio de sus derechos y obligaciones en la vida como ciudadanos/personas.

Durante los tres primeros años/años, los alumnos podrán elegir una asignatura obligatoria/optativa entre Segunda Lengua Extranjera, Cultura Clásica, Inglés para la Hostelería o Teatro. En el último curso, los alumnos/profesores eligen tres asignaturas entre una oferta de ocho, dirigiendo así su formación/vida a lo que quieren hacer en el futuro/pasado: Biología y Geología, Educación Plástica y Visual, Física y Química, Informática, Latín, Música, Segunda Lengua Extranjera, Tecnología.

ESCUCHO Escucha a Gabriel y Rocío hablando de estudiar lenguas y responde a las preguntas.

1. ¿Por qué habla alemán Rocío?
2. ¿Cómo lo habla?
3. ¿Qué puede hacer Gabriel para aprender la lengua?

ESCRIBO Responde a las preguntas.

1. ¿Te interesan las lenguas extranjeras? ¿Por qué?
2. ¿Qué lenguas hablas? ¿Cómo las has aprendido?
3. ¿Qué es lo que más te interesa cuando aprendes una lengua?
4. ¿Cómo crees que se puede mejorar el aprendizaje de las lenguas?
5. ¿Qué habilidades te gustaría practicar más cuando estudias lenguas extranjeras?

HABLO Habla con tu compañero sobre la escuela. Explícale cuáles son tus asignaturas favoritas y cuáles no te gustan nada y por qué. Dile también qué cosas de la escuela en general le gustan y cuáles no y motívalo.

48 • cuarenta y ocho   Unidad 2

LEO: educación, académicos, personal, ciudadanos, años, optativa, alumnos, formación, futuro.

ESCUCHO: 1. Porque vivió en Alemania; 2. Muy bien; 3. Escuchar programas, ver películas y practicar la lengua.

ESCRIBO Y HABLO: Respuestas libres.

arte y aparte

La lectora

Isabel Guerra Peñamaría

UNIDAD 3 Define qué es la amistad

Escucha, identifica de quién hablan y anota una expresión de carácter, estado o sentimiento en tu cuaderno.

Pista 9

Lección 5 Describe cómo eres

¡Me cae fenomenal!

Diego: ¿A ti quién te cae bien de clase?
Belén: Me cae muy bien Arturo, es muy optimista.
Diego: A mí no me cae bien, se enfada mucho.
Belén: Bueno, se enfada cuando hay motivos. Pero creo que es muy simpático con todo el mundo y parece sincero. ¿Y a ti, quién te cae mejor?
Diego: Me cae fenomenal Marta. Es muy divertida.
Belén: No creo que sea divertida, creo que es muy egoísta y bastante aburrida. En cambio, Julia es muy simpática. Parece seria, pero si la conoces mejor es muy divertida.
Diego: Pues a mí me cae fatal. Yo creo que es falsa. Simpático es Manolo.
Belén: ¡Qué va! Manolo es muy pesimista. Para él, siempre vamos a suspender o el profesor nos va a castigar. Además, nunca he podido hablar con él a solas.
Diego: Porque es tímido. Pero es muy bromista.
Belén: De todas formas, lo que no entiendo es cómo somos tú y yo tan amigos. No tenemos los mismos gustos en cuestión de personas...
Diego: Pero tenemos el mismo carácter, somos abiertos, responsables y divertidos.
Belén: Claro, claro. Y modestos. No te olvides.

Comprendo

1 ESCUCHA, LEE EL TEXTO Y HAZ LAS ACTIVIDADES DE COMPRENSIÓN

A. Observa las imágenes. ¿A qué amigo crees que corresponde cada una?

a.   b.   c.   d.

B. Completa el cuadro con los adjetivos de carácter del diálogo. Después, compara tu elección con la de tu compañero.

Positivos	Negativos

Proyecte la página y pida a sus estudiantes que describan el estado de ánimo de los chicos. Si no dispone de la versión digital, pida que abran los libros. Luego, ponga el audio y pida que identifiquen las fotos. Vuelva a ponerlo y pida que tomen notas de su estado de ánimo. Haga una puesta en común plenaria, pida que un voluntario salga a la pizarra y escriba los adjetivos que le dicten sus compañeros.

Una vez realizado el ejercicio de comprensión, utilice las fotos para repasar vocabulario, pida a los alumnos que elijan una foto y la describan. Ejemplo: *La chica que está comiendo un bocadillo es morena, tiene el pelo largo y rizado, los ojos marrones y está vestida de negro.*

Sus compañeros deben adivinar a quién describe.

Respuestas: a-12, Está enfadado; **b-9**, Está aburrida; **c-4**, Es muy estudiosa, Es responsable; **d-5**, Es muy chistosa, Está de buen humor; **e-2**, Es antipática, Está enfadada; **f-3**, Es autoritaria, da órdenes; **g-11**, Es optimista, Está alegre; **h-10**, Tiene miedo, Está asustada; **i-7**, Tiene sueño, Está cansado; **j-8**, Tiene hambre, Es muy comilón; **k-6**, Es soñador, Está distraído; **l-1**, Tiene frío, es friolera.

Actividad 1A

Puede optar por presentar el texto la primera vez de diferentes formas: solo escuchándolo, solo leyéndolo o leyéndolo y escuchándolo al mismo tiempo. Según se quiera hacer hincapié en la comprensión oral, escrita o en la práctica de la pronunciación y entonación. Una vez realizada la audición y/o lectura, haga la actividad de comprensión global en el pleno.

Respuestas: a. Arturo; **b.** Marta; **c.** Julia; **d.** Manolo.

Como complemento, es muy útil que refuerce el aprendizaje, bien en clase o bien en casa, realizando la actividad de la página 31 del cuaderno de ejercicios.

Actividad 1B

La valoración será subjetiva. Por un lado, pueden tomar como referencia el texto, o sea, considerar los adjetivos como negativos o positivos en función del contexto. Pero también pueden decidir ellos qué es positivo y qué es negativo. Permita primero que lo hagan individualmente y, luego, que lo comparen y se pongan de acuerdo con su compañero de pupitre. Para corregirlo en el pleno, pida que un voluntario salga a

la pizarra y escriba los adjetivos que le dicten sus compañeros. Anímeles a que den más adjetivos. Una vez que los estudiantes hayan
clasificado los adjetivos, dígales que describan a una persona que
conozcan usando algunas de estas cualidades y la expresión *caer
bien/mal*. También pueden compararse ellos con esa persona que han
descrito.

Respuestas: son libres, pero como orientación, **Positivos:** optimista,
simpático, sincero, divertida, bromista, abiertos, responsables, modestos; **Negativos:** egoísta, aburrida, seria, falsa, pesimista, tímido.

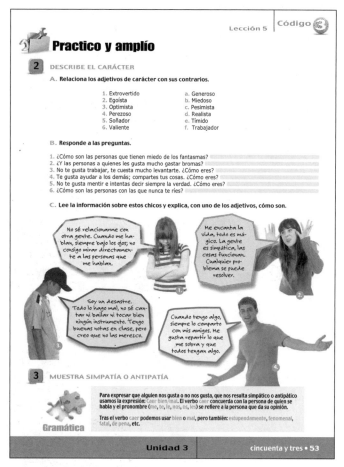

Actividad 2A

Si le es posible proyectar el diálogo de entrada de la lección, pida voluntarios que marquen con colores los adjetivos que se presentan en
el diálogo. A continuación, forme parejas para que relacionen los adjetivos con el contrario. Pida dos voluntarios para corregirlo: uno leerá
en voz alta de uno en uno los adjetivos de la columna de la izquierda
y el otro irá dando también en voz alta sus contrarios de la columna
de la derecha. Puede ampliar la lista con ayuda de sus estudiantes.

Respuestas: 1-e; 2-a; 3-c; 4-f; 5-d; 6-b.

Actividad 2B

Realice la actividad de forma plenaria y oral. Para ampliar, pida a sus
estudiantes que creen frases con estos adjetivos como en los ejemplos:
*Mi amiga es un poco perezosa porque le cuesta mucho levantarse por
la mañana.*
*Mi tío es muy tímido, no suele hablar con las personas que no conoce
bien.*

Respuestas: **1.** Miedosas; **2.** Bromistas, extrovertidas, graciosas; **3.**
Perezoso; **4.** Generoso; **5.** Sincero; **6.** Aburridas, tristes.

Actividad 2C

Pida a cuatro voluntarios que lean en voz alta cada uno de los cuatro
pequeños textos y pida al resto de la clase que den un adjetivo. Cuando hayan hecho este ejercicio, puede pedir a sus alumnos que escriban un texto como los cuatro que aparecen en el libro, refiriéndose a
un adjetivo que describe el carácter, y que lo lean en voz alta para que
los demás adivinen de qué adjetivo se trata.

Respuestas: **1.** Tímida; **2.** Optimista; **3.** Pesimista; **4.** Generoso.

Como complemento, refuerce el aprendizaje realizando la actividad 2
de la página 32 del cuaderno de ejercicios.

Actividad 3

Proyecte de nuevo el diálogo de entrada de la lección y pida a sus
estudiantes que marquen ahora frases con el verbo *caer*. Explique el
significado y dé más ejemplos. Pida entonces que abran sus libros y
lean el esquema.

Actividad 3A

Puede presentar el ejercicio como un diálogo para que practiquen los
estudiantes en parejas o como trabajo escrito individual con puesta en
común al final.

Respuestas: Libres. Ejemplo de respuesta: Me cae bien Antonio
Banderas, porque me parece muy simpático.

Actividad 3B

Forme parejas para que unos a otros se ayuden. Luego, pida a seis
voluntarios que lea cada uno una de las frases.

Respuestas: **1.** Luis; **2.** le; **3.** caes; **4.** caen; **5.** te; **6.** caigo.

Actividad 3C

En la primera audición, deben concentrarse en si la persona de la que se habla les cae bien o mal. Después pueden anotar los motivos.

Respuestas: Aurora, mal, es muy egoísta; Matías, mal, es falso; Luis, bien, es simpático y generoso; Rosa, mal, es aburrida; Lorenzo, mal, es serio; Antonio, bien, es sincero, optimista, bromista y generoso.

Como complemento, refuerce el aprendizaje realizando la actividad 3 de la página 32 del cuaderno de ejercicios.

Actividad 4A y B

Escriba en la pizarra los tres verbos de opinión que se presentan en el cuadro (*pensar*, *creer*, *parecer*) y pregunte a sus estudiantes si conocen más. Amplíe la lista (*opinar*, *suponer*, *entender*…). A continuación, presente dos ejemplos, uno afirmativo y otro negativo, con un mismo verbo de opinión y señale el cambio del indicativo al subjuntivo en el verbo subordinado. Escriba una frase afirmativa con un verbo de pensamiento y pida que sus estudiantes lo transformen en negativo. Pida a parejas de voluntarios que hagan así varios ejemplos. Entonces forme parejas para resolver la actividad A. Para corregir pida a seis voluntarios que cada uno lea una de las frases. Luego, deje que realicen el ejercicio B individualmente y corríjalo en el pleno.

Respuestas: A. 1. seas; **2.** sean; **3.** son; **4.** es; **5.** eres; **6.** seas. **B. 1.** es autoritaria: **2.** eres desordenado; **3.** me parece que sea serio; **4.** creo que sea simpático.

Como complemento, refuerce el aprendizaje, realizando la actividad 5 de la página 33 del cuaderno de ejercicios.

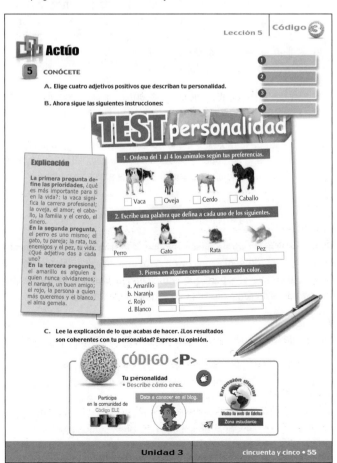

Actividad 5A, B y C

Le recomendamos que utilice la versión digital para proyectar el test sin que sus alumnos puedan leer las explicaciones hasta el final. Explique en qué consiste la actividad: primero, con los libros cerrados, pídales que individualmente anoten en un papel sus cuatro adjetivos positivos, insista en que sean positivos, para reforzar la autoestima. Luego, presente el test de personalidad. Luego, pídales que ahora sí lean la explicación y que preparen ideas para un posible informe sobre su personalidad, expresando si están de acuerdo o no con los resultados del test. Cuando han realizado las actividades, pida a los estudiantes que escriban el texto.

Código <P>

Corríjalos y propóngales que lo publiquen en el blog.

Para trabajar con los textos de facebook se puede realizar de tres formas diferentes:

1. Divida la clase en dos grupos y pida que cada grupo lea solo uno de los dos textos. Pídales que reconstruyan la historia según el texto que han leído. A continuación, pídales que imaginen y redacten la entrada de respuesta al texto que han leído. Después, presentan al resto de la clase sus versiones.

2. Realice el procedimiento descrito, pero, en vez de grupos, por parejas: un alumno lee el texto de Luisa y responde a él y el otro, el de Rosa.

3. Todos leen los dos textos. Primero, deles tiempo para que lo hagan individualmente y en silencio. Luego, léalos usted en voz alta y, por último, pida a dos voluntarios que cada uno lea uno de los dos textos.

Como complemento, realice la actividad de la página 34 del cuaderno de ejercicios.

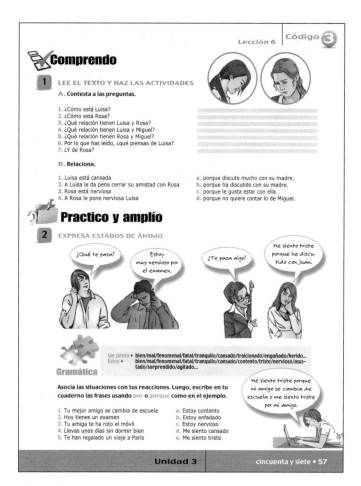

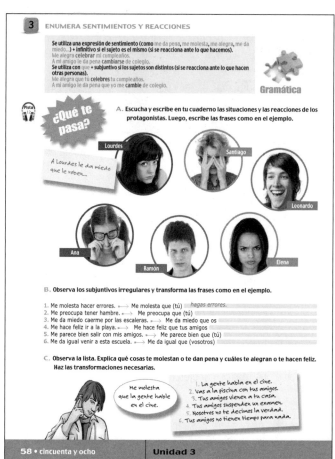

Actividad 1A y B

Deje que sus estudiantes trabajen individualmente. Corrija pidiendo a cinco voluntarios que lea cada uno una de las cinco primeras respuestas en voz alta y, a las dos últimas, pida que respondan varios alumnos justificando sus respuestas. Para la actividad B, forme parejas y corrija pidiendo a cuatro voluntarios que lea cada uno una de las cuatro frases.

Respuestas: A. 1. Luisa está fatal, se siente traicionada y está enfadada; **2.** Está nerviosa, pero contenta; **3.** Luisa y Rosa son muy buenas amigas; **4.** Son amigos. A Luisa le gusta Miguel; **5.** Rosa y Miguel ahora son novios; **6 y 7.** Respuestas libres. **B.** 1-b; 2-c; 3-d; 4-a.

Actividad 2

Lea con sus estudiantes los ejemplos de los bocadillos y el cuadro de gramática. Pídales que digan más frases de ese tipo. A continuación, pídales que, en parejas, relacionen las frases y que individualmente escriban las frases en sus cuadernos. Corrija pidiendo a cinco voluntarios que lea cada uno una de las cinco frases e invíteles a crear más frases.

Respuestas: 1-e, Me siento triste porque mi amigo se cambia de escuela/por mi amigo; 2-c, Estoy nervioso porque tengo un examen/por el examen; 3-b, Estoy enfadado porque mi amiga me ha roto el móvil/por el móvil; 4-d, Estoy cansado porque llevo unos días sin dormir bien/por el sueño; 5-a:, Estoy contento porque me han regalado un viaje a París/por el regalo.

Como complemento, es muy útil que refuerce el aprendizaje, bien en clase o bien en casa, realizando las actividades 2 y 3 de la página 35 del cuaderno de ejercicios.

Actividad 3A y B

Escriba en la pizarra expresiones de sentimiento y ponga ejemplos referidos a uno mismo (con infinitivo) y a otras personas (con *que* + subjuntivo) y remarque las diferencias. Pídales que proporcionen ejemplos sencillos también. Ponga la audición una primera vez, para que se fijen en el sentimiento, y una segunda, para que anoten el verbo o la acción causante del sentimiento.

Respuestas: A. A. Santiago le da vergüenza que se le vea el calzoncillo; A Leonardo le alegra que Sara le invite a su fiesta; A Ana le da pena que su perro esté enfermo; A Ramón le preocupa no saber dónde está su móvil; A Elena le molesta que le pongan un examen y no poder ir a esquiar. **B. 2.** tengas hambre; **3.** caigáis por las escaleras; **4.** vayan a la playa; **5.** salgas con tus amigos; **6.** vengáis a esta escuela.

Actividad 3B

Forme parejas para resolver la actividad B y corrija en el pleno.

Para practicar de forma lúdica, pídales que escriban en un papelito una expresión de sentimiento y en otro, una actividad. Barájelos por separado y repártalos para que formen frases. Como es probable que surjan frases ilógicas, pídales que se inventen una justificación.

Actividad 3C

Hágalo de forma individual, como deberes o en grupos pequeños.

Respuestas: Posibles respuestas libres: Me molesta que la gente hable en el cine; Me parece bien que vayas a la piscina con tus amigos; Me da igual que tus amigos vengan a tu casa; Me da pena que tus amigos suspendan un examen; Me preocupa que no te digamos la verdad; Me da pena que tus amigos no tengan tiempo para nada.

Realice las actividades de la página 36 del cuaderno de ejercicios.

Actividad 4

Antes de iniciar esta actividad, pida a sus estudiantes que intenten definir el concepto de *amistad*. Después, lean los textos e inicie un debate. Al final, realice la votación para decidir qué definición es la mejor.

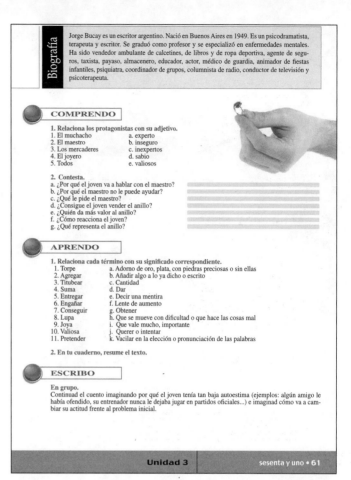

Deje que los alumnos lean en silencio el texto, cada persona tiene su ritmo de lectura. Aclare las dudas más importantes que tengan sus estudiantes, pero insístales en que no es tan importante comprender todas las palabras como la idea global. A continuación, pida a tres voluntarios que lean de forma expresiva el cuento: uno hará de muchacho, otro de maestro y otro de narrador. Por último, realice las actividades de comprensión, primero en parejas, para que se ayuden unos a otros, y luego en el pleno. Tras haber realizado estas actividades, pida a los alumnos que cuenten con sus palabras el cuento completo, con las ampliaciones y modificaciones efectuadas. Después, dígales que piensen en otro cuento corto que conozcan o que inventen uno y que lo escriban contándolo con sus palabras. Los mejores se pueden leer en clase y comentar la enseñanza que se obtiene de ellos.

Es importante para los alumnos que se tome la molestia de corregir, uno a uno, sus textos. Para ello, le recomendamos utilizar un sistema de correciones mediante signos, como le indicamos antes, para que la labor de corrección y revisión sean actividades productivas y provechosas.

Respuestas: 1. 1-b; 2-d; 3-c; 4-a; 5-e. **2. a.** Porque se siente poco valorado; **b.** Porque tiene que vender antes un anillo. En realidad el maestro sí ayuda al muchacho, pero piensa que es él quien tiene que aprender las cosas por sí mismo; **c.** Le pide que venda un anillo en el mercado; **d.** No consigue venderlo; **e.** El experto en joyas, el joyero, es el único que sabe valorar el anillo; **f.** El joven se emociona al saber el valor real del anillo; **g.** El anillo representa al joven. **Aprendo 1.** 1-h; 2-b; 3-k; 4-c; 5-d; 6-e; 7-g; 8-f; 9-a; 10-i; 11-j.

Como complemento, es muy útil que refuerce el aprendizaje, bien en clase o bien en casa, realizando las actividades de la página 37 del cuaderno de ejercicios.

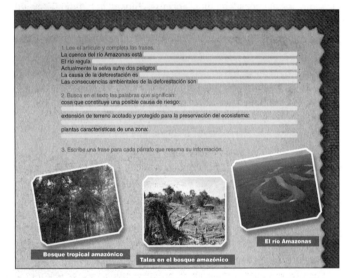

incendios. **Segunda actividad:** amenaza; reserva; floresta. **Tercera actividad:** Respuestas libres.

Como complemento, es muy útil que refuerce el aprendizaje, bien en clase o bien en casa, realizando las actividades de la página 38 del cuaderno de ejercicios.

Especialmente, si dispone de tiempo y si sus estudiantes están interesados, le aconsejamos que realice en clase la actividad de compresión del cuaderno de ejercicios. Puede completar el trabajo pidiéndoles que piensen en otros espacios naturales amenazados y que busquen información en Internet. Si realiza esta propuesta, es conveniente que les pida que realicen una presentación ante la clase apoyándose, por ejemplo, en un PowerPoint o en cualquier otro soporte virtual.

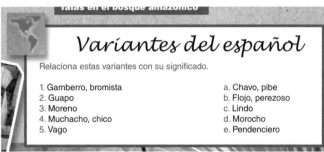

Para las variantes, hágalo en el pleno y pídales después que escriban una frase con las palabras de la variante peninsular y su homóloga con las variantes continentales.

Respuestas: 1-e; 2-c; 3-d; 4-a; 5-b.

Antes de leer el texto, pregunte a sus estudiantes qué saben sobre el Amazonas (selva y río) y, en general, sobre los problemas que afectan a la ecología y a la salud del planeta. Después, pídales que lean individualmente el texto. Una vez leído, pídales que cada uno forme una frase con una idea nueva que haya sacado tras la lectura del texto. Con las intervenciones de todos habrán reproducido el texto. Si dispone de la versión digital para usted, amplíe la información pulsando en el enlace. Forme entonces parejas para realizar las actividades y corríjalas en el pleno.

Respuestas: Primera actividad: en peligro de deforestación, el clima de toda la región; la tala indiscriminada y las actividades de la industria maderera; la tala indiscriminada y las actividades de la industria maderera; la eliminación de la humedad y el aumento del peligro de

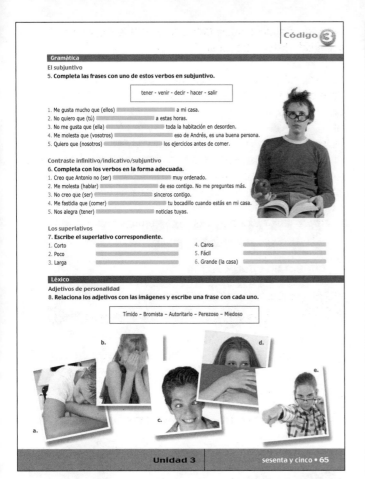

Actividad 1 Respuestas: 1. Le caigo bien/estupendamente/fenomenal; **2.** Les caigo bien/mal; **3.** Me cae bien/mal; **4.** Me caen bien/fatal; **5.** Me cae bien/mal.

Actividad 2 Respuestas: 1. Ellos creen que tú no eres simpático/ Ellos no creen que tú seas simpático; **2.** Yo pienso que eres/es egoísta; **3.** No creo/cree/creemos/creen que María sea tranquila/ Creo/ Cree/Creemos/Creen que María no es tranquila; **4.** Ellos no creen que yo sea autoritario/Ellos creen que yo no soy autoritario.

Actividad 3 Respuestas libres.

Actividad 4 Respuestas: 1-f; 2-c; 3-d; 4-e; 5-a; 6-b. Diga a los alumnos que inventen frases para poder usar las expresiones de la primera columna. Ejemplo: *No voy a ir de vacaciones este año. ¡Qué mala suerte!*

Actividad 5 Respuestas: 1. vengan; **2.** salgas; **3.** tenga; **4.** digáis; **5.** hagamos.

Actividad 6 Respuestas: 1. es; **2.** hablar; **3.** sean; **4.** comas; **5.** tener. Dígales que creen otras frases usando la primera parte de las frases de los ejercicios 5 y 6. Ejemplo: *Me gusta mucho que mi madre me haga una tarta de chocolate.*

Actividad 7 Respuestas: 1. cortísimo; **2.** poquísimo; **3.** larguísima; **4.** carísimos; **5.** facilísimo; **6.** grandísima. Dígales que creen frases con esos superlativos.

Actividad 8 Respuestas: a. perezoso; **b.** miedosa; **c.** bromista; **d.** tímida; **e.** autoritaria.

LEO 1. Porque siempre estaba triste y deprimido; **2.** Porque nadie iba a visitarlo; **3.** Empezó a ver extraños animales haciendo cosas raras; **4.** Se lo contó a su compañero de mesa; **5.** En el instituto descubrió que tenía muchos amigos.

ESCUCHO 1. Miguel Ángel es simpático pero callado, Sara es extrovertida, habladora y divertida; **2.** Le caen bien; **3.** No le caen mal.

ESCRIBO Y HABLO Respuestas libres.

Proyecte el cuadro y deje que sus estudiantes lo describan con ayuda de las actividades que propone el libro. Observe que dispone de un enlace en su versión del libro digital, por si quiere ampliar la actividad.

UNIDAD 4 Vive de forma responsable

Página 69

Código 3

Busca en la nube las expresiones o palabras relacionadas con las fotos. ¿Qué tienen en común? Anota más palabras.

tarjeta **tráfico**
EL PASO DE CEBRA
El autocar
EMBARQUE
LA ESTACIÓN DE TREN **tranvía**
EL AVIÓN EL AUTOCAR TARJETA EL COCHE
El avión
señal tarjeta
señal LA MOTOCICLETA EL PASO DE CEBRA tarjeta
tráfico EL CARNÉ DE CONDUCIR EL AUTOCAR
El plano del metro
tráfico SEÑAL
señal LA EMBARQUE EL
El avión
embarque EL BILLETE DE METRO
El coche
LA ESTACIÓN DE TREN tranvía tranvía
El carné de conducir
EL PLANO DEL METRO
La tarjeta de embarque

Unidad 4 | sesenta y nueve • 69

Página 70

Lección 7 — Prohibiciones y promesas

Junto a una autoescuela

Nuria: ¡Hola, Tomás! ¿Qué haces por aquí?
Tomás: Estoy sacándome el carné de conducir motos. El mes que viene tengo mi examen.
Nuria: ¿De verdad? No me digas. Siempre has dicho que estabas en contra de las dos ruedas con motor. ¿Has abandonado tus patines?
Tomás: No, no, siguen siendo mis preferidos. Los tengo siempre en mi mochila.
Nuria: De todas maneras, ¿para qué necesitas el carné?
Tomás: Hace algún tiempo respondí a un anuncio en el que buscaban a un estudiante aficionado a la historia para un trabajo al aire libre durante los fines de semana.
Nuria: Sí, hasta mi hermano envió una solicitud.
Tomás: Bien, yo me había olvidado por completo. Bueno, pues hace un mes hice una entrevista y la semana pasada me dijeron que había pasado la selección. Pero tengo que disponer de un medio de transporte.
Nuria: ¿En qué consiste el trabajo?
Tomás: Voy a colaborar con un grupo de estudiantes de secundaria de la ciudad para una empresa que se ocupa de lugares arqueológicos.
Nuria: ¿De arqueología? ¡Venga ya! No me tomes el pelo.
Tomás: No, te lo digo en serio. Tenemos que analizar una serie de restos directamente en el sitio arqueológico. Por eso necesito un medio de transporte.
Nuria: ¡Qué suerte! Me parece que es un trabajo muy original.

Comprendo

1 ESCUCHA, LEE EL TEXTO Y HAZ LAS ACTIVIDADES DE COMPRENSIÓN

A. ¿Verdadero o falso? Corrige las falsas.

	V	F
1. Tomás se examina del carné la semana que viene.		
2. La bici es el medio preferido por Tomás.		
3. Tomás ha conseguido un trabajo en una empresa de arqueología.		
4. Nuria le aconseja practicar con un grupo de estudiantes de secundaria.		
5. Nuria va a ayudar a Tomás.		
6. Tomás necesita el medio de transporte para obtener el trabajo.		

B. Localiza estas expresiones en el diálogo y relaciónalas con su uso.

1. ¿De verdad? No me digas.
2. ¡Venga ya! No me tomes el pelo.
3. No, te lo digo en serio.
4. ¡Qué suerte!

a. Asegurar que una información es verdad.
b. Expresar alegría.
c. Indicar que algo no se cree.
d. Mostrar sorpresa.

70 • setenta | Unidad 4

Haga una puesta en común de los nombres de los objetos antes de realizar individualmente o en grupo la actividad. Si dispone de la versión digital, proyecte la nube de palabras y pida voluntarios que marquen expresiones y las asocien con las fotos. Si no, forme parejas y corrija en el pleno.

Respuestas: (en sentido de las agujas del reloj:) la tarjeta de embarque; el plano del metro; el autocar; el billete del metro; el paso de cebra, la señal de tráfico; la estación de tren; el avión; la motocicleta; el carné de conducir; el tráfico, el coche; el tranvía.

Actividad 1A

Primero, llame la atención de sus alumnos sobre la imagen. Haga preguntas sobre el tema del carné de conducir (¿Cuándo se puede sacar en su país? ¿A qué edad?). Ponga entonces el audio, que se puede trabajar con o sin texto. Luego, haga una lectura en parejas del texto.

Respuestas: 1-F; 2-F; 3-V; 4-F; 5-F; 6-F.

Actividad 1B

Reproduzca el texto de las audición con la expresiones marcadas en rojo y pídales que relacionen. Haga una actividad oral en la que un estudiante o usted sugiere una situación y los estudiantes tienen que expresar sus emociones con las expresiones conocidas.

Respuestas: 1-d; 2-c; 3-a; 4-b.

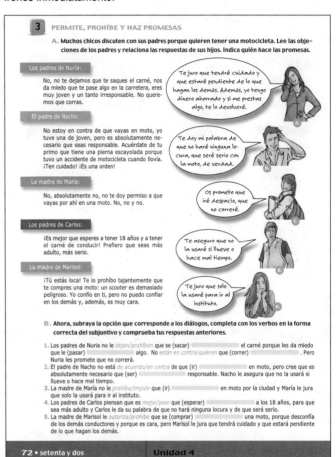

Actividad 1C

Proponga que cada alumno complete individualmente el resumen y pida a un voluntario que lo lea en voz alta.

Respuestas: encuentran, autoescuela, carné de conducir motos, porque, dos ruedas con motor, los fines de semana, medio de transporte.

Como complemento, realice la actividad de la página 41 del cuaderno de ejercicios.

Actividad 2A

Deje que sus estudiantes completen la conjugación con sus compañeros de pupitre y corrija en el pleno. Como complemento, deles otros verbos y pídales que formen el imperativo negativo.

Respuestas: no hable, no hablemos, no habléis, no hablen; no corra, no corras, no corra, no corran; no escriba, no escribas, no escribamos, no escribáis.

Como complemento, realice la actividad de la página 42 del cuaderno de ejercicios.

Actividad 2B

Si le es posible, proyecte las señales y los verbos. Pregunte si saben qué indican. Luego, pídales que relacionen los verbos con las señales. A continuación, de forma improvisada y oralmente, dígales que expliquen el significado de cada una utilizando el imperativo negativo.

Respuestas: 1. No montes en bici por aquí; **2.** No andes por la carretera; **3.** No vayas a más de 40; **4.** No des la vuelta; **5.** No aparques; **6.** No adelantes a otro coche; **7.** No pases; **8.** No gires a la izquierda.

Actividad 2C y D

Antes de escuchar el audio, pida que algunos voluntarios expliquen lo que significan las 5 señales y qué es lo que hay que hacer, utilizando los imperativos. A continuación, ponga el audio y pida que en el pleno se den las soluciones. Luego, deje unos minutos para que sus estudiantes, individualmente, escriban las tres frases en sus cuadernos. Pida, por último, que tres voluntarios las lean.

Respuestas: 1. No aceleres, frena; **2.** Párate, no pases; **4.** Frena, no frenes inmediatamente.

Actividad 3A

Presente a la clase la situación: unos jóvenes les piden a sus padres que les dejen sacarse el carné de conducir motos, pero los padres se oponen o ponen condiciones. Si dispone de la versión digital, proyecte la actividad utilizando la cortinilla: vaya destapando de uno en uno los textos, primero los de los padres, luego los de los hijos; léalos en voz alta y aclare las dudas que puedan surgir. Pídales que, con el marcador, señalen las formas de subjuntivo. A continuación, vaya destapando los textos de los hijos. Deles unos minutos para que en parejas relacionen los textos de padres e hijos y corrija en el pleno. Si no dispone del libro digital, pida que abran los libros y vaya leyendo en orden los textos o pida voluntarios que los lean. Después, en el pleno y oralmente se realiza la actividad.

Respuestas: c-d-e-b-a.

Actividad 3B

Si no lo ha hecho en la actividad anterior, pida que marquen en los textos de los padres las formas de subjuntivo. En cualquier caso, pida que las copien en su cuaderno y que escriban el infinitivo. Ofrezca la posibilidad de conjugar en subjuntivo por completo los diferentes verbos que aparezcan. A continuación, forme parejas para resolver la actividad.

Respuestas: 1. dejan-saque, pase, quieren, corra; **2.** no está en contra-vaya, sea; **3.** da permiso-vaya; **4.** mejor-espere; **5.** prohíbe-compre.

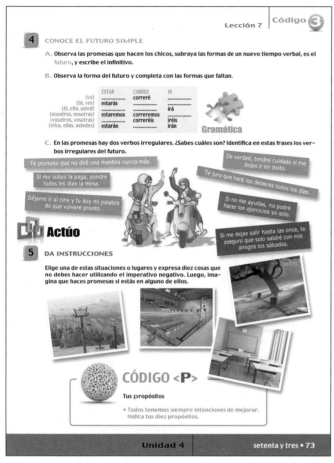

Actividad 4A
Si dispone de la versión digital, proyecte de nuevo las respuestas de los hijos y haga la actividad de forma plenaria, pidiendo que algunos voluntarios, con ayuda de sus compañeros, señalen los verbos en futuro del texto. Si no dispone de ella, haga la actividad individualmente y corrija en el pleno.

Respuestas: tendré, estaré, devolveré; iré, correré; haré, seré; usaré; usaré. Infinitivos: tener, estar, devolver, ir, correr, hacer, ser, usar, usar.

Actividad 4B
Con la realización de la actividad anterior, sus estudiantes estarán perfectamente preparados para completar la conjugación de los verbos en futuro. Deje que lo hagan en parejas y corríjalo en el pleno. Luego, añada más verbos para conjugarlos de forma oral e improvisada.

Respuestas: estaré, estará, estaréis; correrás, correrá, correrán; iré, irás, iremos.

Actividad 4C
Pida a siete voluntarios que lea cada uno en voz alta una de las siete promesas. Después, pídales que localicen los siete verbos y que piensen en el infinitivo. Tras esta pequeña acción, habrán descubierto las irregularidades. Como complemento, puede pedirles que conjuguen esos siete verbos en las seis personas gramaticales en futuro.

Respuestas: tendré, haré (son los dos irregulares de las promesas); diré, pondré, volveré, tendré, haré, podré, saldré.

Como complemento, realice las actividades de la página 43 del cuaderno de ejercicios.

Actividad 5
Es de respuestas abiertas y libres, por ello, puede realizarlo en pequeños grupos en clase o como deberes para casa. Insístales en que, para hacerlo, deben usar imperativos negativos.

Código <P>
Ocurre igual que en la actividad anterior, por ello, si optó por hacerlo en clase en grupos pequeños, mándelo para casa como deberes y viceversa. Insístales ahora que la producción se hace con los verbos en futuro simple.

Actividad 1A
Pida que los libros estén cerrados. Para entrar en materia y motivarles, pregúnteles qué les gustaría ser de mayores, si han pensado en su profesión futura y por qué les gustaría hacer eso. A continuación, anúncieles que van a escuchar un programa de radio en el que una chica habla de lo que quiere ser y le dan consejos para formarse, pídales que tomen notas mientras escuchan (los libros siguen cerrados). Una vez terminado, haga oralmente las dos preguntas que plantea el libro y otras si quiere. Vuelva a poner el audio si lo considera necesario.

Respuestas: 1. La futura profesión de María; **2.** Lola le aconseja que se matricule en una carrera como Arte o en Sonido e Imagen y que haga un máster. También, que se apunte a una asociación para la protección de los animales.

Actividad 1B
Pida que abran ahora los libros y ponga de nuevo la audición. Deje que le pregunten por las palabras nuevas que aparezcan, escríbalas

en la pizarra y entre todos intente aclarar el significado. Entonces deles unos minutos para que individualmente o por parejas resuelvan la actividad y corrija, como en otros casos, pidiendo voluntarios que lean las seis frases completas.

Respuestas: 1-b; 2-a; 3-d; 4-c; 5-f; 6-e.

Como complemento, es muy útil que refuerce el aprendizaje, bien en clase o bien en casa, realizando las actividades de la página 44 del cuaderno de ejercicios.

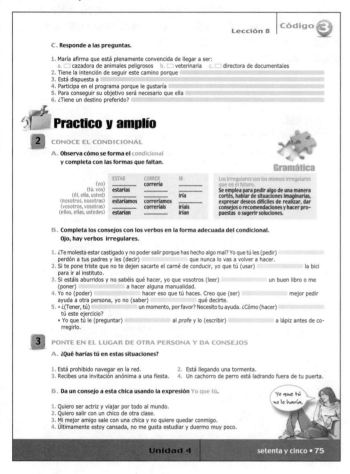

Actividad 1C
Pida que resuelvan la actividad de forma individual y corrija en el pleno.

Respuestas: 1. C; **2.** no quiere que desaparezcan más especies; **3.** viajar, a estudiar, a remover cielo y tierra; **4.** que le aconsejen; **5.** se matricule en la universidad; **6.** Asia o África.

Actividad 2A
Si dispone del libro digital, proyecte el diálogo; si no, pida que lo relean. Tienen, en ambos casos, que localizar formas del nuevo tiempo que aparece, el condicional. A continuación, pídales que intenten descubrir su conjugación completa y corrija en el pleno. Explique entonces los usos del condicional simple. Finalmente, puede marcar en las frases todas las expresiones utilizadas para dar consejos, copiarlas en la pizarra y, de forma oral, hacerles crear más frases.

Respuestas: estaría, estaría, estaríais; correrías, correría, correrían; iría, irías, iríamos.

Como complemento, realice la actividad 2 de la página 45 del cuaderno de ejercicios.

Actividad 2B
Deles unos minutos para que realicen al actividad individualmente y corrija en el pleno. Como complemento, pídales que den consejos a un compañero usando los verbos que han visto.

Respuestas: 1. pediría, diría; **2.** usaría; **3.** leería, pondría; **4.** podría, sería, sabría; **5.** Tendrías, harías, preguntaría, escribiría.

Actividad 3A y B
Haga de manera que hasta los más tímidos participen en la charla. Si lo considera útil, puede darles primero unos diez minutos para que preparen sus consejos de forma escrita.

Respuestas: Libres.

Como complemento, realice la actividad 3 de la página 45 del cuaderno de ejercicios.

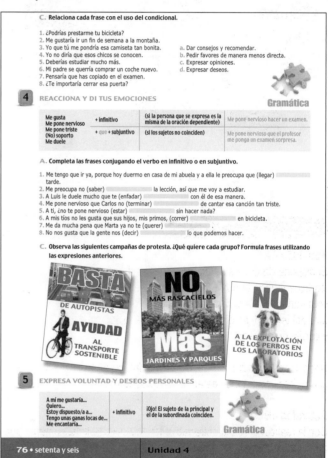

Actividad 3C
Como cierre del condicional simple, se propone que sus alumnos reflexionen sobre los usos. Puede mandarlo como deberes para casa, como repaso, y corregirlo al día siguiente en clase. Puede pedir también que, utilizando las frases que se dan en el ejercicio, las completen. Como complemento, pídales que pongan más ejemplos de los cuatro usos.

Respuestas: 1-b; 2-d; 3-a; 4-c; 5-a; 6-d; 7-c; 8-b.

Actividad 4A
La actividad es un repaso y una profundización en el contraste entre los usos del infinitivo y del subjuntivo en expresiones de sentimientos. Vea con sus estudiantes el esquema y pida que pongan más ejem-

plos. A continuación realicen de forma improvisada y oral el ejercicio pidiendo voluntarios que lean las ocho frases completadas.

Respuestas: **1.** llegue; **2.** saber; **3.** enfades; **4.** termine; **5.** estar; **6.** corran; **7.** quiera; **8.** diga.

Actividad 4B
Si le es posible, proyecte de uno en uno los carteles de las tres campañas y deje que sus estudiantes, improvisadamente, digan frases de lo que quieren. Una vez terminado, forme tres grupos y cada uno escribirá en una cartulina o en un papel grande los deseos de una de las tres campañas. Vaya de mesa en mesa ayudando y corrigiendo. Deje finalmente que cada grupo presente sus carteles al resto de la clase.

Respuestas: Libres.

Como complemento, realice la actividad 3 de la página 47 del cuaderno de ejercicios.

Actividad 5
Observe con sus estudiantes el cuadro y pida que subrayen en el diálogo de entrada las expresiones. Aclare dudas si fuera necesario.

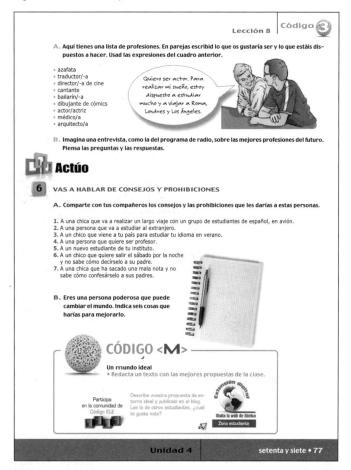

Actividad 5A y B
Lea con sus estudiantes el bocadillo de texto que sirve de modelo y pregúnteles qué opinan de las profesiones propuestas, qué requisitos hacen falta según ellos, si creen que ellos los cumplen, qué ventajas e inconvenientes tienen. Luego, deje que cada uno prepare individualmente su exposición. Vaya de mesa en mesa ayudando, dando el léxico si les faltase y corrigiendo. A continuación, forme parejas para que simulen una conversación, como la del diálogo de entrada de la lección. Pida algunos voluntarios para interpretar en el centro del aula

sus diálogos. No lo haga con todos, pues resultaría algo pesado, pero asegúrese de que también participan los más tímidos.

Respuestas: Libres.

Como complemento, realice la actividad 6 de la página 48 del cuaderno de ejercicios.

Actividad 6A y B
Realice la actividad A de forma plenaria, oral e improvisada. Anote los errores que comentan y corrija después de la producción. Mande la actividad B como deberes para casa y haga una corrección personalizada observando las dificultades individuales de cada uno de sus estudiantes.

Respuestas: Libres.

Código <M>
La actividad pude hacerse en parejas o, mejor, en grupos pequeños. Una vez redactados los textos, corríjalos y proceda a colgarlos en el blog.

Escuchen la canción la primera vez sin interrupción alguna. Deje que sus estudiantes entonces intenten completarla por parejas. Vuelva a poner la canción, esta vez interrumpa la audición para que completen el texto. Con la ayuda de imágenes, haga de manera que entiendan el texto sin traducirlo a su lengua. Pase a la lectura de la biografía de la autora y haga preguntas orales de comprensión global sobre su vida. Realice entonces las actividades de comprensión y aprendizaje, primero individualmente y luego en el pleno. Por último, deje que preparen sus textos en casa y permita que los presenten en clase de forma plenaria.

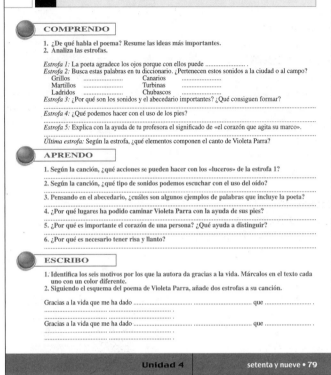

Biografía

Cantautora y folclorista chilena. Desde pequeña sintió afición por la música y el folclore chilenos; su padre, profesor de escuela primaria, fue un conocido folclorista de la región. Comenzó a actuar con su hermana Hilda en el *Dúo Hermanas Parra*. En 1942 ganó el primer premio de canto español, y a partir de entonces fue contratada con frecuencia hasta que partió a Valparaíso, donde encontró su verdadera vocación. El constante viajar por todo el país le puso en contacto con la realidad social chilena marcada por desigualdades económicas. En 1956 grabó el primer álbum de la colección «El folclore de Chile».

COMPRENDO

1. ¿De qué habla el poema? Resume las ideas más importantes.
2. Analiza las estrofas.

Estrofa 1: La poeta agradece los ojos porque con ellos puede ....
Estrofa 2: Busca estas palabras en tu diccionario. ¿Pertenecen estos sonidos a la ciudad o al campo?
Grillos .... Canarios ....
Martillos .... Turbinas ....
Ladridos .... Chubascos ....
Estrofa 3: ¿Por qué son los sonidos y el abecedario importantes? ¿Qué consiguen formar?
....
Estrofa 4: ¿Qué podemos hacer con el uso de los pies?
....
Estrofa 5: Explica con la ayuda de tu profesora el significado de «el corazón que agita su marco».
....
Última estrofa: Según la estrofa, ¿qué elementos componen el canto de Violeta Parra?

APRENDO

1. Según la canción, ¿qué acciones se pueden hacer con los «luceros» de la estrofa 1?
....
2. Según la canción, ¿qué tipo de sonidos podemos escuchar con el uso del oído?
....
3. Pensando en el abecedario, ¿cuáles son algunos ejemplos de palabras que incluye la poeta?
....
4. ¿Por qué lugares ha podido caminar Violeta Parra con la ayuda de sus pies?
....
5. ¿Por qué es importante el corazón de una persona? ¿Qué ayuda a distinguir?
....
6. ¿Por qué es necesario tener risa y llanto?
....

ESCRIBO

1. Identifica los seis motivos por los que la autora da gracias a la vida. Márcalos en el texto cada uno con un color diferente.
2. Siguiendo el esquema del poema de Violeta Parra, añade dos estrofas a su canción.

Gracias a la vida que me ha dado .... que ....
....
Gracias a la vida que me ha dado .... que ....
....

Unidad 4	setenta y nueve • 79

Respuestas: 1. Respuestas libres. **2.** Estrofa 1: ver bien todo su entorno; Estrofa 2: campo: grillos, ladridos, chubascos, canarios / ciudad: martillos, turbinas; Estrofa 3: forman las palabras más importantes en su vida; Estrofa 4: con los pies podemos visitar el mundo; Estrofa 5: el latido del corazón; Ultima estrofa: la risa y el llanto. **1.** Se puede: ver, abrir, cerrar, distinguir. **2.** Ladridos, cubascos, martillos, canarios, turbinas, grillos. **3.** Madre, amigo, hermano. **4.** Ciudades, charcos, desiertos, playas, montañas, llanuras. **5.** Lo bueno y lo malo en la vida. **6.** Porque representan la vida.

Tu rincón hispano
Motivos para viajar a Perú

¿Por qué Perú?
Algunos consejos para vivir y viajar

En Perú abundan numerosas ciudades coloniales y antiguos asentamientos incas que conviven mano a mano con fascinantes sitios arqueológicos.

Cuzco
Se encuentra en el sur y es muy famoso por sus numerosos sitios arqueológicos de gran importancia. Es el centro arqueológico más importante en el continente americano.

Lima
La capital es una gran metrópolis situada en medio de la costa del país. Su centro histórico es hogar de una arquitectura colonial verdaderamente impresionante.

Machu Picchu
Situado al noroeste de Cuzco, es posiblemente el lugar de interés turístico más impresionante en todo Perú. También se le conoce como la «ciudad perdida de los incas».

Las mejores cosas que hacer

Ciclismo en los Andes
Es una actividad popular en las montañas de Perú, y en la región del centro de los Andes se encuentran algunos senderos increíbles.

Flotar sobre el lago Titicaca
Tomar un crucero sobre el lago para visitar las islas flotantes de Uros es casi mágico. El lago Titicaca es el lago navegable a mayor altitud en el mundo y se encuentra entre la ciudad de Puno y la frontera con Bolivia del sur de Perú.

Sobrevolar las Líneas de Nazca
Las Líneas de Nazca son figuras y líneas enormes creadas sobre las arenas del desierto que solo pueden ser vistas desde las alturas. Estas figuras fueron realizadas entre los años 300 y 700 A.C.

Hacer surf en las dunas de arena
Muchos turistas vienen al país expresamente para hacer surf en las pendientes creadas por las dunas en tablas. Las dunas más grandes se encuentran cerca de las Líneas de Nazca.

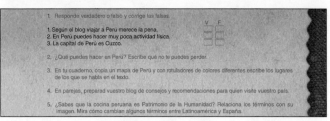

1. Responde verdadero o falso y corrige las falsas.
1. Según el blog viajar a Perú merece la pena.
2. En Perú puedes hacer muy poca actividad física.
3. La capital de Perú es Cuzco.
2. ¿Qué puedes hacer en Perú? Escribe qué no te puedes perder.
3. En tu cuaderno, copia un mapa de Perú y con rotuladores de colores diferentes escribe los lugares de los que se habla en el texto.
4. En parejas, preparad vuestro blog de consejos y recomendaciones para quien visite vuestro país.
5. ¿Sabes que la cocina peruana es Patrimonio de la Humanidad? Relaciona los términos con su imagen. Mira cómo cambian algunos términos entre Latinoamérica y España.

Lean y contesten a las preguntas en el pleno. Realice las actividades de la página 50 del cuaderno de ejercicios.

Respuestas: 1. Solo es verdadera la primera. **2.** Visitar las ciudades; visitar los Andes en bicicleta; ir en barco en el lago Titicaca; sobravolar sobre las líneas de Nazca; practicar surf en las dunas de arena.

Variantes del español

Relaciona estas variantes con su significado.

1. Aguacate = palta
2. Albaricoque = damasco, chabacano
3. Alcachofa = alcaucil
4. Calabacín = zapallito
5. Calabaza = zapallo, cayuco
6. Carne de vaca = carne de res
7. Cerdo = puerco, chancho
8. Embutidos = carnes frías
9. Fresa = frutilla
10. Gamba = camarón
11. Guisante = chícharro, arveja
12. Judías verdes = chauchas
13. Judías, alubias = poroto, frijoles, ejote
14. Maíz = abatí, canguil, capia
15. Manzana = pero
16. Melocotón = durazno
17. Patata = papa
18. Piña = ananá
19. Plátano = banana, banano
20. Sandía = patilla
21. Zumo = jugo

Respuestas: 1- ñ; 2-o; 3-h; 4-n; 5-r; 6-s; 7-t; 8-p; 9-g; 10-l; 11-k; 12-q; 13-a; 14-m; 15-d; 16-i; 17-e; 18-j; 19-f; 20-c; 21-b.

AHORA YA SÉ

Comunicación
Órdenes, prohibiciones y consejos
1. Escribe unas advertencias para estos productos, incluyendo órdenes, prohibiciones y consejos de uso.

1. ....
2. ....
3. ....

1. ....
2. ....
3. ....

Expresar la opinión
2. ¿Cómo te ves a ti mismo/a dentro de 20 años? Cuenta en unas 150 palabras tus planes, utiliza expresiones de intención y voluntad y los tiempos verbales de futuro simple y condicional.

Gramática
El condicional
3. Completa la tabla de los condicionales irregulares.

	(yo)	(tú, vos)	(él, ella, usted)	(nosotros, nosotras)	(vosotros, vosotras)	(ellos, ellas, ustedes)
poder						
querer						
salir						
tener						
decir						
poner						
venir						
saber						
hacer						

82 • ochenta y dos	Unidad 4

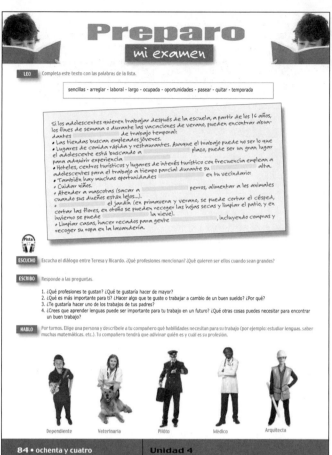

Actividad 1 Respuestas libres.

Actividad 2 Respuestas libres.

Actividad 3 Respuestas: Poder: podría, podrías, podría, podríamos, podríais, podrían; Querer: querría, querrías, querría, querríamos, querríais, querrían; Salir: saldría, saldrías, saldría, saldríamos, saldríais, saldrían; Tener: tendría, tendrías, tendría, tendríamos, tendríais, tendrían; Decir: diría, dirías, diría, diríamos, diríais, dirían; Poner: pondría, pondrías, pondría, pondríamos, pondríais, pondrían; Venir: vendría, vendrías, vendría, vendríamos, vendríamos, vendrían; Saber: sabría, sabrías, sabría, sabríamos, sabríamos, sabrían; Hacer: haría, harías, haría, haríamos, haríamos, harían.

Actividad 4 Respuestas: 1. No la bebas; 2. Ordénala; 3. Ve a comprarlo; 4. Déjalo; 5. No pases; 6. No te duermas.

Actividad 5 Respuestas: será, vendrá, irá, llamará, Será, llevará, hablará, pensará.

Actividad 6 Respuestas: 1. sepa; 2. envíe; 3. vengas; 4. sabe; 5. llame; 6. estén; 7. tienen.

Actividad 7 Respuestas: Respuestas libres, posibles respuestas: 1. dependiente/a, vendedor/-a; 2. actor/actriz, director/-a, músico/a; 3. empleado/a; 4. enfermero/a, médico/a; 5. profesor/-a.

Actividad 8 Respuestas: 1. No se puede dar la vuelta; 2. No se puede aparcar; 3. No se puede pasar.

LEO oportunidades, largo, laboral, temporada, sencillas, pasear, Arreglar, quitar, ocupada.

ESCUCHO Futbolista, profesor, policía, ingeniero, veterinario, médico. Ingeniera y veterinario.

ESCRIBO Respuestas libres.

HABLO Respuestas libres.

Sería útil ofrecer a sus estudiantes una copia más grande de la obra, para que puedan observar los detalles. Por ello, le recomendamos que utilice la versión digital. Una posibilidad de trabajo es que los estudiantes creen una copia y la coloreen según su gusto.

UNIDAD 5 — Decide tu estilo de vida

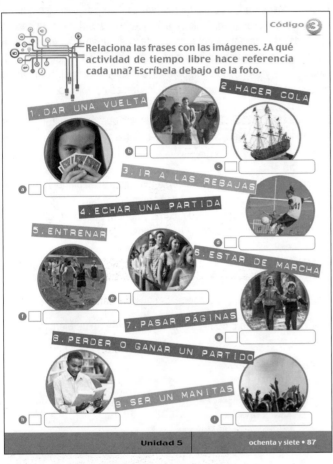

Relaciona las frases con las imágenes. ¿A qué actividad de tiempo libre hace referencia cada una? Escríbela debajo de la foto.

1. DAR UNA VUELTA
2. HACER COLA
3. IR A LAS REBAJAS
4. ECHAR UNA PARTIDA
5. ENTRENAR
6. ESTAR DE MARCHA
7. PASAR PÁGINAS
8. PERDER O GANAR UN PARTIDO
9. SER UN MANITAS

Unidad 5 · ochenta y siete · 87

Proyecte las imágenes y pídales que digan palabras relacionadas con lo que ven. Anótelas en la pizarra. A continuación, forme parejas para realizar la actividad y corrija en el pleno.

Respuestas: a-4, jugar a las cartas; b-3, ir de compras; c-9, hacer bricolaje; d-8, jugar al fútbol; e-2, ir al cine; f-5, hacer deporte; g-1, pasear; h-7, leer; i-6, bailar.

Lección 9 — Haz planes para el futuro

Una conversación por teléfono

Andrés: El sábado es mi fiesta de cumpleaños. Será muy divertido. Vendrá casi toda la clase y me apetece mucho que vengas.

Lucía: Como mis tíos se van de viaje, mis primas se quedan a dormir en casa.

Andrés:

Lucía: Se lo comento y, si les apetece, claro que vamos.

Andrés: Será una fiesta fantástica. Mis padres han alquilado un local y habrá mucha música, tendremos un grupo en directo y los compañeros que vengan traerán sus discos favoritos; pero antes quiero que hagamos algunos juegos.

Lucía:

Andrés: Es el grupo del hermano de José, Los Astros. Creo que los conoces a todos, están en segundo de ESO y han tocado a veces en las fiestas de la escuela. Hacen versiones de Los Planetas, je, je, por eso se han puesto ese nombre... Ah, y será en el club que está junto al cine Emperador, no me acuerdo cómo se llama.

Lucía: Claro que los conozco. Soy muy amiga de Carlos, el chico que toca la batería. Oye, yo voy. Cuenta conmigo. Ahora tengo que ponerme a estudiar, mi madre está enfadada conmigo porque dice que me he pasado la tarde jugando con la videoconsola.

Andrés:

Lucía: No, gracias. Me apetece que vengas, pero no me apetece hacer deberes.

✔ Comprendo

1 HAZ LAS ACTIVIDADES DE COMPRENSIÓN

A. Lee los mensajes que Lucía y Andrés se intercambian en facebook y completa las partes que faltan con las frases propuestas. Luego, escucha y comprueba.

1. Bueno, pero eso no es un problema. Pueden venir ellas también.
2. ¡Genial! ¿Qué grupo? ¿Dónde será? Cuéntamelo todo.
3. Buff, ¡qué pesados son tus padres! ¿Te apetece que me acerque a tu casa y te ayude con los deberes? Así estarás más contenta.
4. ¿El sábado? ¡Horror! Es que el sábado he quedado con mis primas.

88 · ochenta y ocho   Unidad 5

Actividad 1A

Antes de escuchar el audio, completen los huecos con las frases del ejercicio 1. Después lo escuchan para comprobar si lo han hecho bien. Pida que lo lean en voz alta.

Respuestas: 4, 1, 2, 3.

Realice la actividad de la página 55 del cuaderno de ejercicios.

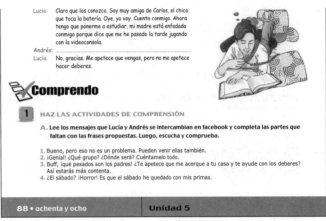

Lección 9   Código

B. ¿Cuál de las afirmaciones es la correcta?

1. a. Andrés cambia la fecha de su fiesta para que pueda asistir Lucía.
   b. Lucía cambia sus planes para poder asistir a la fiesta.

2. a. El chico que toca la batería en Los Astros es amigo de Lucía.
   b. El grupo que va a tocar en la fiesta se llama Los Planetas.

3. a. La fiesta se celebrará en un local.
   b. Lucía ha quedado con sus primas en el local que hay junto al cine.

4. a. Como no ha hecho sus deberes, la madre de Lucía está enfadada.
   b. Lucía ha pasado mucho tiempo delante de su consola.

C. Completa las frases según la conversación de Andrés y Lucía.

1. Andrés quiere saber si Lucía
2. Lucía dice que no puede ir porque
3. Andrés le propone que
4. Lucía dice que tiene que
5. Andrés le propone   , pero Lucía contesta que no.

📦 Practico y amplío

2 PROGRAMA ACTIVIDADES DE TIEMPO LIBRE

A. Escucha y anota las actividades de estos chicos. Después, ordénalas según tus gustos.

1. ....
2. ....
3. ....
4. ....
5. ....
6. ....
7. ....

B. Dile a tu compañero cuáles son tus favoritas y pregúntale por las suyas. ¿Coincidís en alguna?

Unidad 5   ochenta y nueve · 89

Actividad 1B y C

Deje que los alumnos realicen la actividad individualmente y comparen sus resultados con su compañero de pupitre. Las mismas parejas completan las frases de C. En el pleno, se corrigen pidiendo voluntarios que lean las frases completas.

Respuestas: B. b, a, a, b. **C. 1.** va a asistir a su fiesta de cumpleaños; **2.** el sábado ha quedado con sus primas; **3.** vayan sus primas también a la fiesta; **4.** ponerse a estudiar; **5.** ir a su casa para ayudar a Lucía con los deberes.

Actividad 2A y B

Mientras escuchan el audio, tienen que escribir, debajo de la fotografía adecuada, la actividad correspondiente. Pueden oírlo dos veces. Luego, cada estudiante las numera para reflejar sus propios gustos: la número 1 será la que más le guste y así sucesivamente. Algunos pueden exponer el ejercicio oralmente. Por ejemplo: *A mí la que más me gusta de estas actividades es leer, sobre todo libros de aventuras...* A continuación, los alumnos tienen que intercambiar sus opiniones sobre las actividades que aparecen en el ejercicio. Se puede realizar de manera simultánea si no son muchos alumnos en clase o pedir que la realicen de dos en dos mientras los demás escuchan.

Respuestas: 1. Ver la tele; **2.** Tocar la guitarra; **3.** Leer; **4.** Jugar con la consola; **5.** Ir a fiestas; **6.** Ver una película; **7.** Hacer deporte.

Realice las actividades de la página 56 del cuaderno de ejercicios.

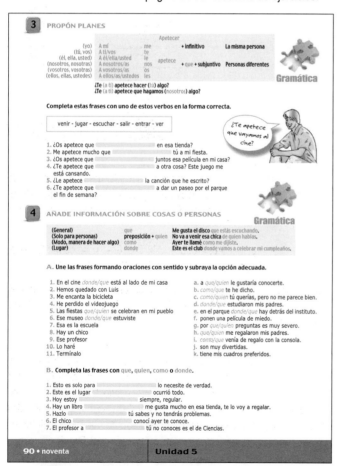

Actividad 3

Pídales que localicen en el diálogo de entrada los ejemplos que hay con el verbo *apetecer* y pida que un voluntario escriba las frases completas en la pizarra. Aclare el significado de la expresión y lea con sus

estudiantes el cuadro de la página 90. A continuación, deje que hagan la actividad individualmente y corríjala. Pídales que escriban otras dos preguntas con *apetecer* y, luego, que se las hagan a su compañero y que este responda.

Respuestas: 1. entremos; **2.** vengas; **3.** veamos; **4.** juguemos; **5.** escuchar; **6.** salgamos.

Realice la actividad 3 de la página 57 del cuaderno de ejercicios.

Actividad 4A

Escriba frases en la pizarra en las que se ejemplifiquen distintos relativos, marque estos en color y explique los usos. Luego, observen el cuadro de gramática del libro y pida que hagan más ejemplos. A continuación, deje unos minutos para que resuelvan la actividad individualmente y, luego, que comparen sus resultados con su compañero de pupitre. Corrija pidiendo que lean las frases completas.

Respuestas: 1-f, que; 2-e, que; 3-h, que; 4-i, que; 5-j, que; 6-k, donde; 7-d, donde; 8-a, quien; 9-g, quien; 10-c, como; 11-b, como.

Actividad 4B

Realicen la actividad individualmente y corríjala en el pleno. Para completar estos ejercicios, deles algunos elementos para que construyan frases usando los relativos *que, como* y *donde*. Ejemplos: Casa-Vivir-Luminosa, *la casa donde vivo es luminosa*; Ejercicio-Hacer-Profesor, *Hago el ejercicio como lo dice el profesor*.

Respuestas: 1. quien; **2.** donde; **3.** como; **4.** que; **5.** como; **6.** que; **7.** quien.

Realice la actividad 5 de la página 57 del cuaderno de ejercicios.

Actividad 5A

Pueden realizar este ejercicio en parejas. Primero escribe cada uno las cosas que les apetecen hacer y luego las ponen en común oralmente. El resultado lo exponen al resto de la clase.

Actividad 5B

Si se dispone de tiempo, este ejercicio puede dar pie a hablar de música, de qué grupos, estilos y canciones prefieren.

Código <I>

Con la realización de las actividades anteriores, los alumnos tienen suficiente material para decidir cómo organizar una supuesta fiesta. La confección de la invitación a la fiesta se puede realizar en grupo e incluso se les puede dar como tarea para casa para que los alumnos puedan añadirle imágenes, dibujos y otros elementos.

Actividad 1A

Después de leer el texto, aclare las palabras que no conozcan y, después, proceda a realizar las actividades de comprensión. Es mejor que respondan a este ejercicio oralmente. Si se tiene tiempo, se puede realizar un debate o charla sobre alguno de estos temas. También puede pedirles que escriban en casa un texto sobre uno de ellos: la alimentación, el deporte, el tiempo libre o los malos hábitos. O, si lo prefieren, sobre todos ellos a la vez.

Si le es posible, le recomendamos que plantee en el claustro de los profesores que en otras materias se aborde también un trabajo sobre las buenas y malas costumbres o que esta semana sea la semana de las costumbres saludables, de tal forma que sus estudiantes completen la información en su lengua materna y en español (y en cualquier otra, si dan más idiomas) y que todo el centro educativo se implique en este aspecto de la educación tan importante mediante talleres, charlas, etc.

Respuestas: 1. Tener hábitos saludables; **2.** Para no tener problemas de salud; **3.** Sí, pero suelen abandonarlo con el paso del tiempo; **4.** Respuesta abierta (previsiblemente: me parece mal).

Como complemento, es muy útil que refuerce el aprendizaje, bien en clase o bien en casa, realizando la actividad de la página 58 del cuaderno de ejercicios.

Actividad 1B y C

Realice las dos actividades al mismo tiempo. Forme parejas para que se ayuden unos a otros y pídales que hagan las dos actividades. Corrija en el pleno. Pídales a los estudiantes que creen otras frases usando esas palabras.

Respuestas: 1-g; 2-f; 3-b; 4-c; 5-a; 6-h; 7-d; 8-e. **1.** adicción; **2.** dieta; **3.** actividad; **4.** higiene; **5.** nocivo; **6.** hábito; **7.** ocio; **8.** trastorno.

Como complemento, es muy útil que refuerce el aprendizaje, bien en clase o bien en casa, realizando la actividad 2 de la página 59 del cuaderno de ejercicios.

Actividad 2A y B

Si dispone del libro digital, presente las cuatro viñetas con los bocadillos de texto tapados y pida que sus estudiantes imaginen la actitud de las personas; vaya descubriendo uno a uno los textos. Lea con sus estudiantes los textos y aclare dudas. Póngales la grabación dos veces y, luego, antes de corregir el resultado del ejercicio, déjeles un momento para que corrijan las afirmaciones falsas. Dígales que realicen el ejercicio C de manera oral. Pueden completarlo escribiendo unas frases inventadas usando *me parece bien/mal que*.

Respuestas: Son falsas la 1, es vaga; la 3, come cosas fritas; la 4, come cosas sanas; la 6, duerme demasiado; la 7, se mueve poco. La actividad b es de respuesta libre.

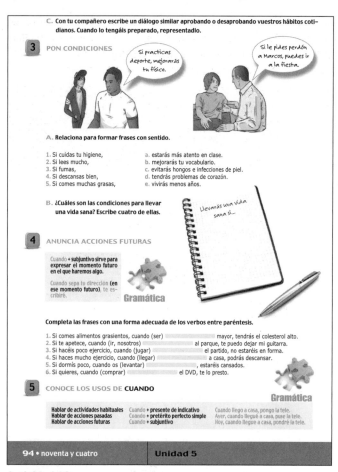

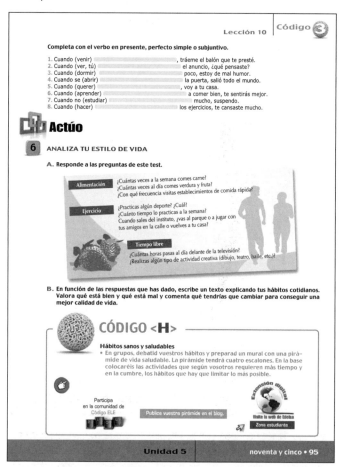

Actividad 2C

Pida que cada estudiante haga una lista de, al menos, diez actividades diarias. Puede sugerirles que sean falsas e, incluso, cuanto más exageradas sean, más divertido será el ejercicio. A continuación, póngalos en parejas y unos a otros se tienen que contar los hábitos y el otro, valorarlos. Una vez que lo hayan preparado, haga que representen la situación en el centro de la clase. Para que sea más divertido, proponga que sea un concurso: el diálogo más divertido gana un premio.

Respuestas: Libres.

Actividad 3A

Si dispone de la versión digital, proyecte las dos viñetas con los bocadillos de texto tapados por la cortinilla y pídales que describan las situaciones (un chico muy fuerte y otro muy delgado, un padre y un hijo) e imaginen de qué hablan, qué consejos se pueden estar dando. Lea con sus estudiantes los dos textos y aclare la estructura de las oraciones condicionales de futuro: *Si* + presente + presente y *Si* + presente + futuro. A continuación, forme parejas para resolver la actividad y corrija en el pleno. Puede completar este ejercicio escribiendo en la pizarra medias frases condicionales para que las completen libremente. Ejemplo: *Si no duermes, _____; Si estudias mucho, _____; _____, estarás cansado; _____, no me faltarán vitaminas.*

Respuestas: 1-c; 2-b; 3-e; 4-a; 5-d.

Realice la actividad 5 de la página 60 del cuaderno de ejercicios.

Actividad 3B

Explique la actividad a la clase y, como primer paso, deje que entre todos hagan una lista de hábitos positivos y negativos. Anótelos en la pizarra. A continuación, forme grupos para que cada uno, por escrito,

elija los cuatro más importantes y escriba una oración condicional. Finalmente, permita que un voluntario de cada grupo presente sus oraciones al resto de la clase.

Respuestas: Libres.

Actividad 4

Para algunos estudiantes, es complejo diferenciar las oraciones temporales de las condicionales. Por ello, empiece haciéndoles preguntas sobre sus costumbres, como *¿qué haces cuando sales de instituto?, ¿qué deportes practicas cuando tienes tiempo libre?*. Escriba sus respuestas en la pizarra y, entonces, transfórmelas a: *Hoy, cuando salga del instituto…*; *Este fin de semana, cuando tenga tiempo libre…*. Marque en dos colores distintos los subjuntivos y los futuros y explique la regla. A continuación, deles unos minutos para que, individualmente, completen el ejercicio y corríjalo en el pleno.

Respuestas: 1. seas; 2. vayamos; 3. juguéis; 4. llegues; 5. levantéis; 6. compre.

Actividad 5

Lea con sus estudiantes las tres estructuras propuestas con *cuando* para hablar de acciones habituales, del pasado y del futuro. Ponga algunos ejemplos y deje que sus estudiantes, en parejas, realicen la actividad. Corrija en el pleno y aclare dudas. Después de completar estos ejercicios, pida a cada estudiante que cree tres frases muy similares con *cuando* de los tres tipos que presenta el esquema.

Respuestas: 1. vengas; 2. viste; 3. duermo; 4. abrió; 5. quieras; 6. aprendas; 7. estudio; 8. hiciste.

Realice la actividad 6 de la página 60 del cuaderno de ejercicios.

Actividad 6A Y B

La primera parte se puede realizar de manera individual, pero también en forma de diálogo con un compañero. Pida que escriban la redacción en casa. En clase lo leen y se forman grupos de afinidad. Juntos consensuan un texto único que cuelgan en el blog.

Vaya de mesa en mesa ayudando y corrigiendo. Si sus alumnos disponen de ordenadores con conexión a Internet, deje que enriquezcan los textos con imágenes. Antes de que presenten los textos a sus compañeros, corríjalos y anote los errores más frecuentes para hacerse un diagnóstico del grupo, ahora que el final del curso se va acercando, y poder tomar así decisiones sobre qué aspectos reforzar en futuras clases.

Código <H>

Una vez redactados los textos, corríjalos y proceda a colgarlos en el blog.

Haga una lluvia de ideas con la expresión *Fiestas populares* para activar sus conocimientos previos y el léxico necesario. Si dispone de la versión digital, proyecte las cinco fotografías de la página 96; si no, lleve fotos de revistas o de Internet sobre las cinco fiestas españolas. Pida que sus estudiantes describan lo que ven e intenten adivinar cuáles son esas fiestas: las procesiones de Semana Santa se celebran en muchas ciudades hispanas y consisten en sacar a la calle imágenes de las iglesias; los Sanfermines son unas fiestas que todos los 7 de julio se celebran en una ciudad del norte de España (Pamplona) y son conocidas porque durante una semana a las 8 se la mañana se sueltan unos toros bravos por unas calles determinadas de la ciudad y los jóvenes corren delante de ellos dirigiéndolos a la plaza de toros; la Tomatina es una curiosa fiesta de un pueblo, Buñol, en el que todos los 30 de agosto los vecinos y visitantes se tiran tomates; las Fallas de Valencia son conocidas porque los artesanos construyen monumen-

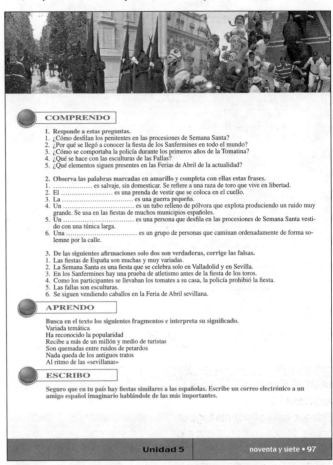

Deje que sus estudiantes lean individualmente el texto y, a continuación, respondan en el pleno a las preguntas de Comprendo y Aprendo. Tras haber realizado las actividades de comprensión, se puede hablar sobre el tema de las fiestas. Preguntar a los estudiantes, por ejemplo, si han estado en España y han visto alguna de estas fiestas o si conocían de su existencia por algún medio. También qué fiestas de sus lugares de origen conocen y pídales que expliquen en qué consisten y que digan si les gustan o no. Pueden indicar asimismo qué fiesta les gustaría conocer. Para la producción, realice un lluvia de ideas en clase, pero deje que los alumnos preparen sus presentaciones en casa. Sugiérales que se apoyen en imágenes e incluso que hagan una presentación en PowerPoint, por ejemplo.

Respuestas: 1. 1. Con trajes tradicionales; **2.** Por Hemingway; **3.** La prohibió; **4.** Se queman; **5.** La fiesta, los caballos y el baile. **2. 1.** El toro bravo; **2.** pañuelo; **3.** batalla; **4.** petardo; **5.** penitente; **6.** procesión. **3.** Son verdaderas la 1 y la 5; **2.** Se celebra en muchas ciudades; **3.** Hay una gran fiesta que consiste en correr delante de los todos; **4.** Se tiran unos a otros tomates; **6.** Ya no se venden caballos.

Como complemento, es muy útil que refuerce el aprendizaje, bien en clase o bien en casa, realizando las actividades de la página 61 del cuaderno de ejercicios.

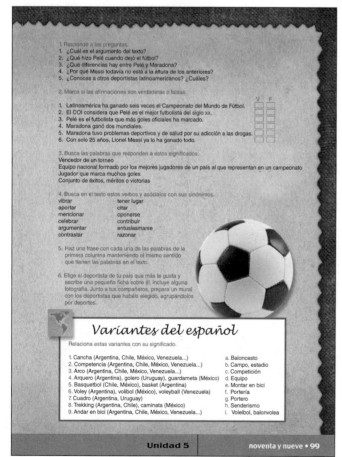

jores deportistas y si conocen a algún deportista hispano. A continuación, abran los libros y deje que cada estudiante lea individualmente. Después, realicen las actividades en parejas y corríjalas en el pleno. Después de completar las actividades, pueden escribir un texto sobre el deporte en general, cuál practican o siguen, qué otros deportes consideran interesantes o especialmente difíciles.

Si dispone de medios y tiempo, pídales que, en pequeños grupos, redacten un texto, similar al del *Tu rincón hispano*, con su deportista favorito o con su equipo predilecto o con su deporte preferido. Es importante que entiendan el sentido de la actividad como capacitadora para la expresión escrita (en algunos contextos educativos, cuando finalicen el curso, tendrán un examen final que incluye una prueba de redacción), por lo que propóngales que preparen una presentación (pueden hacerlo, por ejemplo, en PowerPoint con imágenes) y que expongan su texto, sin leerlo ni recitarlo de memoria, sino contándoselo al resto de la clase.

Respuestas: Actividad 1: 1. El texto habla de algunos grandes deportistas iberoamericanos; **2.** Fue actor y cantante; **3.** Pelé conquisto con su selección tres campeonatos del mundo, mientras que Maradona solo consiguió uno con Argentina; **4.** Todavía no ha ganado ningún campeonato del mundo; **5.** Respuesta libre. **Actividad 2:** solo son verdaderas la 2 y la 5. **Actividad 3:** campeón, selección, goleador, palmarés. **Actividad 4:** vibrar-entusiasmarse; aportar-contribuir; mencionar-citar; celebrar-tener lugar; argumentar-razonar; contrastar-oponerse. **Actividad 5 y 6:** Respuestas libres.

Realice las actividades de la página 62 del cuaderno de ejercicios.

Respuestas: 1-b; 2-c; 3-f; 4-g; 5-a; 6-i; 7-d; 8-h; 9-e.

Antes de abrir los libros, pregúnteles cuáles son sus deportes favoritos, para practicar y para ver como espectadores, cuáles son sus me-

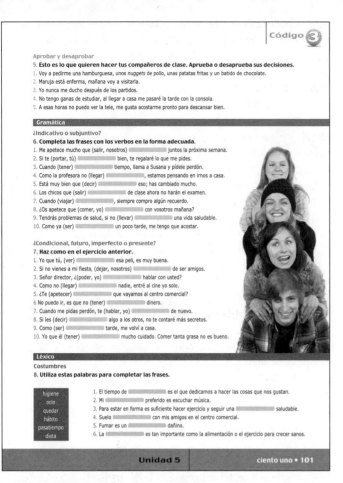

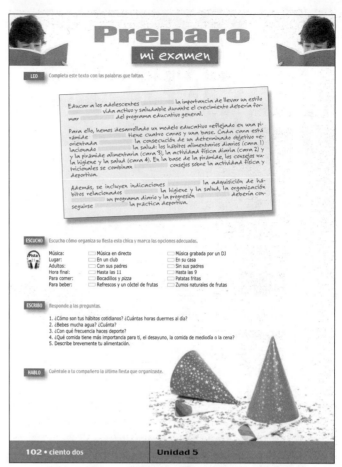

Actividad 1 Respuestas: 1. La consola que le gusta a Pepe; **2.** Al compañero con quien estudia Juan; **3.** La chica que lleva la cazadora vaquera; **4.** En el gimnasio donde conocí a Marisa; **5.** El disco que me han regalado por mi cumpleaños; **6.** El libro que está encima de la mesa.

Actividad 2 y 3 Respuestas libres.

Actividad 4 Respuestas: 1. iré; **2.** habléis; **3.** apuntes; **4.** entenderás; **5.** juguemos; **6.** elige.

Actividad 5 Respuestas: 1. Me parece mal que comas tantas grasas; **2.** Me parece bien que vayas a visitarla; **3.** Me parece mal que no te duches; **4.** Me parece mal que no estudies; **5.** Me parece bien que te acuestes pronto.

Actividad 6 Respuestas: 1. salgamos; **2.** portas; **3.** tengas; **4.** llega; **5.** digas; **6.** salgan; **7.** viajo; **8.** coma; **9.** llevas; **10.** es.

Actividad 7 Respuestas: 1. vería; **2.** dejaremos; **3.** podría; **4.** llegaba; **5.** apetece; **6.** tengo; **7.** hablaré; **8.** dices; **9.** era; **10.** tendría.

Actividad 8 Respuestas: 1. ocio; **2.** pasatiempo; **3.** dieta; **4.** quedar; **5.** hábito; **6.** higiene.

LEO en, de, parte, que, a, con, con, para, con, de, que, mediante.

ESCUCHO Música grabada por un DJ; En su casa; Sin sus padres; Hasta las 11; Patatas fritas; Refrescos y un cóctel.

ESCRIBO Y HABLO Respuestas libres.

UNIDAD 6 Prepárate para el futuro

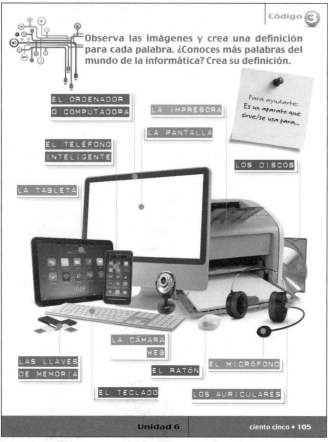

Código 3

Observa las imágenes y crea una definición para cada palabra. ¿Conoces más palabras del mundo de la informática? Crea su definición.

Para ayudarte:
Es un aparato que sirve/se usa para...

- EL ORDENADOR O COMPUTADORA
- LA IMPRESORA
- LA PANTALLA
- EL TELÉFONO INTELIGENTE
- LOS DISCOS
- LA TABLETA
- LAS LLAVES DE MEMORIA
- LA CÁMARA WEB
- EL MICRÓFONO
- EL RATÓN
- EL TECLADO
- LOS AURICULARES

Unidad 6 | ciento cinco • 105

Proyecte la imagen para catalizar la atención de todos. Pregúnteles sobre cómo y para qué usan estos y otros aparatos. Normalmente la tecnología es un tema muy cercano a los chicos y, por tanto, les interesa mucho. Luego, deje que cada estudiante defina uno de los aparatos.

Lección 11 Habla del mundo virtual

Charlando vía skype

Verónica: Miguel, soy Verónica. Mira, he estado hablando con algunos compañeros sobre el próximo año y parece que muchos se cambian de instituto, así que he pensado crear un sitio en Internet para que todos sigamos en contacto. Y, bueno, como a ti se te dan muy bien los ordenadores, he pensado que quizá puedas ayudarme. Podrás hacerlo, ¿verdad?

Miguel: Claro que sí. Pero, oye, ¿no será mejor que abramos una página en tuenti?

Verónica: No sé, ya lo había pensado, pero no me convence, algunos estamos en tuenti, otros en facebook... Se lo he dicho a Lourdes y ella también cree que es mejor una página web o un blog.

Miguel: Sí, un blog es lo mejor. Cada uno puede subir sus fotos o escribir y subir sus entradas cuando quiera.

Verónica: Tú podrás venir mañana, ¿verdad?

Miguel: ¿Después de las clases? No lo sé... Pero quizá podamos hacerlo en el recreo. Pedimos permiso para usar el aula de informática y lo hacemos allí. Montar el blog es muy rápido, depende de cuánto tardemos en elegir el estilo y las fotos del blog.

Verónica: Por mí, estupendo. Para los estilos, ya lo hablamos cuando veamos las plantillas. Para la foto de la cabecera, tengo una que está muy bien de todo el grupo en la excursión del año pasado; o a lo mejor podemos poner una foto de la escuela, que es muy bonita.

Miguel: Pues será muy bonita, pero creo que no tendrá mucho sentido el año próximo, o sea que mejor la foto de la excursión. Tráela el jueves a clase. Supongo que prepararás también un texto, ¿no? ¿O prefieres que lo hagamos juntos?

Verónica: Bueno, se lo he pedido a Julio, que escribe muy bien, y para el jueves seguramente ya estará.

Miguel: Vale. Como yo ahora estoy haciendo aplicaciones para la tableta y el teléfono inteligente, quizá consiga hacer una para el grupo, con el blog y otras cosas, como un chat o un mapa para localizarnos, no sé, voy a pensarlo y a ver qué sale.

Verónica: ¡Genial!

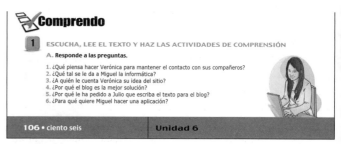

Comprendo

1 ESCUCHA, LEE EL TEXTO Y HAZ LAS ACTIVIDADES DE COMPRENSIÓN

A. Responde a las preguntas.

1. ¿Qué piensa hacer Verónica para mantener el contacto con sus compañeros?
2. ¿Qué tal se le da a Miguel la informática?
3. ¿A quién le cuenta Verónica su idea del sitio?
4. ¿Por qué el blog es la mejor solución?
5. ¿Por qué le ha pedido a Julio que escriba el texto para el blog?
6. ¿Para qué quiere Miguel hacer una aplicación?

106 • ciento seis | Unidad 6

Actividad 1A

Escuchan una vez el diálogo con el libro cerrado y toman apuntes. Después, se realiza la puesta en común sobre lo que han entendido y recuerden de la grabación. Pídales también que individualmente hagan un resumen de lo que han escuchado y, de esta manera, evalúa tanto la capacidad de comprensión auditiva como la capacidad de síntesis y la producción oral o escrita. Pida entonces que respondan a las seis preguntas.

Respuestas: 1. Crear un blog del instituto; **2.** Se le da muy bien; **3.** Se lo ha dicho a Lourdes; **4.** Porque todos pueden subir sus fotos y escribir cuando quieran; **5.** Porque escribe muy bien; **6.** Para compartirla con el grupo.

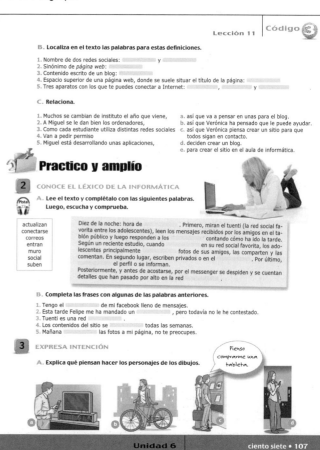

Lección 11 | Código 3

B. Localiza en el texto las palabras para estas definiciones.

1. Nombre de dos redes sociales: ▓▓▓▓ y ▓▓▓▓
2. Sinónimo de *página web*: ▓▓▓▓
3. Contenido escrito de un blog: ▓▓▓▓
4. Espacio superior de una página web, donde se suele situar el título de la página: ▓▓▓▓
5. Tres aparatos con los que te puedes conectar a Internet: ▓▓▓▓, ▓▓▓▓ y ▓▓▓▓

C. Relaciona.

1. Muchos se cambian de instituto el año que viene,
2. A Miguel se le dan bien los ordenadores,
3. Como cada estudiante utiliza distintas redes sociales,
4. Van a pedir permiso
5. Miguel está desarrollando unas aplicaciones,

a. así que va a pensar en unas para el blog.
b. así que Verónica ha pensado que le puede ayudar.
c. así que Verónica piensa crear un sitio para que todos sigan en contacto.
d. deciden crear un blog.
e. para crear el sitio en el aula de informática.

Practico y amplío

2 CONOCE EL LÉXICO DE LA INFORMÁTICA

A. Lee el texto y complétalo con las siguientes palabras. Luego, escucha y comprueba.

actualizan / conectarse / correos / entran / muro / social / suben

Diez de la noche: hora de ▓▓▓▓. Primero, miran el tuenti (la red social favorita entre los adolescentes), leen los mensajes recibidos por los amigos en el tablón público y luego responden a los ▓▓▓▓. Según un reciente estudio, cuando los adolescentes principalmente ▓▓▓▓ fotos de sus amigos, las comparten y las comentan. En segundo lugar, escriben privados o en el ▓▓▓▓. Por último, ▓▓▓▓ el perfil o se informan. Posteriormente, y antes de acostarse, por el messenger se despiden y se cuentan detalles que han pasado por alto en la red contando cómo ha ido la tarde. en su red social favorita, los adolescentes ▓▓▓▓

B. Completa las frases con algunas de las palabras anteriores.

1. Tengo el ▓▓▓▓ de mi facebook lleno de mensajes.
2. Esta tarde Felipe me ha mandado un ▓▓▓▓, pero todavía no le he contestado.
3. Tuenti es una red ▓▓▓▓
4. Los contenidos del sitio se ▓▓▓▓ todas las semanas.
5. Mañana ▓▓▓▓ las fotos a mi página, no te preocupes.

3 EXPRESA INTENCIÓN

A. Explica qué piensan hacer los personajes de los dibujos.

Pienso comprarme una tableta

Unidad 6 | ciento siete • 107

Actividad 1B y C

Dígales que abran el libro, ponga por segunda vez la audición y pídales que sigan el texto. Luego, deles unos minutos para que resuelvan la actividad y corrija en el pleno. Después de realizar las actividades de comprensión, pregúnteles acerca de los blogs, si tienen uno o siguen alguno. Forme parejas para resolver el ejercicio C y corrija en el pleno.

Respuestas: B. 1. tuenti, facebook; **2.** sitio; **3.** entrada; **4.** cabecera; **5.** tableta, teléfono inteligente, ordenador. **B.** 1-c; 2-b; 3-d; 4-e; 5-a.

Realice la actividad de la página 67 del cuaderno de ejercicios.

Actividad 2A y B

Deje a los alumnos unos minutos para que lean de manera individual el texto y lo completen con las palabras que faltan, pueden realizar juntas las dos actividades. Y cuando hayan terminado, póngales la grabación para que comprueben si lo han hecho bien.

Respuestas: conectarse, correos, entran, suben, muro, actualizan, social. **1.** muro; **2.** correo; **3.** social; **4.** actualizan; **5.** subo.

Realice la actividad 2 de la página 68 del cuaderno de ejercicios.

Actividad 3A y B

Pídales que hagan estos ejercicios de manera oral. Se puede completar mandando para casa la elaboración de un pequeño texto escrito en el que cuenten qué piensan hacer en las vacaciones o el año próximo o cuando terminen sus estudios.

Respuestas: Libres.

Realice la actividad 3 de la página 68 del cuaderno de ejercicios.

Actividad 4A y B

Si dispone del libro digital, proyecte la viñeta. Lea con sus estudiantes el diálogo y pídales primero que marquen las tres expresiones de probabilidad y, luego, que se fijen en el tiempo verbal que va detrás. Ponga un par de ejemplos más y pida que, en parejas, resuelvan los dos ejercicios. Corrija, como en otros casos, pidiendo que voluntarios lean las once frases seguidas. Al terminar estos ejercicios, pida a los estudiantes que inventen otras frases usando las tres expresiones de probabilidad presentadas.

Respuestas: A. 1. A lo mejor; **2.** Seguramente; **3.** Quizá; **4.** Seguramente; **5.** Quizá; **6.** A lo mejor. **B. 1.** compre; **2.** estarán; **3.** acerco; **4.** sea; **5.** cuesta, hará.

Realice la actividad 4 de las páginas 68 y 69 del cuaderno de ejercicios.

Actividad 5

Para presentarles el uso del futuro simple, hágales algunas preguntas en las que tengan que especular con la respuesta, como, por ejemplo, qué edad creen que tiene usted o dónde creen que vive. Para practicar el futuro con valor de probabilidad escriba en la pizarra algunos emoticones y pida a los alumnos que creen frases que hablen del motivo de ese estado de ánimo. Ejemplo: :) *María estará contenta porque han llegado ya las vacaciones.* Luego, forme parejas para crear las respuestas en futuro y corrija en el pleno.

Respuestas: 1. Tendrá hambre; **2.** Estará cansado; **3.** Irá al instituto; **4.** Será vegetariana; **5.** Será de un equipo.

Realice la actividad 5 de la página 69 del cuaderno de ejercicios.

Actividad 6A

Despúes de leer el texto y completar los huecos, pregúnteles si se identifican con lo que dice el texto o creen que es exagerado.

Respuestas: móvil, digital, mensajes, chat, tecnológica, virtual, conectan.

Actividad 6B y C

Estas preguntas se hacen oralmente en parejas o en grupos y deben crear un cuadro con las respuestas para realizar la estadística.

Respuestas: Libres.

Código <T>

Con la información recopilada en las dos actividades anteriores, en grupos, redactan sus textos. Una vez redactados los textos, corríjalos y proceda a colgarlos en el blog.

Actividad 1

En este caso, los alumnos se enfrentan al texto individualmente. Tienen que leerlo y completarlo con las palabras de la lista. En segundo lugar, escuchan la grabación y comprueban si lo han hecho bien. Puede pedirles después que subrayen los verbos en subjuntivo y observen que, cuando se habla del futuro, el subjuntivo aparece frecuentemente.

Respuestas: respuestas, tengáis, retos, lleguemos, esperándonos, desaparecerán, antes, temperatura, cortar, dicen, energía, producir, renovable

Realice la actividad de la página 70 del cuaderno de ejercicios.

Actividad 2A

Realice la actividad de forma oral (lea usted las frases y deje que sus estudiantes digan si son ciertas o son falsas) y de forma plenaria.

Respuestas: Son verdaderas la 2, 3, 4 y 7. Las demás son falsas.

Actividad 2B

Tras la realización de estas actividades de comprensión, pida a los estudiantes que inventen algunas frases hablando del futuro (en general o con un punto de vista personal), usando CUANDO + subjuntivo.

Respuestas: 1. avances; **2.** basura; **3.** afrontar; **4.** contaminante; **5.** perspectivas; **6.** cobran.

Actividad 3A

Ponga algunos ejemplos utilizando expresiones temporales. Escriba después los ejemplos en la pizarra y marque las expresiones temporales. Aclare dudas y pida a sus estudiantes que abran los libros y lean el cuadro de gramática. Si dispone del libro digital, proyecte las viñetas y pida que describan una a una lo que ocurre en relación a la llamada por teléfono: en la primera, una chica, cuando entra en su casa, se despide y, por lo tanto termina de hablar por teléfono; en la segunda, una chica está en su casa, viendo la televisión, y suena el móvil; en la tercera, una chica en la calle responde a una llamada en su móvil; y en la cuarta y última, una chica entra en su casa (parece que viene de la compra) y le suena un teléfono que lleva en su bolso. Entonces, lea las cuatro frases y pida que identifiquen a qué situación corresponden cada una. Como complemento, pídales que creen cuatro frases temporales muy parecidas, como en el ejercicio, en el que, por el contexto, se distinguen las cuatro expresiones temporales.

Respuestas: 1-La chica que entra en su casa; 2-La chica que responde al móvil en la calle; 3-La chica que ve la tele; 4-La chica que dice adiós.

Actividad 2B

Deje que los alumnos completen las frases individualmente o en parejas y corrija en el pleno.

Respuestas: 1. antes de; **2.** hasta; **3.** mientras; **4.** hasta; **5.** Antes de; **6.** Mientras; **7.** Después de; **8.** Antes de.

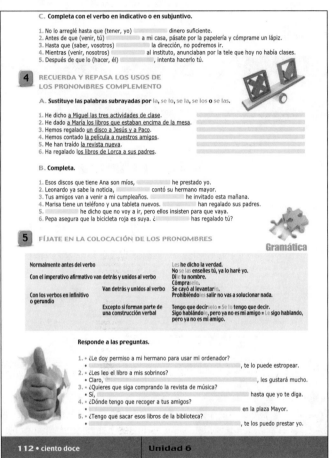

Actividad 3C

Realice el ejercicio de forma individual y corrija en el pleno. Pídales que escriban frases usando estas partículas temporales.

Respuestas: 1. tuve; **2.** vengas; **3.** sepáis; **4.** veníais; **5.** haga.

Realice las actividades 3 y 4 de las páginas 71 y 72 del cuaderno de ejercicios.

Actividad 4A y B

Como se trata de un repaso, presente las 6 frases del ejercicio A para que entre todos digan los pronombres. Si dispone de la versión digital, proyéctelas. Luego, pida que hagan el ejercicio B de forma individual o en parejas y corrija en el pleno. Pida a sus estudiantes que escriban unas líneas sobre el tema que prefieran, pero con la condición de que coloquen por lo menos 4 pronombres personales, de los cuales uno doble (se lo, se la, se los, se las)

Respuestas: A. 1. Se las he dicho; **2.** Se los he dado; **3.** Se lo hemos regalado; **4.** Se la hemos contado; **5.** Me la han traído; **6.** Se los han regalado. **B. 1.** se los; **2.** se la; **3.** Los; **4.** Se los; **5.** Les; **6.** Se la.

Realice la actividad 5 de la página 72 del cuaderno de ejercicios.

Actividad 5

Antes de leer las reglas de colocación de los pronombres, pregúnteles a ellos qué recuerdan, corrija en caso necesario y pida que pongan ejemplos. Luego, abran los libros y pida que lean el cuadro de gramática para reforzar. Realice el ejercicio de forma individual y corrija en el pleno. Pida a los estudiantes que den órdenes abstractas a un compañero usando los pronombres y este tiene que llevarlas a cabo. Ejemplos: *Tómalo* (el compañero puede tomar un boli o un lápiz, pero no una goma); *Escríbela* (puede escribir una palabra o una frase en la pizarra); *Dilo* (puede decir cualquier cosa).

Respuestas: 1. No, no se lo des; **2.** léeselo; **3.** cómprala; **4.** Recógelos; **5.** No, no los saques.

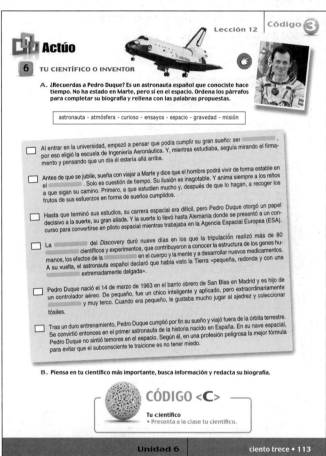

Actividad 6A

Pregúnteles si recuerdan algo de Pedro Duque o qué saben de él y qué opinan del peculiar trabajo de astronauta, qué requisitos hacen falta según ellos, si creen que ellos los cumplen, qué ventajas e inconvenientes tiene, si merece la pena tanto entrenamiento. Pueden hablar también de otras profesiones de riesgo o particularmente difíciles que admiran. Después, realicen la actividad en parejas y corrija en el pleno.

Respuestas: 2-6-3-5-1-4. astronauta, espacio, misión, ensayos, gravedad, atmósfera, curioso.

Actividad 6B

Pídales que hagan la actividad en casa, mejor en grupos pequeños.

Respuestas: Libres.

Código <C>

Proponga que sus estudiantes presenten al pleno sus científicos, si es posible, acompañados de soporte visual, como fotos o una presentación en PowerPoint.

Después de leer el texto y realizar las actividades, pregunte a sus alumnos qué texto de los que han leído a lo largo del año les ha gustado más, de qué les gusta que hablen los libros que leen y qué libro han leído últimamente y de qué trata.

Respuestas: 1. En una biblioteca; Le gusta Alex; Se siente bien, cómoda. **2.** Porque están los seis ocupados; Es igual a su padre, pero más joven; Por el modo con el que Johnny Cash se sube al escenario. **3.** Son verdaderas la segunda, tercera y última frase. **Aprendo:** se va a los ordenadores; pasen cinco minutos; es parecida a la de su padre; tiene prisa.

Realice las actividades de la página 73 del cuaderno de ejercicios.

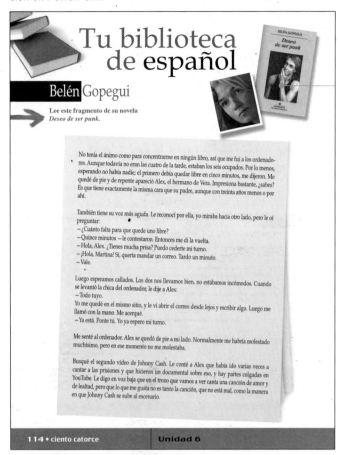

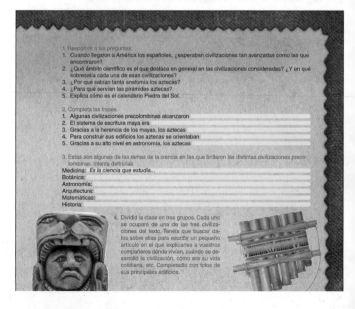

Variantes del español

Relaciona estas variantes con su significado.

1. Computación (Argentina, Chile, México)
2. Computadora (Argentina, México, Venezuela), computador (Chile)
3. Video (Argentina, México, Chile, Venezuela)
4. Noticiero (Argentina, México, Chile, Venezuela)
5. Celular (Argentina, México, Chile, Venezuela)
6. Casilla de mensajes (Argentina)
7. Parlantes (Argentina), bocinas (México), cornetas (Venezuela)
8. Audífonos (Chile, México, Venezuela)
9. Prender un aparato (Argentina, México, Chile, Venezuela)
10. No andar un aparato (Argentina), estar malo (Chile, Venezuela)
11. Arreglo (Argentina)

a. Encender
b. Ordenador
c. Reparación
d. Auriculares, cascos
e. Altavoces, bafles
f. Buzón de voz
g. Móvil
h. Telediario, informativo
i. Informática
j. No funcionar
k. Vídeo

Lean juntos el texto, coméntenlo y realicen las dos primeras actividades en clase. Las otras dos tienen que llevarlas a cabo en casa, pero antes se tienen que formar los tres grupos y decidir de qué civilización se va a ocupar cada uno. Es importante que busquen imágenes de edificios, esculturas y objetos de cada civilización para poder compararlos entre ellas.

Respuestas: Primera actividad: 1. No. Se quedaron maravillados con el grado de desarrollo que encontraron; **2.** Sobresalieron en astronomía y en arquitectura. Los incas desarrollaron además la arquitectura, la agricultura, la medicina y las matemáticas. Los mayas destacaron en arquitectura, astronomía y escritura. Los aztecas brillaron en medicina y en astronomía; **3.** Por los sacrificios humanos; **4.** Servían como observatorios; **5.** Respuesta libre. **Segunda actividad: 1.** un alto grado de desarrollo; **2.** el más completo de todos los sistemas de escritura de los pueblos indígenas; **3.** brillaron en medicina y en austronomía; **4.** usando las líneas equinocciales; **5.** descubrieron la duración del año solar, desarrollaron calendarios y predijeron eclipses. **Tercer actividad:** Respuestas libres.

Realice las actividades de la página 74 del cuaderno de ejercicios.

Respuestas: 1-i; 2-b; 3-k; 4-h; 5-g; 6-f; 7-e; 8-d; 9-a; 10-j; 11-c.

AHORA YA SÉ

Comunicación

Expresar intención

1. Transforma las frases en intenciones como en el ejemplo.

1. Iré al museo la próxima semana.   *Pienso ir al museo la próxima semana.*
2. ¿Vendrás a clase de Física mañana?
3. Pablo se hará una cuenta en tuenti.
4. Reciclaremos todo el papel que usamos.
5. ¿Vendréis en moto?
6. Ana y Felipe abrirán un blog sobre ciencias.

Expresar la probabilidad

2. ¿Qué le pasará a Laura? Está un poco rara. Intenta expresar tus conjeturas.

1. Tener un problema: Quizá
2. Estar enfadada: A lo mejor
3. Estar cansada: Seguramente
4. No saber qué hacer: A lo mejor
5. Estar nerviosa: Quizá
6. Sentirse mal: Seguramente

Expresar consecuencia

3. Elige un verbo para cada frase y expresa consecuencia.

acompañar - encontrar - entrar - leer - prestar - ser

1. No me conecté ayer, así que no _____ tu mensaje.
2. No voy a ir al cine mañana, o sea que te _____ si quieres.
3. Ya nunca hablas conmigo, o sea que ya no _____ amigos.
4. Marta ha perdido el disco que le dejé, así que no le _____ más cosas.
5. Llegamos tarde al concierto, así que no _____
6. El aula de conferencias estaba llena, o sea que no _____ sitio.

4. Completa las frases.

1. _____, así que no opino.
2. _____, así que no puedo ir.
3. _____, o sea que por este oído no oigo nada.
4. _____, o sea que puedo ir, pero no puedo esquiar.
5. _____, así que me voy ya.
6. _____, así que no pienso invitarte a mi cumpleaños.

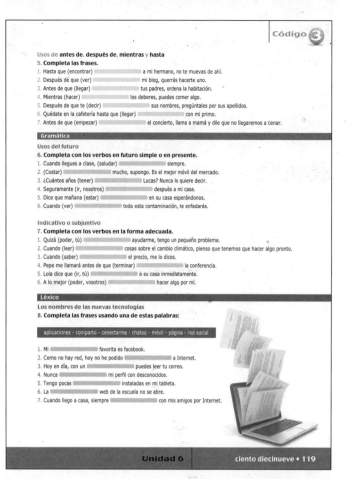

Usos de antes de, después de, mientras y hasta

5. Completa las frases.

1. Hasta que (encontrar) _____ a mi hermano, no te muevas de ahí.
2. Después de que (ver) _____ mi blog, querrás hacerte uno.
3. Antes de que (llegar) _____ tus padres, ordena la habitación.
4. Mientras (hacer) _____ los deberes, puedes comer algo.
5. Después de que te (decir) _____ sus nombres, pregúntales por sus apellidos.
6. Quédate en la cafetería hasta que (llegar) _____ con mi primo.
7. Antes de que (empezar) _____ el concierto, llama a mamá y dile que no llegaremos a cenar.

Gramática

Usos del futuro

6. Completa con los verbos en futuro simple o en presente.

1. Cuando llegues a clase, (saludar) _____ siempre.
2. (Costar) _____ mucho, supongo. Es el mejor móvil del mercado.
3. ¿Cuántos años (tener) _____ Lucas? Nunca lo quiere decir.
4. Seguramente (ir, nosotros) _____ después a mi casa.
5. Dice que mañana (estar) _____ en su casa esperándonos.
6. Cuando (ver) _____ toda esta contaminación, te enfadarás.

Indicativo o subjuntivo

7. Completa con los verbos en la forma adecuada.

1. Quizá (poder, tú) _____ ayudarme, tengo un pequeño problema.
2. Cuando (leer) _____ cosas sobre el cambio climático, pienso que tenemos que hacer algo pronto.
3. Cuando (saber) _____ el precio, me lo dices.
4. Pepe me llamará antes de que (terminar) _____ la conferencia.
5. Lola dice que (ir, tú) _____ a su casa inmediatamente.
6. A lo mejor (poder, vosotros) _____ hacer algo por mí.

Léxico

Los nombres de las nuevas tecnologías

8. Completa las frases usando una de estas palabras:

aplicaciones - comparto - conectarme - chateo - móvil - página - red social

1. Mi _____ favorita es facebook.
2. Como no hay red, hoy no he podido _____ a Internet.
3. Hoy en día, con un _____ puedes leer tu correo.
4. Nunca _____ mi perfil con desconocidos.
5. Tengo pocas _____ instaladas en mi tableta.
6. La _____ web de la escuela no se abre.
7. Cuando llego a casa, siempre _____ con mis amigos por Internet.

Actividad 1 Respuestas: 2. ¿Piensas venir a clase de Física mañana?; **3.** Pablo piensa hacerse una cuenta en tuenti; **4.** Pensamos reciclar todo el papel que usamos; **5.** ¿Pensáis venir en moto?; **6.** Ana y Felipe piensan abrir un blog sobre ciencias.

Actividad 2 Respuestas: 1. tenga un problema; **2.** está enfadada; **3.** estará cansada; **4.** no sabe qué hacer; **5.** esté nerviosa; **6.** se sentirá mal.

Actividad 3 Respuestas: 1. leí; **2.** acompaño; **3.** somos; **4.** prestaré; **5.** entramos; **6.** encontramos.

Actividad 4 Respuestas libres.

Actividad 5 Respuestas: 1. encuentre; **2.** veas; **3.** lleguen; **4.** haces; **5.** digan; **6.** llegue; **7.** empiece.

Actividad 6 Respuestas: 1. saluda; **2.** Costará; **3.** tendrá; **4.** iremos; **5.** estará; **6.** veas.

Actividad 7 Respuestas: 1. puedas; **2.** leo; **3.** sepas; **4.** termine; **5.** vayas; **6.** podéis.

Actividad 8 Respuestas: 1. red social; **2.** conectarme; **3.** móvil; **4.** comparto; **5.** aplicaciones; **6.** página; **7.** chateo.

Y, aunque también le recomendamos que lo haya hecho en las unidades anteriores, ahora que está ante la última preparación para los exámenes le aconsejamos encarecidamente que revise en clase con sus alumnos los ocho ejercicios, para que les haga conscientes de sus éxitos y sus errores, por si se tienen que enfrentar a exámenes oficiales. Deles unos minutos para que hagan los ejercicios y corríjalos en pleno pidiendo que unos voluntarios lean las respuestas. No solo corrija sino que, además, amplíe información y pídales que den más ejemplos y refuercen así su conocimiento formal de la lengua.

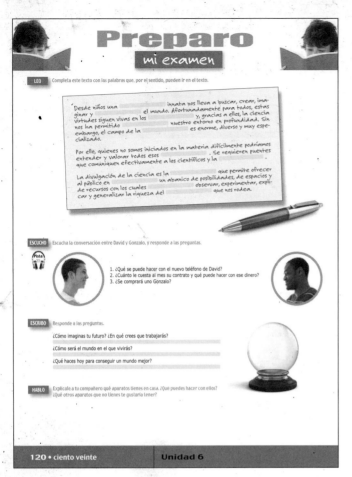

LEO curiosidad, descubrir, científicos, conocer, ciencia, avances, población, herramienta, general, poder, mundo.

ESCUCHO 1. Conectarse a Internet; **2.** 20 €. Tiene 400 minutos de llamadas al mes, 400 SMS y 2 gigas de datos; **3.** No sabe.